agénor, agénor, agénor et agénor

françois barcelo

agénor, agénor, agénor et agénor

roman

Illustration de la couverture : Gité

LES QUINZE, ÉDITEUR
(Division de Sogides Ltée)
955, rue Amherst, Montréal
H2L 3K4
tél. : (514) 523-1182

Distributeur exclusif pour le Canada :
AGENCE DE DISTRIBUTION POPULAIRE INC.
(Filiale de Sogides Ltée)
955, rue Amherst, Montréal
H2L 3K4
tél. : (514) 523-1182

À Kurt Vonnegut Junior, John Dos Passos, Robert Musil, Gabriel Garcia Marquez, Victor Hugo et tous les autres écrivains que l'on accusera à juste titre de m'avoir influencé et que le lecteur devrait lire s'il ne l'a déjà fait.

Mais aussi et surtout à Bertrand et à Valérie, à Marcelle et à David, à Michel et à Jocelyne, à Jean-François, à Diane et à Charles-Emmanuel, qui en s'entêtant à lire les pages que j'écrivais me forcèrent à en écrire d'autres.

Ce récit aurait pu débuter vers 1884, au Québec. Peut-être à cent ou cent cinquante milles au nord de Montréal, dans les Laurentides. Peut-être ailleurs aussi, dans un autre pays. Ou même à une autre époque.

I

Clorimont s'arrêta à mi-chemin du sommet de la colline, s'épongea le front avec un grand mouchoir à carreaux. Son cheval fit encore quelques pas, puis s'arrêta lui aussi et allongea le cou pour brouter de hautes herbes le long du sentier.

Clorimont regarda derrière lui le sentier qui se faufilait entre les arbres et qu'il avait suivi depuis Sainte-Robille. Il vit des gens qui montaient vers lui. Plusieurs personnes qu'il ne pouvait encore distinguer clairement, mais qui marchaient d'un pas rapide et qui le rejoindraient sûrement quelques minutes plus tard.

Il remit son mouchoir dans sa poche. « Allez, Grégoire, on repart. » Le cheval releva la tête, reprit son pas lent, Clorimont boitant derrière lui, pestant en son for intérieur contre ce cheval qui refusait tout cavalier.

Après quelques pas, Clorimont se mit à se demander pourquoi tant de gens le suivaient dans le sentier de Sinéglou.

Il s'arrêta à nouveau, regarda au loin, au pied de la colline. « Si ma maison était en feu ? » Non, pas la moindre fumée. D'ailleurs, si sa maison flambait, on ne lui enverrait pas plusieurs personnes pour le rattraper. Une suffirait amplement, tandis que les autres resteraient derrière pour combattre l'incendie.

Rassuré, Clorimont repartit. Grégoire, qui s'était encore arrêté pour brouter, reprit aussi son pas traînant.

Clorimont chercha encore longtemps quelle raison pouvait bien pousser des adultes du village dans le sentier de Sinéglou.

Mais il cherchait en vain, parce que c'était tout simplement le fruit du hasard.

En effet, Honoré Lapointe, surnommé Bottines Noires parce qu'il avait possédé une paire de bottines noires dix ans auparavant, était censé se lever dès que pointeraient les premiers rayons du soleil pour aller renouveler ses provisions de genièvre à Sinéglou. Toutefois, ayant pris soin de vider la veille sa dernière bouteille, il n'avait pu se lever qu'à sept heures et demie, et était parti aussitôt.

N'ayant pas de montre, il ignorait l'heure qu'il était. Seul Tramore O'Brien en possédait une. Et Tramore avait pris le sentier lui aussi ce matin-là, pour remplir sa fonction d'inspecteur des chemins. Ce travail était aussi facile que mal rémunéré, car il n'y avait pas de véritable chemin à Sainte-Robille. Seul un vague sentier traversait le village, serpentant de façon très fantaisiste pour frôler le porche de chacune des cinq maisons. Et le sentier menant à Sinéglou, beaucoup plus long, ne présentait guère de problème : à peine fallait-il que Tramore, de temps à autre, aille mettre un peu de terre pour boucher un trou, ou remplacer un tronc d'arbre faisant office de pont au-dessus d'un ruisseau.

Tramore, donc, s'était levé à sept heures et demie. Il avait fourré dans sa poche un quignon de pain et un morceau de lard, et était sorti de chez lui à sept heures trente-cinq exactement. Il avait vite rejoint Bottines Noires, au milieu du village. Et les deux Robillois avaient adopté une moyenne approximative entre le pas rapide de Tramore et celui encore hésitant de Bottines Noires. Car, même si on se parle peu à Sainte-Robille, tout le monde sait que le sentier de Sinéglou est long, quoiqu'il n'ait jamais été mesuré. Il est donc agréable d'avoir un compagnon de route, avec qui échanger de temps à autre des propos sur la quantité de bois à couper pour l'hiver ou sur le rendement comparatif en truites du ruisseau du Vent et du lac Mégère.

Tire-Bouchon, lui, habitait la maison la plus proche du sentier de Sinéglou. Il guettait depuis longtemps le passage de Tramore. Il était le seul à travailler à Sinéglou, où, tous les jours de l'été, il lavait les planchers et la vaisselle de l'auberge Sinémon et Gloustin. N'ayant ni réveille-matin ni montre, il se levait avec le jour et faisait le guet à sa fenêtre, jusqu'à ce que Tramore, en fonctionnaire consciencieux, passe devant chez lui à sept heures quarante-deux très exactement. Sauf ce matin-là, où Tramore avait pris près d'une minute de retard parce qu'il marchait avec Bottines Noires. Tire-Bouchon n'avait d'ailleurs jamais avoué à Tramore que celui-ci lui servait de montre, et avait fait semblant de prétendre que s'il prenait avec lui le sentier de Sinéglou, c'était uniquement le résultat du hasard, qui faisait bien les choses en donnant à chacun un interlocuteur. Et, tant que les deux marcheurs ne se trouvaient pas en vue des premières maisons de Sinéglou, là où le sentier se transforme en chemin et devient la responsabilité de l'inspecteur des chemins de Sinéglou, pendant toute cette longue marche Tire-Bouchon cherchait désespérément un sujet de conversation comme s'il avait voulu payer de cette manière le service que Tramore lui rendait sans le savoir. Mais Tire-Bouchon n'était guère doué pour la conversation et ne bafouillait jamais autre chose que « Il fait beau, hein ? » ou « Sacramouille qu'il pleut ! », gardant un silence embarrassé lorsque le ciel était tout simplement couvert.

Tire-Bouchon fut donc ravi de voir que Tramore avait déjà un compagnon de marche. Non pas que le temps fût nuageux ce matin-là. Mais Tire-Bouchon se dit qu'il pourrait se fier à Bottines Noires pour faire la conversation. Toutefois, Bottines Noires, ayant bu encore plus que de coutume la veille, n'était pas particulièrement loquace. Et les seules paroles prononcées furent le traditionnel « Il fait beau, hein ? » de Tire-Bouchon, auquel les deux autres ne prirent pas la peine de répondre.

Les trois hommes marchaient ensemble depuis cinq minutes lorsque Marie-Clarina les rejoignit. Elle marchait d'un pas vif, car elle s'était levée un peu plus tard que prévu ce matin où elle devait faire ses provisions à Sinéglou. Et son premier réflexe fut de dépasser les trois hommes et de continuer son chemin seule. Mais c'était la première fois qu'elle avait la chance de voyager avec tant de compagnons, et peut-être l'un d'eux reviendrait-il en même temps qu'elle et l'aiderait-il à porter son sac à dos.

Non pas que Marie-Clarina fût faible. Elle possédait une vigueur évidente. Lorsque Clorimont ne pouvait lui prêter son cheval, elle poussait elle-même sa charrue en fixant une lourde pierre sur le soc pour qu'il s'enfonce mieux dans la terre sablonneuse. Et aucun Sinéglousin (on sait pourtant que les Sinéglousins ont les doigts fourrés partout) n'aurait osé toucher les formes généreuses et appétissantes de Marie-Clarina, tant ses bras musclés, ses larges mains et le couteau qu'elle portait dans un étui à sa ceinture constituaient des avertissements convaincants.

Toutefois, Marie-Clarina savait qu'au retour les lanières de son sac à dos chargé de plus de trente livres de provisions s'enfonceraient de plus en plus dans la chair entre son cou et ses épaules, et que rien ne serait alors plus agréable que de prêter son fardeau à quelqu'un d'autre, ne serait-ce que quelques minutes.

Elle ralentit donc le pas.

— Salut, Tire-Bouchon ! fit-elle gaiement.

— Il fait beau, hein ?

— Tu vas à Sinéglou ? demanda-t-elle à Bottines Noires.

— Oui, j'ai besoin de provisions.

Marie-Clarina savait fort bien de quelles provisions Bottines Noires avait besoin. Tout Sainte-Robille savait qu'il repartirait de Sinéglou avec treize bouteilles dans son sac et arriverait à Sainte-Robille avec douze bouteilles ou onze et demie. Jamais il n'avait rapporté autre chose de Sinéglou : ni savon, ni allumettes, ni vêtements, ni thé. « Ça, c'est des commissions de femmes », disait-il avec mépris. Et c'était Marie-Clarina qui s'était une fois de plus chargée de la courte liste d'achats d'Éliane, la femme de Bottines Noires : une livre de sucre, un mouchoir sans dentelle et deux mèches de lampe à pétrole.

— Et toi, tu vas jusqu'à Sinéglou ? demanda-t-elle à Tramore avec une pointe d'inquiétude.

— Faut bien, c'est mon devoir, fit Tramore avec la résignation du fonctionnaire consciencieux.

Tramore était le seul homme avec lequel Marie-Clarina pouvait compter revenir de Sinéglou. Tire-Bouchon n'en repartirait qu'à la tombée de la nuit, après avoir lavé des piles et des piles de vaisselle. Bottines Noires probablement plus tard encore, son sac à dos chargé de bouteilles et le ventre plein de bière consommée à l'hôtel. (« J'aime mieux la bière que le genièvre, avait-il coutume de dire, mais ça fait trop d'eau à transporter. » Il buvait donc de la bière à Sinéglou et du genièvre à Sainte-Robille.)

Marie-Clarina songea à demander à Tramore de préciser s'il allait vraiment jusqu'à Sinéglou ou s'il s'arrêterait à la fin du sentier où se terminaient ses responsabilités. Mais elle craignit de sembler trop curieuse. On verrait bien. La pente était de plus en plus abrupte. Marie-Clarina dépassa le groupe, essaya de lui faire presser le pas. Seul Tramore la suivit pendant quelques minutes. Mais il s'arrêta un peu plus loin pour attendre les autres, conscient des responsabilités morales de son poste. Marie-Clarina se résigna à les attendre elle aussi.

C'est en repartant tous les quatre qu'à travers une trouée dans les bouleaux au-dessus d'eux, ils aperçurent Clorimont pour la première fois, au moment précis où Clorimont les apercevait.

—- Tiens, c'est Clorimont, fit Marie-Clarina.

—- C'est son cheval, en tout cas, précisa Tramore avec prudence.

En effet, seul le cheval de Clorimont était reconnaissable à cette distance. Et encore, c'est parce que c'était le seul cheval à plusieurs lieues à la ronde qu'on pouvait être sûr que c'était Grégoire. Rien ne prouvait de façon absolue que la personne qu'on devinait à côté du cheval était Clorimont.

—- Il doit aller faire ferrer son cheval à Sinéglou, ajouta Marie-Clarina.

—- En tout cas, il m'en a parlé hier, avoua Tramore, admettant que Clorimont allait faire ferrer son cheval alors qu'il était douteux que ce soit lui.

Le petit groupe continua son chemin et Clorimont disparut à nouveau dans le feuillage des bouleaux. Marie-Clarina faisait le gros de la conversation, donnant à ses compagnons de route une description complète des articles qu'elle comptait se procurer à Sinéglou. Elle se plaignait en riant du fil blanc qu'on achetait aujourd'hui, peut-être plus uniforme mais beaucoup moins résistant que celui d'autrefois, lorsqu'à un détour du sentier ils retrouvèrent Clorimont et son cheval.

C'est ainsi qu'ils arrivèrent en même temps tous les cinq au sommet de la colline qui domine Sainte-Robille. Ce qui fut le résultat d'un hasard pour le moins extraordinaire. En effet, si Bottines Noires ne s'était pas enivré à ce point la veille, il serait parti bien avant les autres. Mais comme il s'était levé en retard, la lenteur de son pas avait ralenti Tramore et Tire-Bouchon. Toutefois, Marie-Clarina avait apporté une influence inverse, ce qui fit qu'ils rejoignirent tous ensemble Clorimont au moment où celui-ci parvenait au sommet de la montagne. Le lecteur pourrait s'étonner que Grégoire ait eu besoin de faire remplacer ses fers le jour même où se produisit l'événement.

C'est donc à cause d'une série d'incidents fortuits que tous les foyers de Sainte-Robille se trouvèrent représentés à ce moment précis au sommet de la colline.

C'est Tire-Bouchon, le premier, qui remarqua quelque chose de brillant dans le ciel. D'ailleurs, cet endroit de la colline était le seul suffisamment dégarni pour qu'on pût observer la voûte céleste, ce qui constitue une autre coïncidence troublante.

Tire-Bouchon, donc, pointa du doigt vers le ciel, un peu au-dessus de l'horizon derrière lui. Car il avait l'habitude de regarder derrière lui lorsqu'il arrivait au sommet de la colline, comme pour mesurer le chemin parcouru : il restait trois autres collines de même importance à gravir puis à redescendre avant d'arriver à Sinéglou.

Personne ne prêta attention au doigt que levait Tire-Bouchon, qui se résigna à prendre la parole.

— Regardez, chuchota-t-il.

Seule Marie-Clarina tourna alors la tête.

— Mon Dieu, fit-elle à voix basse.

Trois objets, qui ressemblaient à des assiettes (« comme des soucoupes volantes » devait dire plus tard Marie-Clarina en au moins une occasion), semblaient flotter dans le ciel. Brillants comme des casseroles neuves, ils réfléchissaient les rayons du soleil.

Bottines Noires, puis Tramore, puis Clorimont, puis Grégoire se tournèrent tous à ce moment et purent eux aussi contempler les objets célestes, qui semblaient maintenant venir dans leur direction.

— J'ai jamais vu ça, fit Tramore d'une voix pâle.

Les objets se rapprochaient d'eux de plus en plus rapidement. Grégoire hennit, effrayé.

— Aie pas peur, fit Clorimont encore plus pour se rassurer que pour calmer le cheval.

Les objets célestes semblaient maintenant gros comme des maisons et passèrent à vive allure au-dessus du petit groupe, mais sans faire le moindre bruit.

—- Vous le voyez, ça, vous autres aussi ? demanda Tramore.

Bien sûr, ils le voyaient, mais aucun ne fut capable de le dire. Les trois objets volaient en direction de Sinéglou, lorsqu'ils firent l'un après l'autre un brusque virage à gauche. Ils accélérèrent, puis disparurent au-dessus de l'horizon à une vitesse vertigineuse, en direction de l'ouest. Le petit groupe garda le silence pendant quelques secondes encore.

—- C'est la foudre, déclara Marie-Clarina, décidée à conserver au moins l'apparence du courage.

—- Drôle de foudre, fit Clorimont.

—- C'est pas des nuages, en tout cas, ajouta Tramore.

—- J'ai jamais vu de foudre comme ça, fit Bottines Noires en secouant la tête.

Le cheval et Tire-Bouchon se turent, aussi perplexes l'un que l'autre.

—- Là ! s'écria soudain Tire-Bouchon.

Les trois objets reparurent, très haut dans le ciel, presque droit au-dessus du groupe immobile. On les voyait à peine plus gros que des pointes d'épingles. Puis ils se mirent à grossir, à grossir...

Tire-Bouchon fut le premier à se jeter par terre, en hurlant de frayeur. Le cheval se cabra, ce qui permit par la suite à Clorimont de dire que c'était Grégoire qui l'avait jeté au sol. Bottines Noires eut soudain envie de vomir, et se laissa tomber à genoux. Marie-Clarina et Tramore restèrent debout, mais rentrèrent la tête dans les épaules.

Ils la ressortirent quelques secondes plus tard, lorsqu'ils constatèrent que ce n'était pas sur eux que les objets tombaient. Ceux-ci, incontestablement plus gros que des maisons, se dirigeaient vers un point un peu plus à l'est et disparurent derrière les arbres. Mais, une seconde plus tard, ils reparaissaient, lancés cette fois à nouveau vers le ciel.

—- Où est l'autre ? se demanda Marie-Clarina.

En effet, il en manquait un.

—- Il en manque un, dit Bottines Noires.

—- C'est vrai, il y en avait trois, ajouta Tramore.

Tire-Bouchon qui savait à peine compter jusqu'à trois avait aussi remarqué qu'il en manquait un, mais n'en dit rien.

—- Je vous avais bien dit que c'était la foudre, fit Clorimont, pâle comme un drap, tandis que les deux objets disparaissaient une fois de plus au-dessus de l'horizon, en direction de Sinéglou.

—- Oui, la foudre, ça fait souvent ça, dit Tramore, qui n'avait vu la foudre qu'une fois de toute sa vie.

Une boule de feu était alors tombée sur sa hache, la lui avait arrachée des mains, avait fendu une bûche (Tramore ne savait pas avec certitude si la boule de feu avait fendu la bûche avec ou sans la hache, mais la bûche avait bel et bien été fendue) et était disparue en un bruyant coup de tonnerre. La foudre n'avait donc absolument pas fait ce que venaient de faire les trois objets dans le ciel. Mais Tramore se disait qu'il était de son devoir de fonctionnaire de rassurer la population de Sainte-Robille.

Marie-Clarina, elle, n'avait jamais vu la foudre et était toute disposée à croire Tramore qui avait eu cette chance. Le petit groupe continua à scruter le ciel pendant de longues minutes, tandis que Grégoire profitait de l'occasion pour brouter les herbes le long du sentier.

Ils attendirent dix bonnes minutes. C'est du moins ce que crut Tramore, qui avait oublié de regarder sa montre. Il constata seulement qu'il était huit heures vingt-cinq lorsque le groupe se remit finalement en marche, hâtant le pas pour rattraper le temps perdu.

*   *   *

Marie-Clarina revint seule de Sinéglou.

Elle savait que Tire-Bouchon ne reviendrait qu'à la nuit tombée. Que Tramore avait rebroussé chemin dès que la fin du sentier avait été en vue, près de Sinéglou. Que Bottines Noires devait être en train de s'enivrer à l'hôtel. Et que Clorimont était sûrement rentré à Sainte-Robille dès que son cheval avait été ferré, car Marie-Clarina n'avait pas pu le retrouver dans la petite ville.

C'était surtout ce départ rapide de Clorimont qui la désolait. À l'aller, elle avait songé à divers moyens de convaincre Grégoire d'accepter son sac de toile pour le retour. À Sinéglou, elle avait même acheté, pour la première fois de sa vie, du sucre en cubes, se disant que les chevaux, comme les enfants, devaient aimer le sucre.

Elle se consolait tout de même de revenir à Sainte-Robille sans Clorimont, car le boiteux marchait vraiment d'un pas désespérément lent. À l'aller, elle avait fini par s'excuser, prétextant qu'elle était pressée, et avait pris les devants quelques instants après l'apparition des objets célestes. Tramore et Tire-Bouchon l'avaient accompagnée, laissant Clorimont traîner la patte avec Bottines Noires et Grégoire.

Pendant le voyage, on n'avait guère parlé des objets célestes. Seul Tramore y avait fait allusion, en déclarant « Pour moi, c'était un rêve », sans conviction et ne convainquant personne.

Marie-Clarina avait fait ses achats rapidement au magasin général de Sinéglou. C'est là qu'elle avait trouvé tout ce qu'il lui fallait. Elle avait même acheté du tapioca, après s'être bien fait expliquer le mode de cuisson. Elle n'en avait jamais mangé et se disait qu'elle pouvait bien se permettre une petite gâterie de temps à autre.

Son sac était lourdement chargé et lui pesait de plus en plus. Elle avait déjà franchi les trois premiers rangs de collines entre Sinéglou et Sainte-Robille et s'engageait enfin dans la partie du sentier qui gravissait lentement la dernière colline. Elle fit une pause, souleva avec ses pouces les courroies de toile de son sac pour amoindrir le poids qui reposait sur ses épaules, poussa un long soupir et reprit sa marche vers le sommet de la colline.

Puis, à un détour du sentier, elle vit un spectacle étonnant. Bottines Noires était assis sur son sac à dos, une bouteille presque vide posée à ses pieds, et parlait tout seul.

— Je le sais, j'ai bu, marmonnait-il, mais ce n'est pas une raison pour me faire des accroires pareils.

« Ça y est, pensa Marie-Clarina, il est devenu fou. »

En effet, Bottines Noires n'était pas un ivrogne ordinaire. Il divaguait rarement et pouvait boire ses deux bouteilles de genièvre sans tituber. Tout au plus ses propos devenaient-ils parfois un peu plus lents que d'ordinaire. Ce qui n'avait aucune importance car personne n'était pressé à Sainte-Robille. Mais jamais il n'avait tenu des propos plus incohérents que ceux de ses concitoyens.

— On est fatigué, Bottines Noires ? demanda Marie-Clarina en continuant d'approcher.

— Regarde, fit Bottines Noires.

C'est à ce moment que Marie-Clarina vit le petit animal. Il était en face de Bottines Noires, de l'autre côté du sentier, et avait adopté, sur une grosse pierre, une position qui ressemble beaucoup à la façon dont les humains s'assoient.

Marie-Clarina n'avait jamais vu un animal pareil.

Pour commencer, l'animal était vert. Pas du vert glauque que Marie-Clarina avait déjà vu sur une tortue. Mais d'un vert assez clair et brillant, qui rappelait celui du plancher du balcon du maire de Sinéglou.

Comme tous les reptiles, l'animal n'avait pas de poils. Il avait le haut de la tête plutôt pointu, deux yeux bleu clair, deux pattes de devant et deux de derrière, quoique, dans la position assise qu'il avait adoptée, Marie-Clarina aurait plutôt dit deux pattes du haut et deux pattes du bas.

— T'en as déjà vu des comme ça ? demanda Bottines Noires.

Il ajouta dans le même souffle :

— Tu le vois aussi, hein ?

— Non... oui, fit Marie-Clarina, répondant tour à tour aux deux questions.

Bottines Noires n'essaya pas de démêler les réponses. Il prit la bouteille à ses pieds, la porta à ses lèvres, avala une grande lampée de genièvre brûlant.

— J'ai essayé de l'attraper. Mais il a pas voulu. Je vais poser des collets ce soir. Peut-être que ça se mange.

— Moi, j'en mangerais pas, fit Marie-Clarina dégoûtée.

Son père lui avait déjà offert du lézard. Elle avait refusé d'en manger. Et l'animal vert n'était guère plus appétissant.

C'est ce moment que l'animal choisit pour se lever. Il devait faire la moitié de la hauteur de Marie-Clarina, ou peut-être un peu plus.

— C'est une femelle, constata Bottines Noires.

— Oui, acquiesça Marie-Clarina.

En effet, l'animal n'avait aucun sexe apparent.

— Moi, je la ferais à la broche, fit Bottines Noires sur le ton d'un connaisseur.

— Faudrait d'abord que tu l'attrapes.

Marie-Clarina examina l'animal à nouveau. Sa peau verte semblait abîmée à l'épaule et sur la cuisse droite, comme si du feu l'avait un peu noircie. Les extrémités des membres de l'animal intéressèrent aussi Marie-Clarina. Les membres inférieurs se terminaient par des pieds larges et plats, qui ressemblaient un peu à des pattes de canard, mais en beaucoup plus lisse. Les membres supérieurs étaient munis d'espèces de pinces à trois doigts. Le visage lui-même était extrêmement bizarre. Sous la pointe de la tête, deux yeux qui semblaient aussi intelligents que ceux de tous les animaux, mais pas de nez ni de museau, pas de bouche non plus.

— Tsss, tsss, tsss, fit Marie-Clarina comme pour appeler un chien.

L'animal fit un pas vers elle, levant des yeux qui semblaient implorer de l'aide. Mais il se ravisa aussitôt et retourna s'asseoir sur la pierre.

Marie-Clarina se souvint qu'elle avait des cubes de sucre dans son sac. Elle enleva donc celui-ci de ses épaules, ce qui lui fit grand bien, et fouilla à la recherche du petit sac de papier.

Elle ressortit la main avec un cube de sucre, qu'elle tendit à l'animal. Celui-ci ne bougea pas.

Elle s'avança alors tout doucement, pour éviter de l'effrayer. Elle posa le cube de sucre à deux ou trois pieds de l'animal et retraversa le sentier en reculant toujours sans mouvement brusque. L'animal, s'il était doué d'un minimum d'agilité, pouvait maintenant prendre le sucre sans risquer de se faire attraper. Mais il ne bougea pas. À court d'idées, Marie-Clarina s'assit sur un tronc d'arbre à moitié pourri.

— Comment ça se fait que tu es revenu si tôt ? demanda-t-elle à Bottines Noires.

— Ils m'ont mis sur la liste noire, les enfants de chiennes.

Dès son arrivée à l'auberge de Sinéglou, Bottines Noires avait été accueilli par Clavaire, le garçon de table, qui l'avait aussitôt saisi par le bras et l'avait entraîné à l'extérieur. Là, sur la feuille blanche de la liste noire, il lui avait montré le dernier nom : Bottines Noires. « C'est pas mon vrai nom », avait protesté Honoré Lapointe, mais sans aucun effet.

Il faut dire que, la semaine précédente, Bottines Noires avait semé le scandale à Sinéglou. Il avait passé toute la journée à l'auberge, à boire des quantités incalculables de bière. À compter de midi, il buvait tant et si vite qu'il avait trouvé plus simple de se faire servir dans les chiottes par Clavaire. Ainsi, il n'avait pas à passer la moitié de son temps entre celles-ci et sa table, tellement il lui fallait pisser souvent.

À six heures, Bottines Noires était sorti de l'hôtel, portant sur son dos un sac plein de bouteilles de genièvre. Il s'était mis en route avec un équilibre étonnant. Malheureusement pour lui, le chemin qui mène au sentier de Sainte-Robille passe devant le presbytère.

Bottines Noires n'était pas particulièrement religieux. Mais il n'avait rien contre le curé de Sinéglou, qui ne s'était jamais risqué à Sainte-Robille, même pas pour l'extrême-onction, même pas pour bénir le village ou les récoltes. Le curé de Sinéglou, qui n'aimait guère la marche à pied, soutenait que Robille n'étant pas une véritable sainte du paradis, il ne pouvait prendre sur lui d'accorder une telle caution morale à un village d'impies.

En passant devant le presbytère, Bottines Noires fut à nouveau saisi d'une envie de pisser irrésistible. Comme il était parfaitement au courant du récent règlement municipal qui interdisait d'uriner dans la rue, il se tourna vers la maison la plus proche : le presbytère. Il monta les marches, puis poussa le heurtoir.

Le presbytère de Sinéglou est la plus grande habitation de la petite ville. Lorsque ses occupants sont à l'autre bout de la maison, il leur faut beaucoup de temps pour répondre à la porte.

D'autant plus que, ce jour-là, l'évêque était venu confirmer une douzaine de petits Sinéglousins. Lorsque Bottines Noires donna du heurtoir sur la porte, le curé était justement à prendre congé de l'évêque et ne se hâta guère de répondre. Bottines Noires fit donc ce qu'il aurait fait chez lui si son envie d'uriner ne lui avait laissé le temps d'entrer. Il sortit son sexe, juste au moment où la porte s'ouvrait, pissa sur l'évêque juste au moment où celui-ci tendait sa bague au curé pour la lui faire baiser.

Bottines Noires se rendit compte que la porte venait de s'ouvrir. Il leva les yeux, se demanda quelle était cette personne en robe noire à ceinture rouge, mais se rendit compte qu'il lui était impossible de cesser d'uriner une fois qu'il avait commencé.

L'évêque, lui, se détourna du curé pour regarder ce drôle de paroissien dont l'haleine fétide attirait l'attention. Une seconde plus tard, il ressentait une chaleur agréable à travers sa soutane.

Encore une seconde et il s'apercevait que c'était un liquide chaud qu'on déversait sur le bas de sa personne. À la quatrième seconde, il prenait pleinement conscience de la situation. À la cinquième, Bottines Noires avait cessé d'uriner, se secouait et déclarait :

— Merci, madame.

Puis, il tourna le dos à l'évêque, descendit les marches et reprit le chemin de Sainte-Robille.

L'évêque avait menacé le curé d'excommunier tout le village si le coupable n'était pas puni. Le curé avait menacé le propriétaire de l'auberge de faire fermer son établissement s'il ne plaçait pas le coupable sur la liste noire. Le propriétaire de l'hôtel avait menacé Clavaire de le congédier si le coupable remettait les pieds dans son établissement. Et Clavaire avait menacé Bottines Noires de ne plus lui vendre du genièvre à boire ailleurs s'il n'obtempérait pas.

Bottines Noires avait donc pris quatre bouteilles de genièvre de plus que d'habitude, pour compenser, bouteilles qu'il avait mises dans les poches de son vieux manteau car son sac était trop plein.

Lorsqu'il avait aperçu le petit animal au beau milieu du sentier, il avait déjà bu près de deux de ces bouteilles excédentaires et il crut un instant qu'il avait une vision. Il décida toutefois que sa vision pouvait être comestible et qu'il serait fou de la chasser avant de l'avoir mangée. Mais le petit animal avait habilement esquivé toutes ses attaques. Et Bottines Noires commençait à être fort déprimé lorsque Marie-Clarina était arrivée.

— C'est ton tour, lui dit-il.

— Mon tour de quoi ?

— De courir après.

— Compte pas sur moi pour courir après. S'il veut pas venir, c'est son affaire.

Bottines Noires prit encore une grande lampée de genièvre. « Les femmes, pensa-t-il, y a rien à faire avec les femmes. » Il eut toutefois un geste de conciliation tout à fait exceptionnel. Il tendit la bouteille à Marie-Clarina après en avoir soigneusement essuyé le goulot avec ses doigts sales.

— Tiens, fit-il sur un ton de grand seigneur.

— Tu veux me saouler, maintenant ? protesta Marie-Clarina en repoussant la bouteille.

Bottines Noires haussa les épaules. Il n'y avait vraiment rien à faire avec les femmes. « Elles sont même pas capables de boire comme du monde », pensa-t-il.

— Ce qu'il faudrait, c'est construire un piège, pensa Marie-Clarina à haute voix.

— Un piège ? Pourquoi pas du poivre sous la queue, opina Bottines Noires dégoûté.

— Il a pas de queue, protesta Marie-Clarina.

La discussion se serait prolongée longtemps si Clorimont n'était alors apparu au détour du sentier.

Grégoire s'arrêta, ravi de l'occasion de brouter quelques brins d'herbe. Clorimont s'arrêta aussi, stupéfait.

Il ne lui avait guère fallu qu'une demi-heure pour faire ferrer de neuf son cheval. Et il avait aussitôt repris le sentier de Sainte-Robille.

Mais, en montant à Sinéglou ce matin-là, il s'était parfaitement rendu compte du manège de Marie-Clarina. « Toi, tu n'auras pas mon cheval », avait-il pensé en remarquant la façon dont Marie-Clarina regardait parfois Grégoire.

Non pas qu'il eût souffert quelque inconvénient à laisser Marie-Clarina confier à Grégoire la tâche de porter son sac. D'ailleurs, Marie-Clarina était assez généreuse pour récompenser Grégoire ou Clorimont ou les deux pour ce service rendu. Mais que le lecteur se mette ici à la place de Clorimont : n'est-il pas déjà assez vexant d'avoir un cheval qui vous refuse comme cavalier ? Le laisser porter le sac à dos d'une autre personne multiplierait l'insulte par deux.

Donc, après avoir marché pendant une bonne demi-heure en direction de Sainte-Robille, Clorimont avait tout à coup songé que Marie-Clarina risquait de le rejoindre bientôt si elle marchait de son pas rapide habituel. Comme il n'était pas question qu'il hâte le pas, Clorimont trouva une autre solution : il prit quelques minutes plus tard le sentier des chutes à Marleau.

Il avait passé une bonne heure étendu à l'ombre près des chutes, tandis que Grégoire broutait goulûment. Cela aurait dû suffire à Marie-Clarina pour le dépasser et prendre sur lui une avance telle qu'il ne pourrait la rejoindre avant qu'elle ne fût rendue à Sainte-Robille.

Clorimont fut donc désagréablement étonné d'apercevoir Marie-Clarina au détour du sentier. Il ne remarqua pas immédiatement le petit animal vert.

—- Qu'est-ce que tu fais là, toi ? demanda Marie-Clarina.

—- Ben quoi, je marche, j'ai le droit, fit Clorimont qui cherchait désespérément une excuse valable.

—- Regarde, dit Marie-Clarina en désignant l'endroit où se tenait l'animal bizarre.

Mais l'animal n'y était plus.

—- Où est-il passé ? demanda Marie-Clarina.

—- Là, fit Bottines Noires.

Il pointait du doigt vers Grégoire. Le petit animal vert avait dû se glisser dans les bois le long du sentier, pour en ressortir juste devant le cheval. Le spectacle était maintenant assez curieux. L'animal avait posé la main sur le nez de Grégoire. Pendant quelques secondes, les deux bêtes restèrent ainsi, immobiles, Grégoire ayant cessé de brouter mais gardant la tête basse, au ras du sol.

Marie-Clarina et Bottines Noires regardaient bouche bée. Quant à Clorimont, sa stupéfaction atteignait un niveau sans doute rarement égalé dans l'histoire de l'humanité. Il ouvrit la bouche, la ferma, l'ouvrit à nouveau et se trouva incapable de la refermer.

Il s'écoula plusieurs secondes pendant lesquelles tout le groupe demeura parfaitement immobile. C'est Grégoire qui bougea le premier. Il secoua la tête en renâclant. Le petit animal, avec la rapidité de l'éclair, sauta à nouveau derrière les buissons qui bordaient le sentier.

—- Mon cheval, mon cheval ! s'écria enfin Clorimont en se précipitant vers Grégoire.

Il lui palpa le nez, le caressa. Mais le cheval, indifférent, rebaissa la tête et se remit à brouter.

—- Où est-il passé ? demanda Marie-Clarina, fort peu préoccupée du sort du cheval.

—- Là, fit Bottines Noires en pointant du doigt l'animal à nouveau assis sur la même pierre.

—- Qu'est-ce que c'est que cette maudite bestiole-là ? demandait maintenant Clorimont.

Marie-Clarina lui expliqua qu'elle n'en savait rien.

Le soleil commençait à baisser à l'horizon et n'éclairait plus le petit groupe dans le sentier.

—- Qu'est-ce qu'on fait ? demanda Clorimont.

—- Je sais pas, répondit Marie-Clarina. On pourrait peut-être aller chercher Tramore ?

—- Le temps qu'on revienne, il va faire noir, protesta Clorimont.

—- Qu'est-ce que tu veux qu'on fasse ? Ça doit même pas se manger, fit Bottines Noires en se remettant péniblement sur pied.

Marie-Clarina haussa les épaules. Effectivement, qu'est-ce qu'on pouvait bien faire ? Tramore avait sûrement déjà vu ce genre d'animal, une description lui suffirait à l'identifier.

Elle remit donc le sac sur son dos.

—- Mets-le donc sur Grégoire, proposa Clorimont aimablement.

Après tout, on était presque rendu.

Marie-Clarina passa donc les courroies de son sac autour du cou du cheval, en écartant le contenu de façon qu'il se divise également des deux côtés de l'encolure.

Bottines Noires vida sa bouteille de genièvre d'une longue rasade et la lança dans la forêt. On entendit le tintement du verre brisé.

—- Un jour, quelqu'un va se couper sur une de tes bouteilles, protesta Marie-Clarina.

En effet, chaque côté du sentier était de plus en plus jonché de tessons de bouteilles. Un observateur perspicace aurait remarqué que les bouteilles les moins défraîchies par le temps étaient les plus proches du sentier et en aurait conclu que les forces de Bottines Noires déclinaient avec les années.

Le groupe reprit le sentier qui descendait vers Sainte-Robille. Marie-Clarina fermait la marche, se retournant une dernière fois vers le petit animal vert.

Elle eut alors une inspiration subite et inexplicable. Elle lui tendit la main, comme on la tend à un enfant sur lequel on a pris plusieurs pas d'avance.

Et, à sa plus grande surprise, elle vit l'animal sauter au bas de sa pierre, trottiner vers elle, lui prendre la main dans une de ses pattes supérieures.

—- Vous avez vu ? dit-elle triomphalement à ses deux compagnons.

—- Bah, fit Bottines Noires, peu impressionné et un peu dépité du fait que ce ne serait peut-être pas lui qui mangerait l'animal.

—- Laisse-le pas toucher à Grégoire, implora Clorimont que l'incident de tout à l'heure avait bouleversé.

La « main » de l'animal créait une drôle d'impression dans celle de Marie-Clarina. Pour commencer, elle n'était ni chaude ni froide et absolument sèche. De plus, la peau était à la fois rugueuse et lisse, pas du tout glissante comme l'est parfois celle de la main d'un enfant.

Marie-Clarina suivit les autres, descendant le sentier jusqu'à Sainte-Robille sans que l'animal lui lâchât la main.

—- Je vais le montrer à Tramore, fit-elle. Il pourra nous dire ce que c'est.

Et elle passa devant chez elle sans s'arrêter. Clorimont se contenta d'enlever le sac du dos de Grégoire et de le déposer sur le balcon. Passant devant sa propre maison, il lâcha tout simplement la laisse du cheval, qui fut ravi de s'arrêter, surtout qu'il avait l'impression que ses fers tout neufs lui faisaient plus ou moins bien.

Bottines Noires laissa son sac de bouteilles de genièvre sous son balcon (tout ce qui est par terre tombe de beaucoup moins haut et risque moins de se briser, avait-il remarqué à quelques occasions).

Ils arrivèrent finalement tous ensemble devant la maison de Tramore O'Brien, tout au bout du sentier.

—- Tramore, cria Clorimont, viens voir ce qu'on a trouvé.

Tramore sortit sur le balcon grinçant.

—- Qu'est-ce que c'est que ça ? demanda-t-il.

—- T'en as jamais vu ?

—- Non.

Le coeur de Marie-Clarina eut un tressaillement de bonheur qu'elle n'aurait pu expliquer.

Histoire de Marie-Clarina

Marie-Clarina était née trente et un ans plus tôt, à Sainte-Robille. Elle avait été le premier enfant à y voir le jour. Et aussi à y être conçue, car son père, qui venait tout juste de se marier, avait décidé qu'il ne consommerait son mariage que le jour où lui et sa femme s'installeraient à demeure quelque part.

Le père de Marie-Clarina s'appelait Agénor Clauszowit-skui. Il était arrivé de l'Ancien Continent à vingt-huit ans, sans un sou en poche, mais plein d'une énergie inépuisable.

Il s'était d'abord installé sur la berge de la rivière Makinosk, près du village de Pied-Bot. Il avait tout simplement demandé au maire : « La terre près du croche de la rivière, entre celle de Beaudoin La Lancette et celle de Beaudoin Beau Parleur, je peux m'y installer ? Je vous paierai après la récolte. »

Le maire, en souriant, avait donné son accord.

Et Agénor avait arraché des souches, labouré, emprunté des semences. Il avait érigé une petite maison avec des planches qu'il taillait lui-même, à la main. Il avait combattu les corbeaux et les mauvaises herbes. Il avait vendu aux fermiers de la région le peu de temps qu'il lui restait, pour pouvoir manger autre chose que les fraises des champs. Il avait acheté une poule et un coq, leur avait bâti un poulailler plus luxueux que sa maison. Il avait récolté le blé et le maïs, le sarrasin et les haricots. Il s'était fait rouler par les acheteurs de la ville. Mais il avait quand même pu payer son année au maire.

L'hiver aussi avait été dur. Agénor avait travaillé dans les chantiers, à s'en couvrir l'intérieur des mains d'ampoules qui ne voulaient jamais se refermer. Et, dès le début de la fonte des neiges, il était retourné voir le maire pour lui payer fièrement l'année qui commençait.

C'est alors que le maire lui dit : « Tu sais, mon gars, je ne croyais pas que ça aurait de l'importance, parce que j'étais sûr que tu ne passerais même pas l'été... Mais il faut que je te dise que la terre près du croche de la rivière, entre celle de Beaudoin La Lancette et celle de Beaudoin Beau Parleur, est inondée presque tous les ans et que jamais rien n'y reste, ni maison, ni clôture, ni poulailler. Si tu veux, je mettrai tes cinq piastres en dépôt sur l'ancienne terre à Pamphile Duquette. Tu n'auras qu'à t'y construire une nouvelle maison pour remplacer celle qui y a brûlé dans le grand feu de forêt d'il y a douze ans. »

L'ancienne terre de Pamphile Duquette était une excellente terre. Mais Agénor n'était pas homme à admettre qu'il s'était fait rouler. Il se jura qu'un jour sa terre ferait l'envie de tout Pied-Bot.

Il loua un cheval et empila des troncs d'arbres le long de la rive, pour former un mur solide, de plus de douze pieds de haut, fermement ancré dans le sol. Puis, il érigea une autre digue, en pierre et en sable. Il fit tant et si bien que la première grande vague de dégel ne fit même pas bouger la première digue. La deuxième vague ne fit qu'arracher quelques troncs, qu'Agénor remplaça aussitôt.

Mais la troisième surprit Agénor pendant la nuit. Il entendit soudain un immense craquement. Il n'eut que le temps de prendre ses bottes et son manteau et de sortir de la maison : un gigantesque raz-de-marée formé d'eau, de glace et des troncs de la digue déferlait sur la terre d'Agénor. Celui-ci dut courir à toutes jambes, pour éviter d'être emporté par les eaux ou assommé par les blocs de glace et les troncs d'arbre.

Assis au bord du chemin, les pieds glacés, contemplant au petit jour le spectacle de sa terre, de sa maison et de son poulailler devenus maintenant un bras de la rivière, Agénor se jura que jamais plus il ne se ferait jouer par une rivière ou par un homme.

Il devait bien y avoir, par delà le grand fleuve, dans les montagnes qu'il avait vues au loin, un endroit sans rivières et sans hommes. Dès qu'il eut les pieds secs, il chaussa ses bottes et partit vers le nord.

Il marcha tout le jour et toute la nuit et arriva à l'aube en vue du fleuve. Au loin se dessinait la silhouette des montagnes.

Agénor fendit du bois toute la journée pour une vieille femme qui lui paya son billet pour le bateau-passeur et lui donna à manger. Elle lui fit même don d'un chapeau qu'avait porté son fils, mort dans la courte bataille qui avait mis fin à l'invasion des Phynniens.

C'est sur le bateau-passeur qu'Agénor fit la connaissance de Clorimont. Celui-ci pleurait à chaudes larmes, accoudé au bastingage. Agénor se sentit obligé de l'interroger. Clorimont expliqua que ses parents l'avaient mis dans une maison de santé parce qu'ils ne voulaient plus s'occuper de lui. Mais la maison de santé venait de le renvoyer parce qu'il était guéri. Et maintenant il ne savait plus où aller.

Agénor ne savait pas ce que voulait dire « maison de santé ». Mais il savait que Clorimont ne savait tout simplement plus où aller. Il l'invita donc à venir avec lui dans les montagnes de l'autre côté du fleuve.

— À deux, fit-il, on pourrait fonder un village.

Pleurant maintenant de joie, Clorimont lui embrassa les mains.

En descendant du bateau-passeur, ils prirent la route de Sinéglou. Le but d'Agénor était simple : aller au dernier village au bout de la route et de là aller plus loin encore, jusqu'à ce qu'il trouve un endroit sans hommes et sans rivières.

Ils mirent une semaine à se rendre à Sinéglou. En route, le troisième jour, ils rencontrèrent une jeune fille qui, du haut d'un petit pont de bois, lançait des cailloux dans une rivière.

Agénor et Clorimont n'avaient pas bu d'eau depuis longtemps. Ils s'arrêtèrent donc sur la rive pour en boire.

— Où allez-vous ? demanda la jeune fille sur le pont.

— Quelque part où il n'y a ni hommes ni rivières, répondit Agénor.

— Je peux aller avec vous ?

Clorimont, que les femmes intimidaient beaucoup, fit « non » de la tête.

—- Bien sûr, répondit Agénor. Ça fera un plus gros village.

Ils se mirent donc tous trois en route. La jeune fille, qui s'appelait Douaire, expliqua qu'elle s'était enfuie du couvent de L'Allemand et qu'elle ne voulait plus jamais y retourner. Agénor lui dit qu'elle ferait de la peine à ses parents. Douaire répliqua qu'elle était orpheline.

Clorimont trouva curieux d'avoir eu des parents qui ne voulaient pas de lui et qu'on l'ait chassé, lui, d'un endroit où il était très bien, alors que la jeune fille orpheline s'était, elle, enfuie d'un endroit où elle n'était pas bien. « Vraiment, ça prend de tout pour faire un monde », pensa-t-il sans savoir qu'il s'agissait d'un dicton répandu.

Quatre jours plus tard, ils étaient en vue de Sinéglou. Et même s'ils n'avaient échangé que quelques phrases en quatre jours, Agénor savait que Douaire et lui étaient faits l'un pour l'autre. Il la demanda donc en mariage et elle accepta.

Ils se présentèrent à la porte du presbytère. Le curé regarda le groupe dépenaillé, sale, poussiéreux.

—- Nous voulons nous marier, dit Agénor.

Le curé lui posa quelques questions. Mais Agénor ne pouvait présenter son acte de naissance.

—- Dans mon pays, ça n'existe pas.

Il dut insister longuement pour que le curé accepte de les marier sans acte de naissance et promit qu'il écrirait à sa grand-mère pour lui en demander un.

—- Plutôt que de vous laisser vivre dans le péché, avait enfin soupiré le curé face à la perspective du concubinage. Quant à vous, mademoiselle, comment vous appelez-vous ?

Mais Douaire refusa de donner son nom.

—- Je ne peux tout de même pas marier quelqu'un sans savoir son nom, fit le curé.

Et il leur montra, dans un grand livre noir, un endroit où était écrit « Et vous, (nom), acceptez-vous de prendre pour époux (nom), ici présent... ».

—- Il faut que j'écrive quelque chose pour boucher les trous !

Le curé se montra intraitable. Et Agénor eut beau supplier Douaire, rien n'y fit. Elle lui interdit même de prononcer son prénom devant le curé. Quant à son nom de famille, Agénor n'avait jamais songé à le lui demander.

Après une longue discussion, une femme vint dire que monsieur le Curé était servi. Le curé en profita donc pour mettre tout ce petit monde dehors.

— Où allons-nous, maintenant ? demanda Clorimont, sur le balcon du presbytère.

Agénor flaira le vent, regarda à droite, à gauche et en face, puis désigna la droite.

— Par là, fit-il.

Et c'est ainsi qu'ils se rendirent jusqu'au bout du chemin et s'enfoncèrent dans la forêt.

— De toute façon, fit Douaire non sans un fond de raison, je parie qu'il nous aurait demandé de l'argent, et on n'a pas un sou.

Marcher dans la forêt n'était pas facile. Il n'y avait pas de sentier et les buissons étaient nombreux, même si les arbres n'avaient pas encore de feuilles. Ils marchèrent une bonne partie de l'après-midi, s'épuisant à enjamber des troncs d'arbres, à contourner des fourrés, à retirer leurs pieds qui s'enfonçaient dans la boue des ruisseaux printaniers.

Le soir commençait à tomber, lorsqu'Agénor s'arrêta au pied d'une colline.

— C'est ici, fit-il.

— On s'arrête ? demanda Douaire, qui était épuisée mais avait appris à faire semblant d'être prête à continuer.

— C'est ici qu'on va construire le village, précisa Agénor.

— Pourquoi ici ? demanda Clorimont.

— Il n'y a pas d'hommes et il n'y a pas de rivières.

— C'est pourtant vrai !

Ils mangèrent des pousses de fougères. Puis ils s'étendirent à l'endroit le plus sec de la forêt. Clorimont s'endormit aussitôt. Et ce fut cette nuit-là, sous le manteau de grosse toile d'Agénor, que Marie-Clarina fut conçue.

Dès l'aube, les trois fondateurs du village se mirent à la tâche.

Agénor et Clorimont commencèrent à construire une maisonnette de rondins qu'ils empilèrent les uns sur les autres. En une semaine, les murs étaient dressés et la charpente du toit terminée.

Ils remirent à plus tard la construction du toit définitif, se contentant pour l'instant de branches de sapin.

Agénor dessoucha une grosse racine et se mit à labourer avec Clorimont le sol de la clairière qui entourait la maisonnette. Dès le premier sillon creusé, Agénor y enfouit, un à un, des grains de blé qu'il avait apportés dans le fond des poches de son manteau.

— Comme ça, on aura du pain au plus tôt, dit-il.

Pendant ce temps, Douaire n'était pas restée inactive. Elle s'était chargée du ravitaillement, limité pendant les premiers jours à quelques pousses de fougères, en forme de crosse de violon. Mais elle était d'une curiosité sans limite, goûtant sans cesse tout ce qui pouvait sortir du sol au fur et à mesure qu'il se réchauffait. Elle notait mentalement tout ce qui lui semblait comestible, attendait un jour pour savoir si cela ne rendait pas malade, puis le déclarait « bon à manger » et essayait d'en amasser une quantité suffisante pour le repas des hommes.

Ce qui lui semblait ou trop dur ou trop amer, elle le faisait bouillir dans le chapeau de feutre d'Agénor. Elle goûtait la tisane ainsi produite. Elle goûtait le légume cuit. Et elle avait fini par constituer un menu assez varié et constamment changeant, car en cette saison beaucoup de plantes poussaient si rapidement qu'elles étaient tendres et délicieuses un jour, pour devenir dures et indigestes le lendemain.

Une fois la clairière entièrement ensemencée, Agénor et Clorimont firent un toit à la maisonnette, avec des troncs d'arbres qu'ils fendaient en deux à l'aide de coins en pierre.

Ils s'attaquèrent ensuite à la maison de Clorimont qui fut terminée dès le milieu de l'été. Déjà, le ventre de Douaire commençait à s'arrondir.

— Il faudrait trouver un nom pour le village, dit-elle. Ainsi, on pourra savoir où ma fille est née.

Douaire semblait sûre que son enfant serait une fille. En effet, seule une fille pourrait rétablir ce qui lui paraissait être un équilibre essentiel : deux femmes et deux hommes.

Pendant une bonne partie de l'été, presque à tout moment, l'un des trois lançait quelque chose du genre :

— Paris, qu'est-ce que vous en dites ?

— C'est déjà pris.

—- Ah, c'est dommage.

Ou bien :

—- Caramel, c'est un beau nom.

—- En as-tu déjà mangé ?

—- Non.

—- Comment peux-tu savoir ?

Finalement, c'est Agénor qui insista pour qu'on appelle le village à son idée : Sans-Hommes-Ni-Rivières. Et il grava le nom du village sur un morceau d'écorce qu'il fixa à un piquet planté à l'endroit où ils étaient d'abord arrivés.

La récolte fut bonne. Et Douaire apprit à moudre le blé entre deux pierres et à cuire un pain un peu dur mais savoureux, dans un four en pierre que Clorimont avait érigé à mi-chemin entre les deux maisons.

Clorimont s'était révélé extrêmement habile de ses dix doigts. Il inventait constamment de nouveaux outils, de nouveaux ustensiles, fabriquait un seau dans un tronc d'arbre, un fauteuil avec une grosse pierre plate, une fourchette avec une branche.

Ainsi, lorsque la première neige tomba, le village était prêt à affronter l'hiver. Des champignons et des plantes séchées, du blé et des truites fumées garnissaient le garde-manger. Le bois était coupé. Les interstices des murs avaient été comblés.

Agénor avait aussi appris à faire des collets avec de petites branches de saule et ajoutait lièvres et perdrix au menu essentiellement végétarien de Douaire. Il avait aussi pris assez de petits animaux à fourrure pour faire une couverture chaude.

Lorsque Marie-Clarina naquit, au milieu de l'hiver, non seulement la grande couverture était-elle terminée, mais on lui avait préparé un petit lit garni de fourrure de pékan, chaude et douce.

Personne à Sans-Hommes-Ni-Rivières n'avait jamais vu naître un enfant. Personne n'avait même une idée précise de la façon dont naissent les enfants. Mais Douaire fit semblant de s'y connaître et donna naissance à une grosse fille joufflue.

Marie-Clarina fut longtemps la seule enfant à Sans-Hommes-Ni-Rivières. Elle n'eut aucun jouet, ne joua à aucun jeu, mais ne s'ennuya jamais.

Sa mère avait en effet reçu au couvent une excellente éducation. Elle apprit donc à sa fille à chanter, à réciter des poèmes.

Et Clorimont venait souvent passer la soirée avec les Clauszowit-skui, à écouter la fillette, de sa belle voix claire et posée, lui parler de villes qu'il n'avait jamais vues, lui chanter des histoires d'amour comme il n'en avait jamais vécu.

Douaire apprit aussi à Marie-Clarina à jouer du piano, quoiqu'elles n'aient pas de piano. Mais elle avait demandé à Clo-rimont de tailler une planche et de bien la polir, puis elle en avait noirci des parties à l'aide de charbon de bois. Plusieurs fois par jour, Marie-Clarina devait s'asseoir à table et répéter d'intermi-nables exercices sous la surveillance de sa mère qui hochait la tête au rythme des notes silencieuses. Clorimont, lui aussi, avait ses morceaux préférés qu'il entendait dans sa tête, sans oser en parler.

Lorsque Marie-Clarina eut une douzaine d'années, il y eut de graves troubles dans le Sud et d'autres gens vinrent demander s'ils pouvaient s'installer à Sans-Hommes-Ni-Rivières. Agénor s'y opposa, mais Douaire insista, parce qu'elle voulait que la petite ait de la compagnie. Tramore et sa femme Estrelle s'installèrent donc près d'eux. Ce furent ensuite Honoré Lapointe et sa femme. Et enfin Tire-Bouchon et son vieux père, qui mourut avant même que leur maison ne soit terminée.

—- Un peu plus, disait souvent Agénor en riant, et on aurait aussi eu une rivière.

Pendant ce temps, la maison d'Agénor avait grandi. La pre-mière maisonnette était toujours là, mais Agénor, avec l'aide de Marie-Clarina qui dès ses treize ans savait abattre un arbre aussi rapidement que lui, l'avait entourée d'une autre maison plus grande. Ainsi, il faisait plus chaud au centre. Et, depuis qu'Agénor était allé chercher une vache à Sinéglou, la maison extérieure ser-vait d'étable, de grange et d'abri pour les outils et le bois.

Les relations entre les gens de Sans-Hommes-Ni-Rivières et les Sinéglousins avaient été peu fréquentes jusque-là, les gens du village se contentant d'une vie fruste, sans luxe ni même ce qui aurait été jugé essentiel par les gens des villes. Mais, en même temps qu'Agénor avait ramené une vache de Sinéglou, Clorimont en avait ramené un cheval. Et, même si Clorimont n'allait prêter son cheval qu'avec parcimonie, ce cheval n'en marqua pas moins le début d'une relative prospérité pour tout le village. On put cultiver plus de blé, d'avoine et de sarrasin que nécessaire. Il fallut donc en vendre. On acheta alors des casseroles, du genièvre, du thé, des vêtements. Mais Agénor était de plus en plus inquiet face à la croissance de son village. Il lui arrivait même, la nuit, de se réveiller en sursaut après avoir vu en rêve une rivière à la place du sentier, emportant tout, femme, fille, vache, maison.

C'est pourquoi il songea à ne pas ouvrir lorsque, quelques années plus tard, quelqu'un frappa à la porte, par une froide nuit d'hiver, avec un rythme qui ne lui était pas familier.

— Ouvre, fit Douaire.

Agénor grimaça, haussa les épaules, et ouvrit.

— Bonjour la compagnie, fit un jeune homme solidement bâti en faisant du regard le tour de la pièce, s'arrêtant un instant à Marie-Clarina, qui avait maintenant vingt et un ans bien comptés et qui répétait son piano à la table.

— Je m'appelle Placide Eustope, fit-il. Et je ne sais pas où je vais. J'y suis peut-être déjà.

Douaire l'invita à passer la nuit dans l'étable.

Le lendemain, le jeune homme aida Agénor à réparer le toit, apprit à traire la vache, fit tourner le seau sur lui-même au bout de son bras assez rapidement pour séparer la crème du petit lait, en somme fit tant et si bien qu'il passa tout l'hiver avec eux.

Marie-Clarina n'avait jamais vu de jeune homme et fut aussitôt convaincue que tous les jeunes hommes étaient beaux comme des dieux.

Quand elle était seule avec Placide, celui-ci jouait souvent à la serrer contre lui, à mettre sa langue dans sa bouche, à la tripoter partout avec ses mains.

Si Douaire avait fidèlement transmis à sa fille l'essentiel de l'éducation qu'elle avait reçue au couvent, elle avait rejeté tout ce qui n'avait pas d'application pratique immédiate. C'est ainsi que Marie-Clarina se retrouva un jour enceinte, sans même savoir avec certitude ce qu'elle avait fait pour le devenir.

Agénor maria donc sa fille et Placide dès les premiers jours du printemps. Et Marie-Clarina donna, au début de l'hiver, naissance à une fille qu'elle appela Robille.

Quinze jours plus tard, Agénor et Douaire demandèrent à Marie-Clarina si elle voulait les accompagner à la pêche sur la glace. Marie-Clarina, qui n'avait pratiquement rien fait depuis deux semaines qu'admirer sa fille, accepta et demanda à Placide de s'occuper du bébé pendant quelques heures.

La marche jusqu'au lac qu'Agénor avait nommé Agénor fut agréable. La neige n'était pas encore épaisse au point d'être gênante. Il faisait un soleil radieux.

Tous trois s'avancèrent prudemment sur le lac. Le gel n'avait commencé que depuis une semaine ou deux, et comment savoir si la glace était suffisamment épaisse ?

Au milieu du lac, Agénor commença à ouvrir, à la hache, un trou dans la glace.

Douaire, pour mettre à l'épreuve la solidité de la glace, sauta sur place à quelques reprises, frappant de plus en plus fort la surface avec ses deux pieds.

— Elle est solide, fit-elle en sautant une dernière fois.

Et la glace cassa alors avec un grand craquement sinistre. Douaire disparut aussitôt dans l'eau glacée. Marie-Clarina se précipita en avant.

— Reste où tu es, ordonna Agénor en lâchant sa hache.

Il s'approcha du grand trou noir où Douaire était disparue.

— Douaire ! cria-t-il.

Il enleva son manteau, le lança à Marie-Clarina qui était restée derrière lui.

— Tu t'en serviras comme d'une corde pour nous aider à sortir.

Il se glissa ensuite dans le trou, plongea, et Marie-Clarina vit disparaître le talon de ses mocassins.

Il se passa de longues secondes avant qu'Agénor réapparût.

La surface de l'eau frémit et Agénor sortit la tête, en inspirant bruyamment. Marie-Clarina remarqua que ses cheveux avaient un peu blanchi. Elle vit aussi l'image de douleur qui se lisait sur le visage d'Agénor. Celui-ci plongea à nouveau.

Il reparut près d'une minute plus tard. Ses cheveux avaient encore blanchi. La douleur se faisait plus évidente sur son visage.

Cinq fois encore il plongea dans l'eau glacée. Cinq fois encore sa tête reparut, de plus en plus blanche, de plus en plus grimaçante de douleur. La cinquième fois, tous les cheveux étaient blancs comme neige. Agénor ouvrit les yeux en sortant de l'eau, puis les referma et s'enfonça pour de bon.

Marie-Clarina resta longtemps étendue sur la glace, le manteau de son père dans une main, s'attendant à chaque seconde à voir son père ou sa mère refaire surface.

Elle dut enfin se résigner à rentrer au village. Robille pleurait lorsqu'elle entra dans la maison et Marie-Clarina lui donna son sein débordant de lait.

Le lendemain, Placide alla vendre à Bottines Noires le lit de ses beaux-parents.

Mais il était dit que Marie-Clarina connaîtrait d'autres malheurs cet hiver-là.

Quelques semaines plus tard, le temps s'était soudainement adouci et Placide en avait profité pour aller à Sinéglou chercher une tête de hache. La nouvelle prospérité de Sans-Hommes-Ni-Rivières avait relégué aux oubliettes les pierres taillées par Clorimont. Même celui-ci utilisait des haches d'acier.

Comme la provision de bois commençait à baisser, Placide était parti de bon matin. Mais, sur le chemin du retour, il s'était mis à tomber une fine pluie glacée qui avait pénétré tous ses vêtements et lavé son corps aussi bien qu'une douche.

Lorsqu'il entra chez lui, il éternuait constamment et ne tarda pas à tousser. Marie-Clarina lui fit enlever ses vêtements et le fit coucher sous toutes les fourrures qu'elle put trouver.

Pendant vingt-quatre heures, Placide éternua, toussa, cracha. Son front se fit de plus en plus brûlant. Marie-Clarina passait tout son temps assise près de lui. Et elle remarqua que Robille commençait à éternuer, tousser et cracher à son tour.

À la tombée de la nuit, Robille et Placide avaient tous deux le front brûlant comme une bouilloire. Affolée, Marie-Clarina courut chez Tramore et Estrelle.

— Veux-tu t'occuper de Placide et de Robille ? demanda-t-elle à Estrelle. Je vais à Sinéglou chercher le médecin.

— Il ne viendra pas, fit Estrelle.

— Il viendra si j'ai le pistolet de Tramore.

Il s'agissait de la seule arme à feu du village, un vieux pistolet un peu rouillé, suspendu au-dessus de la cheminée à côté d'une corne à poudre. Tramore expliqua à Marie-Clarina comment s'en servir.

— Bonne chance ! souhaita Estrelle à Marie-Clarina lors-qu'elles se quittèrent sur le pas de la porte.

La pluie s'était transformée en neige épaisse, que le vent souf-flait en énormes congères. Marie-Clarina avait pris les raquettes grossières que son père avait façonnées près de vingt ans aupa-ravant. Et elle s'en félicita. La neige, en effet, tombait comme elle l'avait rarement vue tomber. Déjà, les branches des sapins com-mençaient à se couvrir d'une épaisse bordure blanche. La neige, poussée par un fort vent d'est, s'accumulait parfois en des murailles difficiles à franchir.

Mais Marie-Clarina marchait d'un bon pas, sentant à sa ceinture la froide empreinte du pistolet.

Elle arriva à Sinéglou au milieu de la nuit et se dirigea droit vers la maison du médecin. Celui-ci ne vint ouvrir qu'après que Marie-Clarina, lasse de frapper à la porte, eut tiré un coup de pis-tolet dans les airs.

— Qu'est-ce que c'est ? demanda-t-il.

— Faut que vous veniez. Mon mari et ma fille sont en train de mourir.

— Où ça ?

— À Sans-Hommes-Ni-Rivières.

— Où c'est ?

— Heu... Par là, pas loin. Je vous conduirai.

— Les chemins sont fermés.

— C'est pas un chemin comme les autres : j'en arrive.

— De toute façon, chemin ou pas, je n'irai pas, fit le médecin.

— Oui, vous allez venir, fit Marie-Clarina en brandissant son pistolet.

— Une autre qui se prend pour Gabiraldi, fit le docteur en riant. Si tu me tues, comment veux-tu que je soigne ton mari et ta fille ? Et si tu ne me tues pas, comment veux-tu que j'aie peur de toi ?

Désarmée par cette logique implacable, Marie-Clarina remit son pistolet à sa ceinture. Elle suivit le docteur dans son officine. Il lui donna des pilules, dans un petit flacon de verre.

— Tiens, même si j'allais avec toi, c'est tout ce que j'aurais à leur donner. Voilà un mois que je n'ai pas reçu de médicaments.

Marie-Clarina le remercia et repartit aussitôt.

Le vent soufflait encore plus fort, au point que Marie-Clarina en avait parfois le souffle coupé. Elle devait marcher penchée en avant, arc-boutée contre le vent. Mais rien ne put la ralentir.

Elle arriva chez elle au moment où le ciel commençait à pâlir.

— C'est épouvantable, fit Estrelle dès qu'elle vit Marie-Clarina sur le pas de la porte.

Dans le grand lit, côte à côte, reposaient Placide et Robille. Ils semblaient avoir pris du mieux et dormir paisiblement, sans tousser, ni éternuer, ni cracher. Et il fallut quelques secondes à Marie-Clarina pour comprendre ce qui s'était passé. Elle en échappa la bouteille de pilules qu'elle était en train d'ouvrir fébrilement.

— C'est épouvantable, répéta Estrelle.

— Robille aussi ?

— Oui. Elle est morte comme une sainte, fit Estrelle. Une vraie sainte.

* * *

Marie-Clarina enterra sa fille et son mari dans l'étable qui entourait la maison. Et elle donna la vieille vache à Estrelle, qui avait huit enfants.

— Tu en auras plus besoin que moi.

* * *

Pendant les dix ans qui suivirent, il n'arriva presque rien à Marie-Clarina. Trois ans après la mort de son mari et de sa fille, elle était partie à Sinéglou, où elle avait passé trois jours avec un bûcheron. Mais Tramore était allé la chercher.

— C'était bon, fit-elle à Estrelle sa confidente, mais ma place est ici.

Elle était redevenue gaie et forte comme avant. Jamais en la voyant on n'aurait pu deviner les drames qu'elle avait vécus.

Mais parfois, la nuit, elle s'éveillait en sursaut après avoir rêvé à un homme d'âge mûr dont les cheveux blanchissaient à vue d'oeil ou à un bébé qui cessait de respirer.

III

Peut-être l'histoire de Marie-Clarina explique-t-elle sa réaction lorsqu'elle se retrouva devant Tramore, tenant toujours la main du petit animal vert.

—- Non, avait dit Tramore lorsqu'on lui avait demandé s'il avait déjà vu un animal semblable.

Tout le village s'était maintenant rassemblé devant le balcon de Tramore. Sa femme et leurs huit enfants, ainsi que la femme de Bottines Noires, s'étaient joints au petit groupe revenu de Sinéglou. Seul Tire-Bouchon manquait et n'arriverait que tard dans la soirée.

Les femmes regardaient le petit animal vert avec curiosité. Les enfants, avec ravissement.

—- Je peux jouer avec lui ? demanda Cabestan, le plus jeune fils de Tramore.

—- Ouais, hésita Tramore. Plus tard, peut-être...

Marie-Clarina ramassa son courage et posa la question qui lui torturait le cerveau depuis le moment où elle avait vu l'animal pour la première fois.

—- Moi, je me demande si ça serait pas autre chose qu'un animal, déclara-t-elle comme si elle pensait tout haut et en choisissant le ton le plus insouciant possible.

—- Qu'est-ce que tu veux que ce soit ? ricana Bottines Noires.

—- Je sais pas, moi, un enfant, peut-être, laissa tomber Marie-Clarina en avalant sa salive nerveusement.

—- Un enfant ? Un enfant de quoi ? demanda Tramore.

— Un enfant de chienne ! s'exclama Clorimont en riant.

— Tu veux dire un enfant d'homme ? demanda encore Tramore.

— Peut-être d'Indien, risqua Marie-Clarina.

Tout le village se mit à rire.

— Voyons, Marie-Clarina, fit Tramore, tu as déjà vu Jean-Baptiste. Il est tout de même pas vert.

Jean-Baptiste était un Indien connu de tout le village.

— Il doit y avoir d'autres tribus, s'obstina Marie-Clarina qui savait fort bien de quoi un Indien pouvait avoir l'air mais qui tenait à émettre toutes les hypothèses qu'elle s'était posées depuis une demi-heure.

— Si c'était pas un animal, il parlerait, fit Bottines Noires, catégorique.

— C'est peut-être un Zanglais, risqua Marie-Clarina.

Une bonne part de l'assistance était prête à se ranger à l'avis de Marie-Clarina. Des Zanglais, ils n'en avaient jamais vus, et tout ce qu'ils en savaient, c'est que les Zanglais ne parlaient pas leur langue et n'étaient pas comme tout le monde.

Malheureusement pour Marie-Clarina, Tramore avait déjà vu des Zanglais.

— Si ça c'est un Zanglais, fit-il d'un ton moqueur, moi je suis un cheval de mer.

L'imagination des enfants, qui n'avaient jamais vu un cheval de mer, leur fit aussitôt voir un Grégoire avec des palmes de canard, broutant sur les bords d'un sentier au fond d'un océan rempli de monstres étranges.

— Peut-être qu'il est muet, risqua encore Marie-Clarina.

Cette possibilité avait toutes les apparences du bon sens. En effet, quelqu'un qui ne parle pas a de fortes chances d'être muet.

— Les animaux non plus, ça parle pas, protesta Bottines Noires, qui n'avait toujours pas abandonné l'idée de vérifier si la bête verte était comestible.

— Les muets non plus, ça parle pas, insista Marie-Clarina.

Tramore se grattait la tête, de plus en plus perplexe. Le fait qu'il n'avait jamais vu d'animal comme celui-là ne prouvait pas qu'il s'agissait d'autre chose qu'un animal. Mais il n'avait jamais, non plus, vu d'homme ou d'enfant comme celui-là, ce qui ne prouvait pas qu'il s'agissait d'un animal.

Marie-Clarina crut discerner le trouble de Tramore et décida de l'exploiter pour s'en faire un allié.

—- Qu'est-ce que tu en penses, Tramore ?

—- Franchement, j'en ai pas la moindre idée.

—- Tu vois, fit Marie-Clarina triomphante au nez de Bottines Noires, comme si Tramore avait décidé de prendre parti pour elle.

—- Qu'est-ce qu'on en fait ? On le mange ? fit Bottines Noires qui n'avait guère envie d'abandonner si facilement.

—- On pourrait peut-être lui faire une cage... pensa Tramore à haute voix.

—- Tu aimerais ça, toi, vivre dans une cage ? protesta Marie-Clarina.

La discussion se prolongea encore longtemps. Et Marie-Clarina fit tant et si bien qu'elle fit prendre à tout le village les décisions qu'elle avait prises en descendant la colline.

Pour commencer, on lui confiait la garde de l'animal. Elle s'en occuperait, le nourrirait, le soignerait.

Qui d'autre aurait pu s'en charger ? Marie-Clarina avait trop de place chez elle pour une seule personne. Cela, tout Sainte-Robille en convenait.

Il fut donc décidé que Marie-Clarina aurait la garde de l'intrus. Mais que, si jamais elle décidait de le manger, Bottines Noires et sa femme en auraient les neuf dixièmes.

En entrant chez elle, Marie-Clarina fit asseoir la petite bête sur une chaise. Elle alluma la lampe à pétrole, fit du feu dans la grande cheminée que son père avait construite en briques de tourbe et suspendit au-dessus du feu un plein seau d'eau.

Elle offrit alors à son hôte tout ce qu'elle put trouver à manger : des pommes, des cubes de sucre, des champignons séchés, du foin, des truites fumées, même du tapioca, mais l'animal ne toucha à rien de ce qu'elle posa devant lui sur la table.

Pendant tout ce temps et même depuis qu'elle avait descendu le sentier en lui tenant la main, Marie-Clarina avait cherché quel nom lui donner. Mais seul un nom s'obstinait à rester dans sa tête : Agénor, comme son père.

—- Agénor, dit-elle.

Et l'animal sembla cligner des yeux, réagir, sourire peut-être si on peut dire d'un animal sans bouche qu'il sourit.

— Bon, bien, ce sera Agénor, décida Marie-Clarina à haute voix.

Ce problème réglé, elle sortit la grande cuve dans laquelle elle prenait son bain tous les dimanches. Elle y mélangea à parts égales de l'eau fraîchement tirée du puits et l'eau chaude du seau. Elle prit Agénor par la main, l'approcha de la cuve. Mais Agénor refusa d'entrer dans la cuve. Elle essaya de l'y pousser. Rien n'y fit.

— Je ne vais quand même pas gaspiller cette eau-là, pensa-t-elle à haute voix.

Elle décida donc de prendre son bain, même si on n'était que jeudi. Elle enleva l'épais tricot qui recouvrait sa robe. Mais elle fut alors saisie d'un étrange sentiment de pudeur. Elle prit Agénor par la main, sortit avec lui dans l'ancienne étable qui entourait la maison, lui fit signe de s'asseoir sur un tas de foin. Elle rentra, ferma la porte derrière elle et se déshabilla.

Le bain lui fit du bien, la détendit, la reposa, lui donna sommeil aussi.

Elle se rhabilla, fit entrer Agénor. Elle lui montra le petit lit de Robille. Agénor s'y coucha sans se faire prier. Marie-Clarina le borda soigneusement, puis lui ferma les paupières de sa main douce et chaude. Agénor s'endormit aussitôt. Ou, du moins, il garda les yeux fermés.

Lasse, Marie-Clarina se coucha elle aussi, dans le grand lit que son mari avait construit de ses mains. Et elle aussi s'endormit immédiatement.

Plus tard dans la nuit elle fit un rêve étrange. Elle flottait au-dessus du sol, nageant dans l'air comme un oiseau, franchissant d'un coup d'aile les collines qui la séparaient de Sinéglou, revenant vers Sainte-Robille aussi rapidement. Tantôt elle s'éloignait du sol, pointant droit vers le soleil. Tantôt elle redescendait, plongeant vers la forêt à une vitesse vertigineuse.

Grisée par son rêve, Marie-Clarina souriait. Elle repartait vers le ciel. Elle replongeait vers le sol. Mais soudain, elle eut l'impression que son rêve tournait au cauchemar. Le sol se rapprochait de plus en plus vite. Elle essaya de battre des ailes pour se redresser. Et son lit fut effectivement secoué par le mouvement de ses bras. Elle vit les sapins de la forêt s'approcher encore plus, jusqu'à lui toucher le nez.

Elle s'éveilla, brusquement, sur le point de crier de terreur. Mais elle se rendit compte qu'elle avait rêvé. Elle ouvrit les yeux. Sur son nez était posé quelque chose de sec, dur et doux à la fois. Effrayée, elle attendit que ses yeux se soient habitués à l'obscurité dans laquelle seule la braise du feu jetait quelques lueurs rougeâtres.

Elle put distinguer de plus en plus clairement les yeux d'Agénor, ouverts au-dessus des siens, brillant doucement d'un éclat bleuté. Elle reconnut aussi, posée sur son nez, la main d'Agénor.

— Agénor... dit-elle d'un ton neutre, ne sachant quel ton adopter — reproche ou remontrance, interrogation ou terreur ?

Agénor retira alors sa main. Il cligna des yeux. Et il retourna se coucher dans le petit lit de Robille.

Marie-Clarina eut du mal à se rendormir. Les images tantôt délicieuses tantôt terrifiantes de son rêve la hantèrent encore longtemps. Et même lorsqu'elle se fut rendormie, il lui arriva à quelques reprises de rouvrir les yeux brusquement. Mais les yeux d'Agénor n'étaient plus au-dessus des siens, sa main un peu rude ne touchait plus son nez.

Marie-Clarina se réveilla pourtant dès l'aube. Elle dut aussitôt ouvrir la porte à tous les enfants de Sainte-Robille et à Tire-Bouchon, venus en curieux.

— On peut jouer avec lui ? demanda le petit Jacob, autre fils de Tramore.

— Jouer à quoi ?

— Je sais pas... à la ferme ?

— C'est pas une vache. Il s'appelle Agénor.

— Agénor, s'esclaffa Tire-Bouchon. Mais c'est un nom de personne.

— Et puis après ?

— À part ça, c'est un nom d'homme. Tu vois bien que c'est une femelle, protesta Désirée, fille aînée de Bottines Noires, fière de ses quatorze ans, de ses connaissances de la vie et des seins qui commençaient à pointer sous sa robe.

— Qu'est-ce que tu connais là-dedans ? rétorqua Marie-Clarina.

— Je m'y connais, s'obstina Désirée.

— Si je veux l'appeler Agénor, je l'appellerai Agénor.

Les plus petits, eux, ne se firent pas prier pour appeler Agénor Agénor. Ils n'avaient pas connu le père de Marie-Clarina, et Agénor était pour un animal un nom aussi naturel que Grégoire pour le cheval de Bottines Noires.

Agénor, d'ailleurs, ne se fit pas prier pour jouer avec les enfants. Il prenait les plus petits sur son dos. Il faisait des chatouilles aux fillettes. Il allait chercher les bouts de bois que les plus grands lançaient de toutes leurs forces dans la forêt. Il apprit même à jouer aux quatre coins, s'y révélant extrêmement agile et rapide, au point que les enfants se lassèrent rapidement de jouer avec un camarade qui ne perdait jamais. Ils l'amenèrent en promenade avec eux, lui montrant tout ce qu'ils connaissaient du village et de la forêt environnante : la source de Clorimont, la vache de Tramore, les collets de Bottines Noires (en prévenant Agénor, de la voix et du geste, d'y prendre garde), les cerceaux de tannage, le four à pain.

Excités et heureux d'avoir un nouveau camarade, les enfants lui parlaient, souvent tous à la fois, partageant gaiement tout ce qu'ils savaient, sûrs d'être compris d'Agénor.

Tramore était revenu de son inspection du sentier et regardait, amusé, le manège des enfants et d'Agénor.

— C'est vrai qu'on dirait que c'est un enfant et pas un animal, dut-il admettre à Marie-Clarina qui le pressait de prendre son point de vue.

— Il a pas l'air dangereux, en tout cas, ajouta-t-il.

À midi, Marie-Clarina dit aux enfants de laisser Agénor tranquille et le fit entrer chez elle. Elle lui servit une grande bolée de soupe aux gourganes qu'elle avait fait mijoter depuis le petit matin. Mais Agénor, encore une fois, refusa de manger. Il refusa encore du tapioca et Marie-Clarina fut forcée de le donner aux enfants, qui n'en prirent chacun qu'une cuillerée avant de déclarer que ce n'était pas mangeable. Elle dut donc donner le tapioca aux porcs de Bottines Noires, qui s'en régalèrent.

Inquiète, elle se demandait jusqu'à quand Agénor pourrait survivre sans boire ni manger.

Elle fut un peu rassurée de le voir retourner jouer avec les enfants l'après-midi. « À courir comme ça, se dit-elle, il va finir par avoir faim. »

Le comportement d'Agénor ne différait de celui des enfants qu'en un point : de temps à autre, il essayait de mettre un de ses membres supérieurs sur le nez d'un des enfants. Presque tous y étaient passés et avaient repoussé le geste d'Agénor comme on chasse un moustique, en criant « Ça chatouille ! »

Vers le milieu de l'après-midi, les enfants avaient tant couru, tant sauté, tant dansé avec Agénor que presque tous, les plus jeunes surtout, tombaient de fatigue et durent aller faire une sieste qui assura à Sainte-Robille une tranquillité qu'on n'avait pas vue depuis longtemps. Seuls les plus grands — Désirée, Aimé et Dieudonné — restèrent avec Agénor. Ils lui apprirent à jouer au tic-tac-toc avec des bâtons, dans le sable. Et il devint rapidement imbattable à ce jeu.

— J'ai jamais vu d'animal qui joue au tic-tac-toc, dit Tramore à Bottines Noires qui regardait la scène en entamant une bouteille de genièvre.

— Ça prouve rien, s'obstina l'ivrogne.

Lorsque même les plus vieux enfants se furent lassés de jouer avec Agénor, celui-ci se mit à chercher quels services il pourrait rendre à Marie-Clarina. Il fendit du bois, le rentra dans l'étable, lava la vaisselle, aida même à préparer les légumes du pot-au-feu. En fait, il lui suffisait d'observer Marie-Clarina faire quelque chose pendant quelques instants pour aussitôt vouloir l'imiter, lui enlevant des mains couteau, hache ou chiffon. Il apprenait tout avec une vitesse et une dextérité étonnantes.

— J'ai jamais vu un animal éplucher des carottes, fit Marie-Clarina à Tramore qui était venu chez elle lui emprunter du soufre pour faire des allumettes.

— Ça prouve rien, fit Tramore prudemment.

Agénor apprit à surveiller le pot-au-feu, raclant le fond de la marmite d'un coup de cuiller chaque fois que cela semblait nécessaire.

Mais il refusa encore de manger. Marie-Clarina se sentit obligée de le gronder.

— Agénor, dit-elle, je sais pas ce que tu aimes manger. Mais il faut manger. Parce que quand on mange pas, on meurt, tu comprends ?

Elle avait bien détaché chaque syllabe, se disant que les gens qui ne comprennent qu'une langue étrangère comprennent peut-être mieux lorsqu'on leur parle lentement que lorsqu'on leur parle vite.

Elle hésita avant de continuer et ses joues se firent rouges comme si elle avait de la fièvre. Elle ajouta enfin :

— ... et je n'ai pas envie que tu meures, moi.

Elle prit la main d'Agénor délicatement entre les siennes. Les yeux d'Agénor se posèrent sur son regard à elle et se firent plus brillants pendant quelques instants. Marie-Clarina eut l'impression qu'il avait compris. Elle vida alors l'assiette d'Agénor dans la marmite, la remplit à nouveau de pot-au-feu plus chaud et la reposa devant lui, sur la table. Mais Agénor ne mangea toujours rien.

Tramore était de plus en plus embêté par la présence d'Agénor. Bien sûr, que Marie-Clarina se soit trouvé de l'aide, que les enfants du village aient un nouveau compagnon de jeu, que les femmes aient un nouveau sujet de conversation, tout cela était juste et bon. Mais Tramore sentait confusément que l'arrivée d'Agénor risquait de bouleverser leur vie plus profondément. D'autant plus qu'on ne savait rien de lui : ni qui il était, ni ce qu'il était, comment il était arrivé, s'il y en avait d'autres comme lui, s'il serait toujours aussi paisible.

Bref, Tramore, qui s'accordait la responsabilité morale de Sainte-Robille, se posait trop de questions pour accepter avec la même sérénité que Marie-Clarina la présence d'un être aussi bizarre.

Il pensait à tout cela ce soir-là, étendu dans son lit à côté d'Estrelle. Tout le village, sans exception, était allé quelques minutes plus tôt voir Marie-Clarina coucher et border Agénor dans le petit lit de Robille maintenant devenu le sien.

Tramore pouvait imaginer que dans d'autres lits de Sainte-Robille des enfants et des adultes avaient sans doute autant de mal que lui à s'endormir. Estrelle, comme à son habitude, s'était endormie aussitôt au lit. Mais Tramore pouvait entendre le chuchotement excité des jumeaux Jacob et Ésaü dans la chambre à côté.

Il retourna longtemps dans son esprit les différentes possibilités qui s'offraient à lui. D'abord, prendre Agénor et l'amener à Sinéglou, chez le médecin qui pourrait sûrement dire ce que c'était, ayant étudié à l'Université. Mais Marie-Clarina s'y opposerait sûrement, tant elle détestait ce médecin qui avait refusé de sauver son mari et sa fille. Il pouvait aussi laisser Agénor repartir dans la forêt. Mais il sentait que ce serait plus difficile à faire qu'à dire. L'attachement d'Agénor pour Marie-Clarina était évident. Et peut-être, de toute façon, le retourner à la forêt serait-il le condamner à une mort certaine. La mère et le père d'Agénor avaient peut-être été tués par quelque chasseur ou prédateur et la jeune bête se retrouverait sans défense contre les loups, les ours et les fusils.

Tramore en était là dans ses pensées, lorsqu'il entendit frapper à la vitre de la seule fenêtre de sa chambre. Il ouvrit les yeux et aperçut une silhouette familière.

— Jean-Baptiste ! fit-il gaiement en sautant sur ses pieds.

Il courut à la porte et l'ouvrit pour faire entrer un grand personnage qui laissa tomber dans un coin de la pièce deux paquets de fourrures soigneusement ficelés et un énorme sac à dos dont émergeaient des raquettes finement cannées.

— Comment ça va, Jean-Baptiste ? demanda Tramore en l'embrassant.

— Bien, bien, répondit son interlocuteur. Beaucoup de vison blanc. Pas beaucoup de gris.

Tramore le fit asseoir à table, lui servit un verre de brandy, le regarda en souriant.

Jean-Baptiste était le meilleur ami de Tramore. Et Tramore était le meilleur ami de Jean-Baptiste. Ils se voyaient rarement — deux ou trois fois par année tout au plus. Mais chacun sentait que l'autre aurait donné sa vie pour sauver la sienne. Chaque fois qu'ils se voyaient, leurs paroles peu nombreuses étaient empreintes d'une chaleur peu commune.

— Bon, fit Jean-Baptiste en avalant d'un trait l'alcool brûlant auquel il n'avait pas goûté depuis près de six mois.

Tramore lui emplit son verre à nouveau et regarda soigneusement son ami.

Jean-Baptiste n'avait pas changé, pas vieilli, pas maigri, pas engraissé. Pas la moindre ride de son visage n'était disparue. Et on ne voyait pas la moindre trace d'une nouvelle ride. À la lueur de la lampe à pétrole, Tramore aurait pu confondre l'image qu'il avait sous les yeux avec celle du matin de l'automne précédent, lorsque Jean-Baptiste avait vidé d'un trait son dernier verre de brandy avant de partir aux premiers rayons du soleil.

Jean-Baptiste Dupont n'était pas son nom véritable. L'Indien s'appelait en fait Piscawini Cri. Mais lorsqu'il avait senti que son amitié avec Tramore prenait de plus en plus d'importance dans sa vie, il avait aussi senti le besoin de prendre un autre nom qui soit plus accessible à son ami. N'ayant aucunement honte d'être indien, il voulait plutôt que Tramore puisse prononcer avec fierté le nom de son ami devant ses amis blancs.

Il demanda donc à Tramore quel était le nom du patron de tous. Tramore hésita, cherchant à comprendre le sens réel de la question.

— Jean-Baptiste, fit-il enfin. C'est Jean-Baptiste, notre patron.

— Bon. Je m'appellerai Jean-Baptiste Pont.

L'été précédent, Piscawini était descendu jusqu'à Mont-Justin et il y avait vu la merveille la plus extraordinaire de la technique des Blancs : un pont. Merveille inutile, bien sûr, puisque la rivière Verte n'avait à cet endroit-là que trois pieds de profondeur à son plus creux. Mais ce solide pont aux poutres de bois équarri émerveilla Piscawini. Il avait passé deux jours et une nuit à le parcourir, marchant d'une rive à l'autre, revenant, repartant dans l'autre direction, sans se lasser de marcher sur les planches de bois qui se moquaient de la rivière.

Il lui avait donc semblé que Jean-Baptiste Pont devait être un nom extraordinaire, susceptible de forcer le respect envers l'homme dont l'ami le porterait.

Toutefois, Tramore lui fit remarquer que « Jean-Baptiste

Dupont » serait plus agréable à l'oreille. Et Piscawini en avait convenu.

Après son troisième verre de brandy, Jean-Baptiste raconta sa chasse en quelques mots. « Beaucoup de vison blanc, répéta-t-il. Pas beaucoup de gris. »

Lorsque la bouteille de brandy fut presque terminée, Tramore songea à parler à Jean-Baptiste de la découverte d'Agénor.

— ...un petit animal vert, à peu près haut comme ça, expliqua-t-il.

— Avec la tête un peu pointue, comme ça ? demanda Jean-Baptiste.

— Oui. Mais comment tu le sais ?

— J'en ai déjà mangé.

— Tu en as mangé ?

— Oui. C'est pas mal. La peau est dure, mais la viande ressemble au castor. Si tu en as, j'en prendrais bien un morceau.

Embarrassé et étonné, Tramore dut expliquer à Jean-Baptiste qu'Agénor n'était pas une bête comme les autres, qu'il l'avait vu jouer au tic-tac-toc (comme Jean-Baptiste ne connaissait pas le jeu, Tramore dut le lui apprendre et jouer plusieurs parties avant de continuer son récit).

Jean-Baptiste était bien prêt à admettre que les petits bonshommes verts fussent autre chose que des animaux. Le sien, il l'avait trouvé beaucoup plus au nord, à au moins un mois de chasse. Il avait de loin aperçu des loups, sur un lac gelé, qui s'acharnaient sur une proie. Jean-Baptiste s'était approché et avait mis les loups en fuite par sa seule présence (« Dans le Nord, beaucoup de loups me connaissent. Ils me voient, ils se sauvent », expliqua-t-il en riant). Mais l'animal vert était déjà mort. Jean-Baptiste avait pour principe que tout ce qui se tue se mange. Et ses provisions étaient un peu basses.

— Il faut arracher la peau comme pour une anguille, précisa-t-il en connaisseur. En dessous, la peau est rose comme les fesses d'un bébé blanc. Puis on le fait cuire à la broche. La prochaine fois, je t'en garderai un morceau.

La flamme de la lampe à pétrole commençait à vaciller. Il était tard. Tramore proposa à Jean-Baptiste de dormir. Au matin, ils iraient voir Agénor chez Marie-Clarina.

Tramore poussa donc sa femme vers un côté du lit. Lui et Jean-Baptiste s'étendirent l'un à côté de l'autre et s'endormirent aussitôt.

Histoire de Tramore

Tramore O'Brien était né dans l'Ancien Continent. Mais la famine avait poussé ses parents à émigrer vers les nouveaux pays quelques mois seulement après sa naissance.

La traversée avait été terrible, une épidémie de choléra s'étant déclarée aussitôt après leur départ. Le capitaine avait refusé de rebrousser chemin.

—- De toute façon, avait-il déclaré aux passagers réunis, beaucoup d'entre vous mourront de faim et de soif dans les Nouveaux Pays. Aussi bien mourir sur mon navire avant d'avoir connu ces horreurs.

Des 187 passagers du grand voilier, 29 seulement mirent pied à terre sur le nouveau continent. Parmi eux, Tramore, son père et sa mère.

Plusieurs mourants leur avaient donné leurs économies pour éviter qu'elles ne tombent aux mains du capitaine. Et cela permit à monsieur O'Brien d'acheter dès son arrivée une taverne dans le port de Ville-Dieu.

Tramore fut donc, dès sa tendre enfance, élevé parmi les jurons des débardeurs et des marins. Mais sa mère avait la main leste et Tramore comprit dès l'âge de treize mois les dangers qu'il courait à répéter les gros mots qu'il entendait.

C'est ainsi que, lorsqu'il entra à l'école, il fut traité de fillette parce qu'il ne jurait jamais. Mais il était déjà bâti presque comme un homme et sut donner une solide correction à ceux qui se moquaient de lui.

Et il dut souvent se battre avec ses camarades. Ceux-ci, presque tous fils de débardeurs et eux-mêmes futurs débardeurs, ne pouvaient guère s'entendre avec ce grand garçon bien nourri, bien habillé, qui finirait de toute évidence par devenir avocat, notaire, curé ou tavernier.

La mère de Tramore avait donc souvent à réparer des vêtements déchirés, à soigner des sourcils éclatés.

—- Tu n'as pas juré, au moins ? demandait-elle inquiète.

—- Non, maman, je te le jure, répondait Tramore sans se moquer.

Lorsque Tramore eut appris à lire et à écrire, à compter et à additionner, son père voulut le retirer de l'école.

—- Tu en sais assez pour devenir tavernier, lui dit-il. Multiplier, diviser, ça ne sert à rien. Et soustraire, un tavernier qui réussit n'a pas besoin de ça.

Mais madame O'Brien refusa qu'on retirât son fils de l'école. Elle insista même pour qu'on l'envoyât au collège. Monsieur O'Brien ne se laissa convaincre que lorsqu'on lui eut promis que son fils l'aiderait à la taverne pendant les vacances de Noël, de Pâques, d'été et de la Toussaint.

À quatorze ans, Tramore entra donc au Collège des Boulistes. Il apprit à servir la messe, à dire en latin des mots qu'il n'arriva jamais à comprendre, à se méfier de l'impureté et à jouer à la crosse, sport auquel il excellait.

Mais il eut avec ses nouveaux camarades des expériences diamétralement opposées à celles qu'il avait eues à l'école. En effet, la plupart des enfants qu'on confiait aux bons pères boulistes venaient de bonnes familles. Et ils trouvaient ridiculement frustes les manières de Tramore.

Tramore cependant ne se battit pas avec eux. Il se retira en lui-même. Même lorsqu'il jouait à la crosse, un amateur averti aurait pu se rendre compte qu'il jouait seul, faisant toutes les passes nécessaires, participant en surface au jeu d'équipe, mais évitant de se joindre, par exemple, aux accolades collectives lorsque son équipe marquait un but vainqueur.

Dès sa classe de principes, Tramore avait été promu dans la Grande Équipe, et jouait aux côtés de Métaphysiciens de trois ou quatre ans ses aînés, mais à peine plus grands que lui.

Les matches du dimanche après-midi faisaient l'objet d'une attention particulière, car la Grande Équipe en venait alors aux prises avec la meilleure équipe de la région : celle de la réserve des Indiens Simoun, renommée comme la plus féroce car elle jouait selon la tradition indienne qui veut que l'homme qui meurt dans un match de crosse se rende directement au paradis de Manitesh.

Ces matches du dimanche après-midi avaient d'autant plus d'importance que c'était jour de visite et qu'ils étaient disputés devant une foule imposante d'élèves, de pères boulistes, de pères ordinaires, de mères, de soeurs et de cousines.

L'année où Tramore remporta la palme du meilleur pointeur du collège (il avait dix-sept ans), il participa à ce match qu'on surnomma « match aux dix gallons de sang ».

Dès la première minute de jeu, les Simoun avaient attaqué violemment. Deux élèves des pères boulistes s'étaient retrouvés à l'infirmerie, l'un le front ouvert, nécessitant quatre points de suture, l'autre avec trois doigts cassés à la main gauche.

Piqués, les élèves des pères boulistes avaient contre-attaqué.

— Trois à deux, disait-on dans la foule quelques minutes plus tard.

Lors des matches entre les Boulistes et les Simoun, on avait pris l'habitude de compter les blessés autant que les buts marqués.

Tramore, qui n'avait lui-même participé à aucune de ces attaques (il avait, par contre, déjà marqué deux buts) fit alors l'objet d'une attention toute particulière de la part des Simoun.

Un premier joueur avait tenté de lui arracher la tête d'un coup de crosse. Mais Tramore s'était penché à temps et un de ses coéquipiers avait réussi à entrer la pointe de sa crosse dans la poitrine de l'assaillant avec une telle violence que du sang en avait giclé. Aussitôt, deux autres adversaires avaient fait basculer l'audacieux joueur bouliste et l'avaient littéralement roué de coups, malgré les efforts de Tramore et de ses coéquipiers pour les en empêcher.

Il en résulta une mêlée indescriptible, les joueurs s'empilant les uns sur les autres. Ce qui eut pour effet d'interrompre le jeu. Les pères boulistes et les frères joséphistes qui avaient assumé la lourde tâche d'évangéliser les Simoun profitèrent de l'accalmie pour séparer les adversaires.

Lorsque les brancardiers s'approchèrent pour ramasser le coéquipier de Tramore qui avait été écrasé sous la pile, il respirait encore.

Le jeu reprit, les esprits et les muscles ayant été calmés pour quelques instants. Et la mi-temps se termina au compte de 8 à 5 pour les Simoun. Les Boulistes avaient par contre marqué 9 buts, soit 3 de plus que leurs adversaires.

Tramore alla s'asseoir sur un banc, avec ce qui restait de son équipe. Le père Sévère, qui dirigeait l'équipe, répétait constamment :

— Allez, les gars, faut pas se laisser intimider.

Tramore prit un rouleau de gaze et commença à panser son bras gauche, où une morsure avait laissé des traces de dents, arrachant presque le morceau de chair. Mais il avait quelque difficulté à placer le pansement.

— Laissez-moi faire, fit une voix derrière lui.

Des mains fines et douces lui enlevèrent des mains le rouleau de gaze. Tramore ferma les yeux, s'abandonna quelques instants, cherchant à reprendre son souffle.

— Voilà, fit la voix.

Il rouvrit les yeux, regarda son bras soigneusement pansé. Il leva les yeux vers la voix. Et ce qu'il vit le laissa bouche bée pendant de longs moments.

La dentelle de Latence était à la mode cette année-là, avant que le gouvernement de la Mère Patrie n'en interdise l'importation. Et jamais dentelle de Latence n'avait encadré si joli visage, entouré taille si fine, souligné les courbes d'une si jolie poitrine.

Des mèches blondes, des lèvres vermeilles, un nez discrètement retroussé, des fossettes rieuses ne furent que quelques-uns des autres détails qui frappèrent Tramore pendant les deux ou trois secondes que dura l'apparition.

— Merci, finit-il par balbutier.

Mais déjà la jeune fille était disparue. Tramore se leva, regarda derrière lui, vit une forme blanche reprendre sa place dans la foule.

La cloche du préau sonnait la reprise du jeu. Tramore trottina avec ses camarades jusqu'au centre du terrain, pour la mise en jeu.

Le match reprit, plus féroce que jamais. On vit un spectacle comme on n'en avait jamais vu de mémoire d'amateur de crosse. On vit par exemple deux joueurs d'une équipe maintenir la jambe d'un adversaire pendant qu'un troisième se laissait tomber dessus de tout son poids. On vit des joueurs donner délibérément des coups de bâton sur les parties intimes d'un adversaire. On vit un joueur bloquer net l'élan d'un adversaire en saisissant sa chevelure. On vit éclater des dents. On vit couler du sang. On vit s'écrouler des garçons qu'on aurait crus solides comme du roc.

— 11 à 10, murmura-t-on dans la foule.

Tramore était maintenant seul dans son équipe, avec Jean Bélisle, dont la spécialité était de courir plus fort que ceux qui couraient après lui. Face à eux, trois Simoun, les plus féroces, les plus impitoyables.

Les Boulistes menaient 18-11 aux points. Mais le match serait perdu dès qu'ils n'auraient plus un seul joueur valide et que les Simoun passeraient le reste du temps à lancer la balle dans le but, en ricanant de toutes les dents qu'il leur resterait.

Tramore n'avait jamais été un joueur brutal. Rude peut-être parfois, ne reculant jamais devant les coups, mais n'en prenant jamais l'initiative et ne les rendant qu'à moitié. Il eut envie de mettre les deux genoux en terre pour signifier qu'il abandonnait la partie.

Il chercha du regard dans la foule quelqu'un qui lui donnerait un conseil, qui l'encouragerait de la voix ou du geste. Mais la foule, sentant la décision qu'il devait prendre, était devenue grave, sachant que lui seul, Tramore O'Brien, pouvait prendre cette décision.

C'est à ce moment que le regard de Tramore rencontra celui de la jeune fille qui avait pansé son bras. Et il vit que des larmes scintillaient aux coins de ses yeux. Tramore bomba le torse.

— Jean ! cria-t-il de toutes ses forces.

Jean Bélisle, perché sur ses longues jambes, comprit le message et se mit à courir vers le but adverse. Tramore lui fit une passe précise avant que les adversaires aient eu le temps de réagir et Jean marqua un but de plus.

Furieux, les trois Simoun se lancèrent sur Tramore, qui recula de quelques pas, esquiva un premier adversaire et frappa le second en plein front. (Tramore devait le revoir quelques années plus tard, et toucher la cavité que le coup lui avait laissée dans le front.) Le troisième adversaire hésita un instant, s'arrêta, se mit à faire d'énormes moulinets avec sa crosse. À trois reprises, Tramore entendit la crosse siffler à un doigt de ses oreilles. Puis, il leva le bras gauche au-dessus de sa tête. Il entendit un craquement. C'était son bras. Mais c'était aussi la crosse, qui s'était fendue presque de tout son long. Le joueur la regarda avec étonnement. Tramore prit sa crosse de sa main droite, en donna un coup de toutes ses forces.

Mais Tramore n'avait pas vu le premier adversaire qu'il avait esquivé et qui se précipita sur lui, lui maintint les bras par derrière et appela son coéquipier à l'aide :

— Tségashine !

Tségashine accourut, un large sourire éclairant son visage recouvert d'un mélange de boue et de sang. L'autre maintenait toujours fermement Tramore par les deux bras, avec une poigne d'acier. Tramore blêmissait de douleur à cause de son bras cassé.

À l'autre bout du terrain, Jean Bélisle hésitait, se demandant si l'honneur exigeait vraiment qu'il aille lui aussi se faire casser la gueule pour ce jeu idiot qu'il se jurait maintenant d'abandonner à tout jamais.

Tségashine se cracha dans les mains, sourit, prit sa crosse fermement, s'élança...

Mais Tramore, à la dernière seconde, sut puiser dans toutes les forces qui lui restaient. Il se pencha en avant, soulevant son adversaire sur son dos. Au même moment, Tségashine avait déployé son élan et frappait de toutes ses forces le crâne de son coéquipier.

Celui-ci lâcha prise aussitôt. Tségashine se dit que cela en faisait un de plus au paradis de Manitesh.

Mais il ne se sentait guère pressé d'aller l'y rejoindre. Il garda sa crosse en main, recula comme si Tramore pouvait être plus fort avec son seul bras valide. C'est alors que Jean Bélisle intervint. Pour faire rire la foule, il se jeta à quatre pattes derrière Tségashine, qui tomba à la renverse, échappa sa crosse.

Tramore s'approcha de lui. Tségashine avala sa salive. Tramore fit encore quelques pas, jusqu'à ce que ses pieds soient tout près de la tête de Tségashine. Celui-ci se rendit compte que Tramore allait le défigurer avec les clous qui garnissaient les semelles de ses chaussures. Il tenta d'adopter un regard implorant. Mais Tramore ne le regardait même pas.

Les yeux de Tramore finirent par retrouver dans la foule ceux de la jeune fille. Celle-ci comprit sa question et fit non de la tête.

—- À genoux, dit Tramore à Tségashine.

Celui-ci hésita un instant entre le paradis de Manitesh et le déshonneur d'un match concédé.

—- À genoux, fit Tramore d'une voix plus insistante.

Tségashine roula sur le ventre, se redressa sur les genoux, pencha la tête solennellement après avoir fait des yeux le tour du terrain pour souligner qu'il était seul et qu'il n'y a pas de honte à perdre seul.

—- 14 à 12, hurla la foule en délire.

Pendant ce temps, Jean Bélisle avait repris crosse et balle et s'amusait à marquer des points dans le but vide. Tramore baissa la tête. Son bras lui faisait mal. Il avait aussi mal à la tête, aux mains, aux pieds, aux jambes, partout. Il commença à traverser lentement le terrain dans lequel de larges flaques de sang empêchaient les spectateurs de s'aventurer sans risquer de salir leurs chaussures du dimanche.

Tramore releva les yeux, cherchant à nouveau la jeune fille dans la foule. Mais elle n'y était plus. Il eut envie de pleurer.

* * *

Ce match mémorable avait encore accentué la solitude de Tramore. Qui oserait se moquer de lui, maintenant ? Et, si on le respectait, on le craignait encore plus.

Les vacances d'été commencèrent peu après et Tramore dut travailler comme serveur dans la taverne de son père. Et, même s'il avait encore un bras dans le plâtre, les clients les plus rébarbatifs se calmaient lorsqu'ils apprenaient que c'était lui qui avait gagné le « match aux dix gallons de sang ».

Il était un homme maintenant, et se sentait confusément responsable, même s'il n'avait jamais pu vivre vraiment l'insouciance de l'enfance. Il apprit à surmonter son caractère taciturne et à plaisanter avec les clients, à la plus grande joie de son père qui trouvait cela excellent pour le commerce. Il avait peu de loisirs, son père lui ayant expliqué qu'il était bien normal qu'il travaille comme deux le quart de l'année, pour ne rien faire pendant les trois autres quarts.

Une fois débarrassé de son plâtre, il prit chaque semaine un jour de congé, qu'il passa à la pêche ou à la chasse, empruntant un cheval pour fuir le plus loin qu'il pouvait.

D'autres s'étaient aperçus qu'il était devenu un homme. Entre autres, Carette, la serveuse qu'il côtoyait tous les jours et dont l'opulente poitrine était un des attraits les plus évidents de la taverne.

Carette occupait la chambre voisine de celle de Tramore, sous les combles. Mais le père de Tramore refusait qu'elle y amène des visiteurs. C'est pourquoi il arrivait parfois, le jour, que Carette demande à Tramore de s'occuper de ses clients, pendant qu'elle partait avec l'un d'eux. Elle revenait une demi-heure plus tard. Et Tramore faisait tant et si bien que son père ne s'apercevait de rien.

Vers la fin de l'été, Tramore avait dit à Carette que c'était ce jour-là son anniversaire.

— Quel âge as-tu donc ? demanda-t-elle en empoignant trois chopes de bière dans chaque main.

— Dix-huit ans.

— Ah, ben, t'es plus un enfant, fit-elle en le regardant comme elle ne l'avait jamais regardé auparavant.

Ce soir-là, comme Tramore rêvassait dans son lit, il entendit frapper à sa porte. C'était Carette.

— Qu'est-ce que tu veux ? demanda-t-il.

— Je peux entrer ? Je t'apporte ton cadeau d'anniversaire.

— Oui, entre.

Carette entra dans la petite chambre, tandis que Tramore cherchait à voir si elle pouvait cacher quelque chose derrière son dos.

— Qu'est-ce que c'est ? demanda-t-il.

— Devine, fit-elle en le renversant sur le lit.

Ils passèrent une nuit épuisante. Au début de la nuit, Tramore ne connaissait rien à l'amour. À l'aube, il en savait déjà beaucoup. Il savait prendre son temps quand il fallait. Il savait où ça faisait plaisir à Carette. Il savait se laisser faire quand elle voulait qu'il se laisse faire. Il savait embrasser, caresser, lécher, tripoter, pincer, sucer, faire frissonner Carette mieux qu'elle n'avait jamais pu l'apprendre à n'importe quel autre amoureux.

À l'aube, ils s'endormirent.

* * *

— C'est ça qu'ils t'ont appris, au collège ?

Tramore avait sommeil et aurait dormi encore. Mais la voix de son père l'en découragea.

— Vicieux !

Il chercha à se dégager de Carette qui, elle, s'accrochait plus que jamais à lui.

— On paye une fortune pour te faire instruire et regarde ce que ça nous donne.

Tramore aperçut, derrière son père, dans le cadre de la porte, le visage de sa mère à la fois horrifié et plein de pitié.

— Je te déshérite, fit la voix paternelle au comble de l'indignation.

Carette, terrifiée à l'idée de perdre son emploi, se colla encore plus contre Tramore, qui sentit tout à coup sous les draps qu'il n'avait pas qu'envie de se rendormir. Carette, faisant la même constatation, s'éloigna un peu de lui.

— Tiens, tu vas prendre tes vêtements puis t'en aller au diable, si tu veux, mais tu passeras pas une seconde de plus sous mon toit.

Tramore était sur le point de rejeter les draps vers le pied du lit, mais se rendit compte qu'il serait alors particulièrement indécent. Il étendit le bras vers son caleçon sur la chaise à côté du lit. Il l'enfila, sortit du lit en se cachant de son mieux et continua à s'habiller pendant que la foudre paternelle se détournait enfin de lui.

— Toi, ma grosse putain, criait O'Brien père à Carette, habille-toi vite, puis viens travailler. Ça fait dix minutes qu'on est ouvert. Puis attends-toi à travailler comme deux aujourd'hui... puis tant que j'aurai pas remplacé ce... ce... cet animal-là !

Tramore avait fini de s'habiller. Il sortit de la chambre, embrassa sa mère sur la joue, descendit l'escalier, poussa la porte, traversa la taverne presque déserte et se retrouva dans la rue.

Il fouilla dans ses poches, trouva vingt centins, de quoi tenir un jour ou deux. Il se gratta la tête, se demandant ce qu'il pouvait faire. Il n'avait guère le choix. Il savait un peu de grec et de latin, ce qui ne sert à rien. Et il savait servir dans une taverne. Ce qui pouvait servir à quelque chose, à condition qu'il y ait une taverne pour l'embaucher. Et le père de Tramore avait fait tant et si bien que, des trois tavernes que comptait Ville-Dieu dix-sept ans plus tôt, il n'en restait plus qu'une, immense et prospère : la sienne.

Par contre, entre servir dans une taverne et servir dans un restaurant, la différence est minime. Tramore se dirigea donc immédiatement vers le restaurant Chez la Mère Catherine. Comme tout le monde de Ville-Dieu à l'époque, Tramore savait que la Mère Catherine était en réalité Elphège Dumesnil, un petit homme rusé qui savait cuisiner avec des riens. On disait de lui qu'il pouvait composer des repas gastronomiques avec les déchets de n'importe quelle maison de Ville-Dieu. Et on chuchotait que c'était exactement ce qu'il faisait.

Elphège était là, justement à préparer le repas du midi. Tramore lui raconta bièvement son histoire (sans trop préciser la raison de son départ), et offrit ses services.

— Malheureusement, mon garçon, fit Elphège, je n'engage que des filles comme serveuses. C'est pas une taverne, ici, on a pas besoin de gros bras. Les filles, ça coûte moins cher.

Tramore sourit tristement et tourna les talons.

— Mais dis donc, cria Elphège comme il allait pousser la porte, pourquoi tu t'engages pas dans la guerre Nord-Sud ?

— La guerre Nord-Sud ?

— Tu lis pas le journal ? Paraît qu'ils engagent maintenant, sur la Place de Septembre. Va donc voir.

— Bon. Merci.

Tramore ne savait pas grand-chose de la guerre Nord-Sud. Il en avait vaguement entendu parler à la taverne. Et, au début de la semaine, il avait en effet servi un officier en uniforme brun, alors qu'à l'autre bout de la taverne Carette servait un officier en jaune. On disait qu'il s'agissait d'officiers de recrutement des deux armées adverses.

Tramore marcha donc jusqu'à la Place de Septembre, où il

remarqua aussitôt deux énormes bannières aux couleurs vives qui se faisaient face de chaque côté de la place.

Du côté nord, une enseigne proclamait « Centre de recrutement des Forces expéditionnaires du Nord ».

En face, une autre bannière proposait « Embauchez-vous dans les Forces territoriales du Sud ». Et une autre affiche plus petite proposait : « Une piastre par jour tous les jours ! »

Tramore se dirigea donc vers le côté sud de la Place, se disant que si le Nord n'osait proclamer son salaire, c'est sans doute qu'il devait être moins élevé.

Il entrebâilla la porte, y passa la tête timidement.

— Entre, mon ami, fit une voix avec un fort accent étranger. Tu veux t'enrôler ?

— Peut-être, oui.

— C'est facile. Commence par signer ça, ou fais une croix.

Il lui tendait une grande feuille de papier, par-dessus un comptoir encombré de caisses de paperasse et de victuailles qui démontraient que les Forces territoriales du Sud venaient tout juste d'emménager dans leurs locaux. Tramore s'avança, prit le papier, commença à le lire.

— Ah, tu sais lire ? fit le gros homme dans son splendide uniforme jaune. Donne-moi ça.

Tramore lui rendit le papier, non sans s'être rendu compte qu'il s'agissait d'un engagement en bonne et due forme, ne mentionnant aucun salaire.

— Tu sais tirer ?

— Je chasse le lièvre et le canard.

— Bon. Je vais te faire une offre spéciale parce que tu es bien bâti. Une piastre et quart par jour, pendant deux ans, même si on gagne la guerre avant. Et puis, c'est dans le Sud qu'on a les plus belles filles. Même le salaud d'en face te le dira.

Tramore réfléchit un petit moment. Deux ans, après tout, ce n'est pas si long. Et une piastre et quart par jour, ce n'est pas si mal.

— D'accord, fit-il, je m'enrôle.

— Signe là, fit l'officier en lui tendant le même papier.

— Le salaire est pas écrit, protesta Tramore.

—- Un oubli, un oubli. Tiens.

L'officier ajouta à la main une note illisible au bas du papier imprimé. Tramore signa.

—- Bravo, fit l'officier. Un gars instruit comme toi, tu vas être officier dans le temps de le dire.

Tramore passa le reste de la journée avec l'officier, l'accompagnant chez le tailleur (qui confectionnait aussi les uniformes bruns du Nord) et chez le bottier (qui vendait aux deux armées le même modèle de bottes — le meilleur, insistait-il).

À la fin de la journée, l'officier regarda sa recrue d'un oeil critique.

—- Parfait, fit-il enfin. Viens avec moi, on va arroser ça.

—- Mais...

—- Y a pas de mais, c'est moi qui paye.

Tramore fut donc forcé de suivre l'officier jusqu'à la taverne de son père, où ils entrèrent cérémonieusement. Tramore était la toute première recrue du Sud à Ville-Dieu — et le Nord, comme on pouvait le constater à la vue de leur officier recruteur assis seul dans un coin, n'en avait encore aucune. L'officier, qui s'appelait Hesch, était donc fier de parader avec son protégé.

Il commanda une tournée générale — « même pour l'imbécile dans le coin là-bas », précisa-t-il.

Tramore avait essayé de garder la visière de son képi sur ses yeux, mais il avait été aussitôt reconnu par Carette et par les habitués de la taverne. On le complimenta sur la beauté de son uniforme, on trinqua avec lui, on l'envia publiquement.

Quelques minutes plus tard, le père de Tramore revenait de l'arrière-boutique, les bras chargés de chopes toutes neuves qu'il échappa à la vue de son soldat de fils. Il tenta bien de l'expulser ou de refuser de le servir, mais le lieutenant Hesch fit mine de tirer son sabre et tout rentra dans l'ordre. (Comment papa O'Brien aurait-il pu savoir que le gouvernement ne permettait les activités des recruteurs du Nord et du Sud que s'ils étaient désarmés, et que l'épée du lieutenant Hesch n'avait, par conséquent, pas de lame ?)

Tramore revit encore sa mère, qui vint à la porte de la taverne, où son mari ne la laissait jamais pénétrer, lui lancer un regard d'adieu larmoyant. Il était minuit passé quand le lieutenant Hesch s'écroula sous la table. Tramore, qui n'avait jamais bu un verre de bière de sa vie, ne se sentait guère plus solide sur ses pieds, mais réussit à le soulever et à le traîner dehors, puis jusqu'au local de la Place de Septembre, où ils dormirent côte à côte sur le sol.

* * *

Tramore sentit que le rythme de la locomotive ralentissait graduellement. Il baissa la vitre, passa la tête par la fenêtre.

À sa gauche, loin en avant, il commençait à distinguer quelques bâtiments sombres qui perçaient le sable doré du désert, grossissant de plus en plus rapidement malgré la décélération de plus en plus forte du train. Une enseigne peinte en bois passa rapidement devant ses yeux. « Hot Springs », put-il lire.

Le train entra en gare, soulevant un nuage de poussière et de vapeur.

— Debout ! cria en zanglais le capitaine Dundas.

— Debout ! traduisit Tramore à l'intention de ses camarades qui n'avaient pas encore appris beaucoup de zanglais.

Le voyage avait pourtant duré près de trois mois. Le capitaine et ses treize soldats fraîchement recrutés avaient d'abord pris le train vers un port de l'Est. Mais des nouvelles du désastre du détroit de Crombie, où la flotte du Sud avait été presque entièrement coulée par celle du Nord, les avaient forcés à tenter leur chance par l'Ouest. Ils avaient donc repris le train en sens inverse, traversé en barque les Mers intérieures, pris le train une fois de plus à Midway et traversé l'État de l'Ouest avant d'obliquer à nouveau vers l'Est.

L'État de l'Ouest ne s'était pas encore allié à l'État du Nord. Mais, au cours de leur long voyage, les recrues avaient pu se rendre compte du mélange grandissant d'hostilité et de mépris que leur vouaient les populations du grand désert.

À Hot Springs, ils arrivaient enfin dans le Sud, à l'endroit où le fleuve Sherman forme une barrière entre le désert des plaines de l'Ouest et les collines verdoyantes du Sud.

La petite troupe descendit du train, mit ses bagages sur l'épaule et marcha vers le pont qui la séparait de Cool Springs.

De l'autre côté du pont, des soldats du Sud les accueillirent chaleureusement. Mais Tramore et ses camarades ne purent que remarquer leur visage famélique, leurs vêtements négligés, leurs yeux qui ne savaient rester gais et vifs plus d'un instant.

On les mena à leur caserne, une misérable cabane sans poêle, dans laquelle les lits de planches superposés n'étaient même pas garnis de matelas.

Les recrues eurent à peine le temps de poser leur baluchon sur le lit de leur choix que leur entraînement commença.

On les fit marcher au pas. On leur apprit à tirer sans balles (les munitions manquaient). On les fit courir. On les fit nager jusqu'au milieu du fleuve pour savoir qui en était capable. On les fit sauter par-dessus des fossés. On les fit grimper à des arbres ou à des cordes. Et le lendemain, à midi, on les envoya dans la bataille.

C'était l'époque de la grande retraite du fleuve Sherman, pendant laquelle le Sud subit des pertes innombrables en tâchant de limiter sur son flanc gauche la percée du Nord qui cherchait à lui couper l'accès à l'Ouest.

Ce matin-là, on avait entendu le bruit du canon qui s'approchait de plus en plus. Puis, les obus s'étaient mis à pleuvoir çà et là. Lorsqu'on put entendre les premiers coups de fusils, le capitaine fit interrompre la soupe et sortir tout son monde.

— C'est le temps, les enfants, fit-il.

Il disposa ses troupes dans un fossé, tira son sabre et attendit.

Devant eux s'étendait une petite prairie. Et c'est à l'orée du bois qu'on commença à distinguer les premiers nuages de fumée des coups de feu de l'ennemi. Quelques soldats en jaune couraient, courbés en deux, et venaient se laisser tomber dans le fossé, à côté des troupes du capitaine. Celui-ci, heureux de voir ses troupes grossir aussi rapidement, donna l'ordre que chaque recrue se place à côté d'un vétéran. Tramore alla donc s'étendre sur le bord du fossé à côté d'un gros soldat à l'uniforme dépenaillé.

— Laisse-les gaspiller leurs munitions, fit le soldat. Ne tire que quand tu pourras voir le blanc de leurs yeux.

Il se passa une longue heure pendant laquelle seul le sifflement de balles perdues perça le silence. Le canon s'était tu.

— Ils doivent déplacer les pièces, avait fait le gros soldat.

Tramore et lui en profitèrent pour faire connaissance. Lui s'appelait Vittorio et se battait depuis le début de la guerre. Il avait été des premières victoires et des premières défaites. Et il expliquait à Tramore que le secret de la survie pendant une guerre pareille était l'art de se pencher au bon moment. Il était particulièrement flatté de voir que le premier contingent étranger était arrivé. Peut-être le vent tournerait-il enfin ?

La chaleur devenait de plus en plus étouffante dans le fossé et il devait être près de deux heures lorsque le canon se remit à tonner.

— Regarde comme ils tirent mal, fit Vittorio.

En effet, le premier obus tomba à vingt pieds devant eux, souleva une trombe de terre qui emplit la bouche de Tramore, ce qui donna à Vittorio l'occasion de lui expliquer que le second secret de la survie était l'art de fermer la bouche au bon moment.

Les obus plurent autour d'eux pendant dix ou quinze minutes, puis le silence revint, lourd de menace.

— Chargez vos fusils, cria le capitaine Dundas.

Tramore traduisit son ordre, puis fouilla dans sa poche, en sortit une balle de plomb qu'il inséra dans la chambre de son fusil.

— Tu m'en passes une ? demanda Vittorio.

Tramore accepta, bien que cela ne lui en laissât plus qu'une.

— Regarde-les, souffla Vittorio à son oreille.

Tramore plissa les yeux, mais ne vit rien d'autre que la poussière et la fumée des obus. Il entendit une grande rumeur, un grand cri de guerre qui le fit frémir jusqu'aux os. Et enfin il vit des silhouettes brunes qui s'approchaient rapidement.

— Que personne ne tire avant mon ordre, cria le capitaine.

Et Tramore se sentit presque aussitôt soulevé par un grand coup de pied au derrière, qui lui rappela qu'il devait traduire tous les ordres, ce qu'il fit d'une voix étonnamment claire et autoritaire.

— Feu ! crièrent presque en même temps le capitaine et Tramore, chacun dans sa langue.

Il était temps, car les soldats ennemis étaient à peine à quelques pieds d'eux, commençant à baisser leurs baïonnettes pour les enfourcher dans le fossé.

Tramore regarda un visage en face de lui, visa le nez, appuya sur la détente.

—- Tu tires bien, fit Vittorio en sifflant d'admiration.

Tramore vit un corps sans tête continuer à s'avancer vers lui. Mais le corps bascula bientôt sur le côté. Tramore rechargea son arme avec la balle qu'il lui restait et tira à nouveau, cette fois dans une poitrine à laquelle la pointe de son fusil touchait presque. Et un corps s'abattit sur lui, puis roula au fond du fossé.

Pour la première fois depuis sa tendre enfance, Tramore se mit à jurer, en cherchant d'autres balles dans ses poches. Mais, comme presque tous les soldats en jaune étendus dans le fossé, il avait épuisé ses munitions. Il y eut un souffle de panique dans les rangs du Sud... mais il se transforma aussitôt en cri de triomphe.

En effet, les soldats en brun s'éloignaient à toutes jambes, laissant derrière eux des tas de chair ensanglantée.

C'est ainsi que le Sud gagna sa première victoire depuis le premier mois de guerre, mettant fin à la grande retraite du fleuve Sherman et retardant de près d'un an une victoire qui semblait acquise aux troupes du Nord.

Des renforts arrivèrent. De l'artillerie aussi. Et des munitions. Et chaque femme du Sud envoya son alliance à l'armée pour qu'elle puisse acheter des balles.

La guerre, jusque-là essentiellement mobile, s'enfonça dans des tranchées de plus en plus profondes. Le général Lamothe, commandant en chef des troupes du Nord, comptait sur le blocus économique du Sud pour voir basculer l'équilibre des forces du côté de son parti. Le maréchal Chang, commandant en chef des troupes du Sud, comptait sur la production de plus en plus importante des usines du Sud pour voir éventuellement ses troupes défiler dans le Grand Boulevard de De Soto, capitale du Nord.

L'hiver, particulièrement boueux dans le Sud, vint aussi compliquer les opérations pour les deux camps. Le Nord se vit pratiquement dans l'impossibilité d'acheminer vers le Sud des munitions supplémentaires, alors que le Sud trouva de plus en plus difficile de réunir ensemble les pièces de canons qu'il faisait fabriquer dans ses différentes usines par mesure de sécurité.

Il y eut bien quelques escarmouches et Tramore prit part à plusieurs d'entre elles. Mais rien de très violent ni de très efficace. À peine s'échangeait-on une tranchée ou deux pendant une heure ou deux.

C'est à la fin du printemps, lorsque la boue sécha, que reprirent les offensives.

Le Nord, cette fois, avait décidé de s'emparer de la côte Est. Le Sud, pour sa part, préparait une grande offensive du côté Ouest, toujours le long du fleuve Sherman, visant d'abord à s'emparer des Monts Plats, puis de la vallée de l'Aalion, avant de foncer vers De Soto pour mettre un terme à la guerre.

Particulièrement préoccupé du secret de son attaque, le maréchal Chang avait pris la peine de rédiger lui-même, de sa plus belle écriture, les ordres destinés à chacune des unités. Il réunit 876 estafettes et remit à chacune les ordres à aller porter à chaque unité, d'après un horaire très strict basé sur ce qu'il estimait être le temps nécessaire pour se rendre à chaque endroit.

La surprise fut totale — en particulier pour les troupes du Sud, car le Nord avait prévu qu'une attaque à l'Ouest était le seul projet valable que le vieux Chang pouvait tenter.

L'unité du capitaine Dundas fut une des premières à se mettre en marche.

L'avance fut étonnamment facile, l'ennemi ayant décidé de se replier dès le premier barrage d'artillerie. Tramore et ses compagnons franchirent les tranchées ennemies, puis traversèrent une forêt en marchant dans un sentier large et bien entretenu. Il faisait un soleil radieux, qui perçait les feuilles des arbres. Tramore avait beaucoup plus l'impression d'être à quelques milles de Ville-Dieu, à chasser le lièvre ou la perdrix, qu'à des milliers de lieues de chez lui, à faire une guerre dont il ne comprenait pas les enjeux.

— Halte ! fit enfin le capitaine en levant le bras gauche.

Ils étaient à l'orée de la forêt. Le soleil, haut par-dessus les arbres, permettait de croire qu'il était midi. Devant eux, une prairie s'étendait au pied de montagnes boisées.

Le capitaine expliqua à ses hommes (sans que Tramore eût à traduire, car tous comprenaient assez bien le zanglais maintenant) qu'on avait atteint l'objectif fixé pour la journée — soit le pied des Monts Plats — et qu'il fallait bivouaquer et passer la nuit à l'abri de la forêt.

Les hommes s'étaient installés confortablement, se contentant de monter quelques barricades de troncs d'arbres au cas ou l'ennemi contre-attaquerait. On entendait bien quelques coups de canons vers la gauche, mais rien qui pouvait laisser croire à une bataille proche. Tramore s'était étendu dans les herbes, la tête appuyée sur son havresac, et rêvassait les yeux ouverts, entrevoyant de temps à autre une silhouette blanche de dentelle, des fossettes rieuses, des taches de rousseur sur un nez retroussé...

— Alerte ! cria le capitaine.

Tous les hommes furent sur pied en un instant, fusil à la main, se demandant quel pouvait bien être ce bruit derrière eux. Ils aperçurent des ombres, mirent en joue.

— Attendez, fit une voix, c'est des habits jaunes.

En effet, on vit arriver un groupe de soldats suivant un officier très bien mis, sabre au côté, sur une superbe jument blanche à faire mourir d'envie le capitaine Dundas qui n'avait pas les moyens de s'acheter une monture.

— Capitaine Kowalski, troisième compagnie, fit l'officier en saluant.

— Mais vous êtes censés être devant, objecta le capitaine.

— Et vous derrière. Les ordres sont arrivés en retard. L'estafette a fait une vilaine chute lorsqu'un serpent à sonnettes a attaqué son cheval. Vous allez vous replier derrière nous. Nous passons devant.

Il y eut encore quelques minutes de discussion entre les deux capitaines. Mais Dundas dut céder : il devait être en deuxième ligne, ce qui signifiait qu'il fallait qu'il recule derrière la première, que formerait la troisième compagnie.

* * *

Après une nuit paisible, à peine percée par quelques coups de feu, les deux compagnies se réveillèrent sous un ciel maussade. Et il se mit à pleuvoir. D'autres estafettes arrivèrent, porteuses d'ordres nouveaux et de congratulations exubérantes du maréchal Chang, dont l'offensive avait connu un succès total (il y avait bien eu un peu de confusion, mais on n'envoie pas deux cent mille hommes à l'attaque sans en perdre quelques-uns en route).

— Vous voyez, fit en regardant sa montre en or le capitaine Kowalski, nous attaquons dans vingt minutes.

— Et nous dans trois heures, fit Dundas. Bonne chance.

L'attaque de la troisième compagnie commença donc bientôt. On vit les costumes jaunes disparaître dans les boisés au pied des Monts Plats. Et il se passa plus d'une heure — tant que les costumes jaunes n'eurent pas gravi la moitié de la première montagne — avant que le Nord ne mette son artillerie en action.

Le général Lamothe célébrait ce jour-là le huitième anniversaire de son fils unique et avait organisé pour ses officiers d'état-major et leurs familles un déjeuner sur l'herbe dans l'île Cachenec, où ils se rendraient en barque et où on ne viendrait pas les déranger avec cette satanée guerre. Son officier d'ordonnance devait rester derrière et expédier les affaires courantes.

— Et si les jaunes continuent leur avance ? demanda l'officier d'ordonnance un peu inquiet à la perspective de passer en conseil de guerre si jamais il osait prendre une décision sans qu'on l'y ait expressément autorisé.

— Eh bien, fit le général en enfilant ses gants blancs et en prenant place dans sa barque, arrêtez-les s'ils vont trop loin.

— Et où est-ce, trop loin ? insista l'officier.

— Je ne sais pas, moi. Les Monts Plats, peut-être.

Les barques étaient encore en vue, sur le point de disparaître dans un tournant de la rivière Jack, lorsqu'arriva un messager du colonel Tazieff. Les jaunes avaient atteint la veille le pied des Monts Plats. Fallait-il les arrêter ou continuer à se replier ?

L'officier d'ordonnance songea un instant à faire rappeler le général. Mais cela aussi risquait de le faire passer en conseil de guerre. Il réfléchit un instant.

— Prenez un cheval frais et retournez dire au colonel Tazieff qu'il peut arrêter les jaunes aux Monts Plats... si cela lui est possible.

L'officier avait parlé sur un ton très autoritaire. Mais il avait bien pesé ses mots, évitant de donner un ordre véritable. Après tout, le colonel ne ferait que ce qu'il voudrait. Et l'officier était particulièrement fier d'avoir ajouté l'expression « si cela lui est possible ». Cela accordait au colonel une heureuse part d'initiative. Et n'enseignait-on pas à l'École de Guerre que seul l'officier sur le terrain est à même d'apprécier la situation ?

L'estafette repartit en trombe. À midi, elle arrivait à la tente du colonel Tazieff.

— Le quartier général fait dire que vous pouvez arrêter les jaunes aux Monts Plats si cela vous est possible.

— Où, aux Monts Plats ? En bas, au milieu ou au sommet ?

— Je n'en sais rien, colonel. Je peux retourner...

— Mais non, imbécile. Ah, les enculés de l'état-major, je leur en donnerai des Monts Plats quelque part.

Le colonel Tazieff était un bon soldat, malgré un tempérament un peu vif et un langage peu châtié. Il avait déjà disposé son artillerie au sommet de la montagne et placé ses hommes un peu plus bas. On avait ensuite perdu de vue les habits jaunes, dissimulés par la forêt très dense. Mais, de temps à autre, on en voyait un à découvert s'asseoir sur une grosse pierre.

— Les imbéciles, faisait le colonel en les regardant dans sa lunette. Ils mériteraient d'être à notre quartier général.

Il attendit encore que les soldats du Sud fussent presque à portée de fusil de ses hommes, puis ordonna de faire tonner l'artillerie. Pendant près d'une heure, l'artillerie cracha de toutes ses bouches. Après une heure, le colonel la fit taire. Il fouilla de sa lunette le flanc de la montagne, ne vit rien bouger.

— De deux choses l'une, dit-il en souriant. Ou bien ils se sont enterrés eux-mêmes, ou bien nous les avons enterrés.

En effet, les obus avaient fauché presque tous les arbres au milieu de la colline, là où une heure plus tôt grouillaient des centaines d'uniformes jaunes. On ne voyait plus qu'une terre noire comme celle d'un champ fraîchement labouré, mais percée de cratères au lieu de sillons.

— Ça suffira, fit le colonel. On devrait avoir la paix jusqu'à demain.

Et il retourna se coucher. Mais, deux heures plus tard, on venait le réveiller.

— Il y en a d'autres qui arrivent, mon colonel.

Le colonel se leva en maugréant, alla jeter un coup d'oeil vers le bas de la montagne. En effet, d'autres habits jaunes s'étaient mis à gravir la colline.

— Bon. Qu'ils viennent.

Au premier rang, en bas, juste sous le poste de commandement du colonel Tazieff, la compagnie du capitaine Dundas se frayait un chemin dans les buissons.

— Restez cachés, hurlait le capitaine chaque fois qu'un de ses hommes s'assoyait sur une grosse pierre et s'épongeait le front avec son mouchoir à carreaux.

Mais comment faire autrement, quand il pleut à boire debout et qu'on ne voit plus un seul ennemi ? En effet, le capitaine Dundas avait déduit que la vague d'assaut précédente avait dû franchir le sommet de la montagne, puisqu'on n'avait vu personne revenir. On n'envoie pas des centaines d'hommes dans un barrage d'artillerie pareil sans qu'au moins quelques dizaines redégringolent la montagne à fond de train. Personne n'était revenu. C'est donc que le barrage d'artillerie n'avait dû arrêter personne.

Ils arrivèrent enfin à une clairière, où on aurait dit que le sol venait d'être labouré. Mais des cratères de toutes tailles rendaient la marche difficile. « Je me demande si l'ennemi nous voit maintenant ? » s'interrogea le capitaine en sortant d'un cratère.

Ce fut sa dernière question. Il entendit un coup de canon, puis un deuxième, puis un troisième. Un obus éclata à deux pas de lui. Il mourut sur-le-champ.

Tramore, qui le suivait en compagnie de Vittorio, fut jeté au sol par le souffle de l'explosion. Il roula malgré lui dans le cratère dont il venait de sortir. Il reprit ses esprits, chercha son fusil, le trouva sous le cadavre d'un de ses camarades qui avait lui aussi été poussé dans le cratère par l'explosion. Il risqua un coup d'oeil par-dessus le bord du cratère. Plus un seul soldat du Sud n'était debout. Çà et là, il put voir des corps qui ne bougeaient pas, sans pouvoir dire s'ils étaient morts ou vivants. Le bruit était assourdissant, mélangeant sans ordre apparent les coups de canon, le sifflement des obus et les explosions.

Tout à coup, Tramore vit se dresser devant lui une main, qui sortait de la terre, comme une main de noyé qui sort de l'eau. Il prit la main dans les siennes, tira de toutes ses forces. Petit à petit émergea le visage, puis le reste du corps de Vittorio.

— Merci, mon vieux, fit celui-ci en s'assoyant à côté de Tramore. Un peu plus et j'y restais.

Les canons s'étaient tus, un instant, pour que le colonel Tazieff puisse regarder dans sa lunette ce qui se passait en bas.

—- Je vois encore des habits jaunes, dit-il. Remettez-moi ça encore un peu.

Pour Tramore et Vittorio, l'enfer se déchaîna à nouveau. Ils se calèrent au fond de leur cratère.

Ils se mirent à creuser fébrilement, encouragés par la pluie des obus autour d'eux. Un obus tomba assez près pour remplir le trou qu'ils avaient fait au fond de leur cratère. Mais ils recommencèrent, dans cette terre meuble, facile à déplacer.

Tout à coup, les doigts de Tramore touchèrent quelque chose de mou. Ils l'agrippèrent et sortirent un képi. « On dirait un képi de capitaine », pensa-t-il sans prendre vraiment le temps de le regarder. Lui et Vittorio creusèrent encore quelques instants, lorsqu'ils se regardèrent l'un l'autre avec stupéfaction. Ils venaient de toucher quelque chose qui avait la douceur de la peau humaine. Ils creusèrent encore plus vite et en quelques secondes ils découvrirent le visage ensanglanté du capitaine Kowalski. Un oeil était grand ouvert. L'autre avait disparu, comme la mâchoire. Du revers de la main, Tramore recouvrit de terre le visage.

—- Creusons ailleurs, cria-t-il à Vittorio.

Ils se remirent à creuser. Mais quelques minutes plus tard, ils découvraient un dos recouvert d'un uniforme jaune. Un troisième trou leur fit déterrer un bras détaché, puis un abdomen ouvert. Dans un quatrième, ils découvrirent trois jambes entremêlées.

« Ils sont tous morts, pensèrent-ils. Tous enterrés comme nous le serons bientôt. » Ils commençaient à imaginer, sous eux, à cinq ou dix pieds, des dizaines de cadavres entassés sous les tonnes de terre soulevées par les obus.

Le canon se tut à nouveau. Le colonel Tazieff fut incapable de voir un seul habit jaune. Il ordonna qu'on mette fin pour de bon au barrage d'artillerie et qu'on lui serve à dîner.

* * *

La nuit commençait à tomber. Tramore et Vittorio, étonnés d'être encore vivants, entendirent des voix qui descendaient vers eux, du sommet de la colline.

Sans un mot, ils se glissèrent hors du cratère, rampèrent jusqu'aux premiers arbres que la bataille avait épargnés, puis redescendirent sans un mot jusqu'au pied de la montagne. Là, ils se serrèrent la main et se quittèrent à jamais, n'ayant envie ni l'un ni l'autre de revoir quelqu'un qui pourrait lui rappeler cette journée.

Ni l'un ni l'autre ne rencontra âme qui vive au pied de la montagne. Le maréchal Chang avait lancé toutes ses forces du front ouest dans la bataille. Il ne restait plus qu'une dizaine de survivants — et aucun d'entre eux n'avait envie de reprendre la guerre. Ils désertèrent donc, ce qui permit au maréchal Chang de proclamer en toute sincérité que cette bataille sans aucun survivant était le fait d'armes le plus héroïque de toute la guerre. Et il décora de la Grande Croix du Sud tous ceux qui y avaient participé. Mais Tramore ne réclama jamais sa médaille.

Quant au général Lamothe, il fut aussi ravi de cette victoire que le fut son fils de la véritable-machine-à-vapeur-miniature-qui-marche reçue en cadeau. Il écrivit à la Chambre des Élus qu'il avait personnellement donné l'ordre de repousser l'attaque du Sud et que les Monts Plats constituaient une victoire éclatante des méthodes modernes de guerre dont il s'était fait le propagateur.

Tramore marcha toute la nuit, traversa le fleuve Sherman à la nage. Il mit près de six mois à revenir à Ville-Dieu, tantôt comme passager clandestin, suspendu aux essieux d'un wagon de chemin de fer, tantôt passant des jours et des nuits à nourrir l'appétit insatiable des chaudières d'un vapeur sur les Mers intérieures.

La vue du sang — lorsque quelqu'un se coupait le doigt en tranchant du pain, par exemple — le faisait maintenant vomir.

*　*　*

Le père de Tramore était décédé d'une curieuse maladie dont le médecin avait refusé de dévoiler la nature à la famille. Carette aussi était morte à la même époque, mais sans que personne se soit demandé de quoi.

Tramore devint donc tavernier. Et, lorsque des clients lui demandaient ce qu'il avait fait dans le Sud, il répondait vaguement « la guerre ».

Il se maria, avec la jeune fille qu'il avait entrevue lors du match de crosse aux dix gallons de sang. Il l'avait revue dans le parc à la fontaine, avait eu peine à la reconnaître, car la beauté de la jeune fille s'était considérablement accrue dans ses souvenirs. Il avait demandé sa main au père d'Estrelle, qui avait accepté. Et il s'était marié, sans grand enthousiasme, à vrai dire, mais conscient qu'il faisait ce qu'il attendait de lui-même.

Bientôt, la vie d'Estrelle et de Tramore fut réglée comme une horloge : promenade au parc tous les dimanches, lever à cinq heures du matin et coucher à minuit passé, ragoût de boulettes le lundi et pieds de porc le mardi.

Tout Ville-Dieu jugeait le couple O'Brien exemplaire et enviable. Mais personne ne suivait vraiment son exemple, ni ne l'enviait sincèrement. Car Tramore s'ennuyait et cela se voyait.

Son ennui fut brisé par l'approche des Grands Troubles. Déjà, un an ou deux avant son mariage, s'étaient formés à Ville-Dieu deux partis adverses. D'une part, les Enfants de Dieu, partisans de la Mère Patrie ; d'autre part, les Fils de la Patrie, pour qui la patrie ne pouvait être que le territoire qu'ils foulaient chaque jour de leurs pieds.

Tramore était resté neutre face aux premières querelles et aux premières tentatives de le recruter dans un camp ou dans l'autre. Mais, le jour de l'édit de non-recevoir, par lequel la Mère Patrie avait déclaré sa ferme intention de refuser de recevoir une délégation de Fils de la Patrie, la taverne avait été envahie simultanément par les deux partis, qui sommèrent tous deux Tramore de refuser l'accès de sa taverne à l'autre parti.

Tramore réaffirma sa ferme intention de ne pas faire de politique et mit tout ce beau monde à la porte, sans se soucier de la baisse de clientèle que cela représenterait pour son commerce.

Cette nuit-là, Tramore fut réveillé par un bruit de verre cassé. Il regarda par la fenêtre et vit des ombres indistinctes qui lançaient des pierres dans les vitres de la taverne, puis dans celles du logement du dessus, lorsqu'il n'y eut plus de vitre à casser au rez-de-chaussée.

Au petit jour, Tramore dit à sa mère et à sa femme de faire les bagages. À Estrelle qui lui demandait pourquoi, il répondit tristement : « Je n'ai pas envie de voir ça. »

Ni Estrelle ni sa mère n'osèrent lui demander ce qu'il entendait par « ça ».

La famille O'Brien se mit donc en branle vers le Nord et marcha pendant près d'un mois, traversant des villages dans lesquels de plus en plus de drapeaux rouge et or des Enfants de Dieu et blanc et or des Fils de la Patrie ornaient les fenêtres.

À Sinéglou, Tramore demanda à l'aubergiste s'il y avait un coin tranquille dans les environs. L'aubergiste parla à Tramore du sentier qui menait à un endroit où il y avait peut-être des gens, mais il n'était pas vraiment sûr qu'ils fussent encore là.

Tramore et sa femme (sans sa mère, qui était morte en chemin, d'un mal qui ressemblait à celui qui avait emporté son mari) prirent donc le sentier indiqué. Après avoir franchi plusieurs collines, ils arrivèrent dans une clairière où Agénor accepta, après avoir longuement hésité, de les laisser s'installer.

Après les Grands Troubles, pendant lesquels les Régions du Haut avaient été entièrement mises à feu et à sang, sauf à Sans-Hommes-Ni-Rivières, un politicien vint chercher des votes au village. Le vote se faisait alors en levant les deux mains, puis on divisait par deux. Le politicien promit, si le village votait en bloc pour lui, qu'il ferait nommer un inspecteur des chemins, qui recevrait de l'argent du gouvernement et ferait ainsi une importante contribution économique à sa communauté tout entière.

Apitoyée par le sort du pauvre homme ventru qui, accompagné d'un huissier-compteur, s'était donné tant de mal pour lui demander son avis, toute la population leva les deux mains. Le politicien et l'huissier-compteur firent semblant de ne pas remarquer qu'il y avait là des femmes et des enfants : le premier avait besoin de tous les votes qu'il pourrait trouver et le second recevait un quart de piastre par vote compté.

Trois mois plus tard, un matin que Tramore descendit à Sinéglou chercher des provisions, le maître de poste lui apprit qu'une lettre était arrivée, adressée à Sans-Hommes-Ni-Rivières.

Tramore remit la lette à Agénor, qui la lut devant tout le village rassemblé. Le politicien avait été élu et, fidèle à sa promesse, avait fait nommer un inspecteur des chemins. Il suffisait que le maire de Sans-Hommes-Ni-Rivières inscrive sur le formulaire ci-joint le nom de la personne désignée pour que celle-ci reçoive à l'avenir des émoluments mensuels de quatre piastres.

Jamais on n'avait songé à élire un maire. Tramore proposa toutefois Agénor, qui fut immédiatement accepté à l'unanimité. Puis, Agénor proposa Tramore comme inspecteur des chemins, ce qui fut accepté aussi rapidement.

Aux élections suivantes, trois ans plus tard, on ne revit pas le politicien, qui était convaincu qu'il avait déjà suffisamment de voix sans se donner la peine de se lancer dans la brousse. Mais il avait surestimé ses appuis. Toutefois, son adversaire élu ne connaissait personne à Sans-Hommes-Ni-Rivières et jugea inutile de renverser le choix de l'inspecteur des chemins, comme il le faisait dans tous les autres villages du canton car c'était la tradition.

V

— Réveille-toi, Jean-Baptiste.

Tramore secouait Jean-Baptiste, en prenant soin d'éviter son haleine, rappelant la gomme d'épinette et le crottin d'orignal. Jean-Baptiste grogna.

— Réveille-toi, on va aller voir Marie-Clarina.

Jean-Baptiste étira ses longs membres, émit à nouveau quelques grognements, ouvrit un oeil puis l'autre, regarda autour de lui, mit quelques secondes à comprendre pourquoi il ne s'éveillait pas dans la forêt. Lentement, la mémoire lui revint. Il jeta un coup d'oeil vers la fenêtre, où la lumière lui fit voir que le matin était déjà avancé. Tramore lui tendit un bol de gruau bien chaud. Jean-Baptiste se souleva sur un coude, commença à manger avidement.

— On va aller voir Marie-Clarina, répéta Tramore. Tu pourras me dire si c'est le même genre de bête.

La mémoire était entièrement revenue à Jean-Baptiste. Il se souvenait de leur conversation de la veille, arrosée de brandy.

— D'accord, fit-il en ramassant d'un adroit coup de cuiller les dernières traces de gruau dans son bol de bois.

Il se leva, sortit son couteau pour séparer sa chevelure qui lui bouchait la vue. Il suivit Tramore jusque chez Marie-Clarina. Déjà, en s'approchant de la maison de celle-ci, il pouvait distinguer Agénor qui jouait avec les enfants.

— C'est un pareil, fit-il à Tramore.

— Si tu lui dis que tu en as mangé un, je te casse la gueule, menaça Tramore en souriant.

— Tu me prends pour un sauvage ? protesta Jean-Baptiste.

Les enfants, maintenant, l'avaient vu approcher et accouraient vers lui en criant. Jean-Baptiste avait toujours dans les poches un peu de boumikan graisseux, sucré et poussiéreux, mais dont les enfants raffolaient. Il donna à chacun un morceau, puis s'approcha de Marie-Clarina, qui venait de prendre Agénor sur ses genoux.

— Oui, il est pareil, fit-il.

— Tu en as déjà vu un ? demanda Marie-Clarina, coeur battant.

— Oui.

— De la même grandeur ?

— Plus grand, fit Jean-Baptiste qui aimait exagérer. Beaucoup plus grand.

Marie-Clarina serra Agénor sur sa poitrine. Oui, elle le savait depuis le premier moment : c'était un enfant. Son coeur ne lui avait pas menti.

— Celui-là, c'est un tout petit. Le mien était beaucoup plus grand.

Et Jean-Baptiste se mit à raconter sa rencontre avec le grand animal vert. Mais il se laissa prendre à la magie des mots et des phrases. Dans sa tête se bousculaient des images qu'il n'avait jamais vues, mais qui semblaient plus vraies que les vraies. Et les enfants réunis maintenant autour de lui semblaient vouloir entendre beaucoup plus qu'une histoire banale. Et Jean-Baptiste avait l'impression que c'était son tour d'inventer une belle grande légende comme celles que sa grand-mère lui racontait. Il laissa donc parler sa bouche. Il laissa donc les mots décrire tout seuls ce qu'il voyait dans sa tête.

Il raconta qu'un soir de pleine lune, il avait été poursuivi par une bande de loups affamés. Il avait tiré en leur direction ses dernières cartouches. Il avait tenté de courir sur ses raquettes pour les semer, mais s'était rapidement souvenu que cela ne servait à rien. Il avait donc marché sur une rivière glacée, sans se presser, éclairé par la lune presque autant qu'en plein jour. Les loups décrivaient de grands cercles autour de lui, mais restaient à distance, attendant sans doute que l'homme trébuche.

Mais lorsque les lueurs blanchâtres du petit jour commencèrent à éclairer l'horizon, les loups s'étaient concertés et avaient décidé d'attaquer avant que le jour ne se lève pour de bon.

Les premiers assauts avaient été sournois, les loups faisant les uns après les autres un grand cercle autour de Jean-Baptiste et attaquant dans son dos. Mais l'Indien était vif et avait réussi chaque fois à les chasser d'un coup de crosse de fusil.

Les loups s'étaient à nouveau assis en cercle pour se concerter et débattre des meilleurs moyens de venir à bout de cet homme à l'adresse peu commune, qui semblait si bien les connaître. Il faisait presque jour et il fallait se hâter si on voulait en venir à bout avant que le soleil ne chasse les animaux des ténèbres.

Les loups s'étaient donc placés devant Jean-Baptiste, alignés sur trois rangs droits et serrés. Puis, ils s'étaient mis à avancer vers lui.

— Loups ! avait-il crié. Loups, vous n'êtes même pas dignes d'être loups. Vous attaquez comme des hommes. Je me défendrai comme un loup.

Jean-Baptiste avait alors laissé tomber dans la neige son sac à dos et son fusil. Il avait enlevé son long manteau. Et il s'était mis à courir autour des loups, comme s'il avait été loup lui-même. Déconcertés, les loups ne savaient plus quelle direction prendre, face à une cible plus mobile qu'eux. Jean-Baptiste avait même attrapé un des loups au bout du dernier rang et lui avait enfoncé ses dents dans le cou. Le loup s'était sauvé en hurlant.

Les premiers rayons du soleil se réfléchissaient sur la neige dorée. Les loups se devaient de faire vite. Le plus grand, le plus fort, se précipita sur Jean-Baptiste, lui lacérant une jambe de ses crocs. La blessure n'était pas profonde, mais la déchirure dans le pantalon laissait entrer l'air glacé. Jean-Baptiste crut sa dernière heure venue. Il se signa à l'indienne.

C'est alors qu'il remarqua devant lui, entre lui et les loups et à côté de son ombre à lui, une grande ombre étroite.

Il se retourna et vit un grand être vert, comme la créature qui se tenait sur les genoux de Marie-Clarina, mais beaucoup, beaucoup plus grand. Il ignorait d'où il était venu. On l'aurait dit tombé du ciel. Les loups reculèrent de quelques pas, méfiants, semblant se demander s'ils devaient se réjouir d'avoir maintenant deux proies à dévorer, ou se désoler d'avoir deux adversaires à affronter.

Les loups repassèrent à l'attaque. Jean-Baptiste et son mystérieux allié parvinrent à repousser leurs premiers assauts. Mais le sang coulait des bras et des jambes de Jean-Baptiste et du géant vert, et aussi des entrailles déchirées de quelques loups trop téméraires. L'odeur du sang excita les loups et le reste de la meute attaqua de plus belle.

À ce moment du récit de Jean-Baptiste, Tramore eut peur que l'Indien ne révèle avoir mangé le géant vert. Il donna donc un coup de pied discret dans le tibia de Jean-Baptiste. Celui-ci comprit et transforma aussitôt son récit de cuisante défaite en victoire retentissante.

Pendant deux heures, lui et la créature verte avaient combattu côte à côte, mêlant leur sang dans la neige, attrapant des loups qui glapissaient de frayeur dans leurs mains, mais retombaient rapidement sur leurs pieds et repassaient à l'attaque.

Finalement, ils avaient réussi à trouver une défense valable : la créature verte et l'Indien attrapaient chacun un loup, le tenaient par les pattes de derrière, le balançaient au-dessus de leur tête et, d'un grand moulinet, frappaient un loup contre l'autre. Les colonnes vertébrales cassaient, les cous se brisaient, les têtes s'arrachaient sous le choc. Autour des deux combattants, les corps de loups commençaient à s'amonceler. Les autres loups battirent en retraite, vaincus, la queue entre les pattes.

Jean-Baptiste se retourna vers le géant vert pour le remercier. Mais celui-ci était déjà disparu. Jean-Baptiste ne le revit jamais; il avait fini par se convaincre que le grand géant vert avait été une manifestation du Grand Esprit.

— Je m'étais trompé, fit Jean-Baptiste en pointant du doigt Agénor. Le géant vert existait vraiment, puisqu'il y en a de petits.

Il se tut. Charmés par son récit, les enfants et les adultes n'osaient briser le silence pendant lequel tant d'images fantastiques flottaient encore dans les têtes.

Agénor, toujours sur les genoux de Marie-Clarina, leva la main vers le visage de celle-ci, lui toucha le nez. Marie-Clarina, agacée, chassa cette main de son visage. Elle ouvrit la bouche, faillit dire « Vous voyez bien que c'est comme une espèce d'homme », mais n'osa pas. Agénor descendit de ses genoux, alla s'asseoir par terre avec les enfants, et toucha le nez du fils le plus jeune de Tramore, Cabestan.

—- L'Indien a menti, dit Cabestan.

Tous le regardèrent avec stupéfaction. Puis les regards se tournèrent vers Jean-Baptiste, qui ouvrit de grands yeux étonnés. Jamais il ne fallait accuser un Indien de mentir, c'était bien connu : les Indiens ne mentent pas, car ils laissent parler les mots. Est-ce leur faute si les mots mentent ? Et, même à quatre ans, Cabestan aurait dû le savoir.

—- Il dit que l'Indien a menti, fit Cabestan en rougissant et sachant qu'il risquait une fessée.

—- Qui dit ça ? demanda Tramore.

—- Lui, fit Cabestan en pointant du doigt Agénor qui avait toujours sa main sur son nez.

Les yeux se tournèrent maintenant vers Agénor. Mais celui-ci ne broncha pas.

—- Il dit qu'il n'y a pas de grands géants verts, précisa Cabestan.

—- Mais il ne dit rien, protesta Marie-Clarina. Tu vois bien qu'il ne dit rien.

—- Je pense qu'il me parle par le nez, fit timidement Cabestan au bord des larmes.

Tout le monde se mit à rire de bon coeur. Il en avait de bonnes, le petit Cabestan.

—- C'est vrai, quand il nous met la main sur le nez, on a l'impression de comprendre des choses.

C'était Désirée, la soeur aînée de Cabestan, qui avait parlé, à la rescousse de son frère. D'autres enfants firent oui de la tête ou des lèvres. Stupéfaits, Marie-Clarina et Tramore se regardèrent. Désirée s'était levée. Elle marcha jusqu'à Agénor, lui prit la main, la mit sur son nez.

—- Comme ça, dit-elle.

Elle attendit quelques instants. Puis répéta les mots qui lui vinrent à l'esprit.

—- Il dit que c'est comme la télépathie, mais qu'il faut se toucher parce qu'on a pas l'habitude.

Bouche bée, Marie-Clarina regarda la scène, cherchant à comprendre. Puis, lentement, la lumière se fit. Oui, c'était ça les chatouillements qu'elle ressentait quand il lui touchait le nez. Oui, c'est à elle qu'il voulait parler. Elle se leva, les larmes aux yeux. Elle marcha jusqu'à Agénor, le saisit dans ses bras, l'enleva et se mit à courir. Elle entra dans sa maison en coup de vent, claqua la porte derrière elle, tira le verrou, se précipita vers la maison intérieure, s'assit dans la grande chaise berçante, avec Agénor sur ses genoux.

Elle prit la main d'Agénor, la posa sur son nez.

—- Raconte-moi, dit-elle.

Histoire d'Agénor

Agénor était né sur Blanante et s'appelait Agénor là aussi.

Blanante était à l'époque peuplée principalement de Rispaliens, gens à la peau rougeâtre qui refusaient de porter tout vêtement, et que les autres peuples de Blanante jugeaient en général primitifs malgré leur avance évidente dans la contemplation des idées inutiles.

Les Miayels, beaucoup moins nombreux, dominaient la planète, quoiqu'ils n'en aient occupé qu'une petite partie. Mais les Miayels étaient doués pour les idées utiles et cela leur avait permis de s'imposer sur Blanante, en faisant travailler pour eux les autres peuples.

Agénor n'était ni Rispalien, ni Miayel. Il faisait partie d'un peuple encore plus petit, les Quantasques, qui avaient cultivé la pratique de la contemplation des idées inutiles, tout en adoptant la plupart des idées utiles des Miayels.

Il fut envoyé très jeune à l'Académie des Idées inutiles, où il fut soigneusement instruit dans les techniques antitélépathiques destinées à le protéger des idées utiles. On faisait faire tous les matins aux petits Quantasques des exercices de blocage du diaphragme de l'arrière-cervelet, exercices censés obturer tous les évents télépathes. Et on leur prêchait constamment qu'il fallait se méfier des gens des autres sexes et des étrangers.

Les éducateurs quantasques, par sens de l'équilibre, prêchaient aussi à leurs ouailles certaines valeurs miayelles. Ils partageaient la même répulsion à l'égard de la nourriture et prônaient l'adoption de la pile neutronique, qui permettait d'éviter les maladies d'origine alimentaire, en plus de prolonger la vie de plusieurs siècles.

Lorsqu'Agénor eut sept ans, son père lui fit donc croire qu'ils s'en allaient en vacances, l'aida à faire sa valise et l'amena à l'hôpital où on lui fit cette douloureuse implantation. Agénor devait d'ailleurs en vouloir pendant longtemps à son père, non pas pour l'opération elle-même, mais pour le mensonge.

Les Quantasques étaient déchirés entre le progrès et la tradition. Incapables de choisir, ils adoptaient tantôt l'un tantôt l'autre. Et cela donnait lieu à de spectaculaires querelles entre leurs chefs lorsque le progrès se présentait sous de nouvelles facettes. Fallait-il adopter ou rejeter la nouvelle combinaison antirismale ? Que penser des expanseurs d'anus, qui permettaient de se passer complètement de lubrification sans risquer le cancer rectal ? Comment résister à la tentation des soleils électrodiques, substituts peu coûteux des encombrants solénoïdes inversés ? Toutes ces questions étaient longuement débattues par les moralistes quantasques, qui finissaient par en arriver à un consensus et édictaient alors une norme morale que tous les Quantasques, particulièrement les plus jeunes, se devaient de suivre sous peine de passer pour des barbares.

Pour maintenir leur emprise sur le peuple, les moralistes quantasques avaient inventé l'immunité éternelle, phénomène réservé d'après eux aux Quantasques après leur décès et qui leur permettait de vivre après la mort, s'ils avaient bien suivi les Enseignements.

Mais l'immunité éternelle attirait de moins en moins de jeunes de la génération d'Agénor. Et ce, pour deux raisons.

Pour commencer, les progrès de la science et la disparition de l'alimentation buccale avaient pratiquement éliminé les maladies. Seuls quelques accidents prélevaient quelques victimes. Et les gens ne mouraient pratiquement plus. En voyant son arrière-arrière-arrière-grand-père resplendissant de santé, le jeune Quantasque avait beaucoup de mal à imaginer que la seconde vie puisse un jour remplacer cette apparente éternité.

De plus, les nouvelles générations de Quantasques semblaient de moins en moins intéressées à l'ensemble de l'enseignement des anciens. Il leur était facile de voir les avantages du progrès. Mais les avantages de la tradition étaient beaucoup moins évidents et de plus en plus de jeunes Quantasques se procuraient, par exemple, les soleils électrodiques si décriés par leurs moralistes.

Agénor fut, par surcroît, l'acteur d'une bizarre expérience, alors qu'il n'avait que neuf ans.

Les moralistes savaient bien que la récompense de l'immunité éternelle ne suffirait pas à garder tout un peuple dans le droit chemin. Ils avaient donc établi une longue série de menaces, les *18 Prescriptions*, que tout Quantasque se devait d'apprendre par coeur, quitte à les oublier après avoir subi avec succès ses examens de majorité.

Agénor avait, par distraction pure et simple, contrevenu à la onzième prescription : « Celui qui touche son bas-cul aura toujours les doigts qui puent. »

En endossant sa combinaison, un jour, Agénor avait accidentellement touché son bas-cul du bout des doigts. Effectivement, ses doigts avaient senti mauvais pendant plusieurs jours. Et, malgré tous les efforts qu'il faisait pour les laver, Agénor sentait la terrible odeur de pourriture chaque fois qu'il les portait à son nez. Heureusement, l'odeur n'était pas assez forte pour être perçue par ses parents ou ses camarades. Mais Agénor avait pendant ces quelques jours ressenti la formidable sagesse des moralistes.

Toutefois, l'odeur commença à diminuer puis disparut entièrement en même temps que s'évanouissait la moindre parcelle de confiance qu'Agénor avait eue dans les moralistes.

Quiconque l'aurait observé pendant qu'il récitait avec ses camarades les *18 Prescriptions* aurait pu voir un sourire furtif lorsqu'il arrivait à la onzième.

Malheureusement, cela poussa Agénor à prendre à la légère tous les enseignements — même les plus utiles — de l'Académie des Idées inutiles. Il devint un élève paresseux, brouillon, peu docile. Et, n'eût été son frère Mérinos qui faisait la fierté de l'Académie, il aurait souvent été renvoyé pour avoir prononcé des idées non reçues ou introduit à l'Académie des cassettes vidéo non conformes.

Il ne s'était passionné que pour la virtuologie, science des possibles. Mais il rejetait cavalièrement l'équation terminale des Quantasques, basée sur la prémisse que la société quantasque était nécessairement vouée à une courbe ascendante dont l'ordonnée était la Perfection.

Comme la Perfection semblait dénuée d'intérêt pour Agénor, il réunit les ressources de son imagination fertile, de son profond scepticisme et de son esprit indocile pour mettre au point une théorie originale selon laquelle la progression de l'Univers était plutôt une équation sinusoïdale oscillant constamment entre le Meilleur et le Pire. Son conseiller en virtuologie, un vieux théoricien que deux siècles d'enseignement à des jeunes essentiellement conformistes n'avaient jamais cessé d'ennuyer, se garda bien de lui dire que cette théorie avait été à plusieurs reprises avancée par différents Blanantais et même quelques Quantasques.

Ce vieux conseiller s'appelait Érasmion, mais ses élèves l'appelaient Cul-En-l'Air car il échappait souvent des choses qu'il tenait à la main et ne se gênait pas le moindrement pour les ramasser en tournant le dos aux gens. Cette habitude, jugée peu polie et ridicule par les Quantasques, révélait que le vieillard, malgré une attitude strictement canonique au niveau des principes, professait en silence un profond mépris à l'égard des idées reçues.

Plusieurs fois, il fut tenté de s'en ouvrir auprès de ce disciple indiscipliné, à la mine souriante et confiante, qui n'hésitait pas à bouleverser les idées des autres. Mais Érasmion était prudent et n'avait guère envie de se faire envoyer dans le grand désert faire des discours aux cailloux pendant les cinq prochains siècles. Il se contenta donc de conseiller à Agénor de perfectionner ses dons pour les techniques télépathiques, pour la télé-écriture et pour les équations nouvelles, tout en lui recommandant chaudement d'éviter les pièges et les trous béants de la non-convention.

Agénor ne suivit que la première moitié de son conseil et, après avoir obtenu son diplôme de majorité, s'inscrivit à l'Académie supérieure de Téléreprésentation d'objets inexistants. Cette discipline était à la fois mal vue parce qu'elle attirait quelques rêveurs à l'esprit non conformiste, et bien vue parce qu'elle avait quand même fourni à la société quantasque les auteurs des meilleures décorations architecturales. En effet, les Quantasques n'arrivaient à se mettre d'accord, pour la décoration de leurs immeubles publics et privés, que sur des objets inexistants, les objets réels se prêtant à trop d'interprétations contradictoires.

Comme il ne se construisait que peu d'immeubles dans le territoire quantasque, il y avait peu de débouchés pour les spécialistes en téléreprésentation d'objets inexistants. Mais Agénor se lança avec enthousiasme dans ces études, trouvant le climat d'autant plus stimulant qu'il avait enfin l'occasion de travailler avec des personnes de tous les sexes. Quelques-uns de ses condisciples étaient mal vus parce qu'ils s'intéressaient plus aux sexes parallèles qu'au sexe opposé. Mais, à ce point de vue, Agénor était d'une orthodoxie absolue. Il appréciait bien la compagnie de gens de sexes parallèles, mais seul le sexe opposé l'attirait vraiment.

Toutefois, une grande timidité (provenant peut-être du fait qu'il avait été élevé sans personne du sexe opposé, sa mère étant décédée depuis longtemps lors d'un exercice de lévitation que son père faisait avec l'aéroglisseur familial) empêcha Agénor de prendre l'initiative avec les personnes du sexe opposé. Et c'est la première qui eut l'audace d'enlever sa combinaison devant lui dans un coin reculé d'un estaminet qui eut droit à ses faveurs exclusives.

Cela produisit chez Agénor un changement radical. D'une part, il s'aperçut que ses études de quarante-deux ans en objets inexistants risquaient d'être bien longues pour donner fort peu de résultats. Il décida donc de les abandonner pour se perfectionner en télépathie (métier beaucoup plus utile et dont le diplôme s'obtenait en huit ans seulement).

D'autre part, s'être aperçu qu'il pouvait plaire à une personne du sexe opposé le poussa, d'abord par simple curiosité, à laisser pénétrer dans son cerveau les messages télépathiques que sa timidité maladive avait repoussés jusque-là.

Et c'est alors qu'il se rendit compte qu'il ne déplaisait pas du tout aux personnes de sexe opposé. De plus, ses études en télépathie lui permirent de perfectionner ses techniques de communication. Il apprit ainsi à faire savoir à une personne du sexe opposé qu'elle lui plaisait, mais sans vraiment l'exprimer, ce qui lui permit de réunir à la fois charme et timidité.

Il s'était toutefois rapidement uni à la personne de sexe opposé qui s'était dévoilée à lui dans l'estaminet. Ils avaient même eu un enfant. Et cette union pesait lourd à Agénor qui, devenu télépathe de première force, était de plus en plus incapable de maîtriser les messages de son cerveau pendant son sommeil. La personne qui partageait ses nuits eut de plus en plus de mal à partager ses pensées. Et elle s'enfuit bientôt avec le meilleur ami d'Agénor, laissant celui-ci désespéré et soulagé.

Ces sentiments contradictoires, Agénor eut beaucoup de difficulté à les surmonter. Cela brouilla ses émetteurs télépathiques et rendit ses communications étonnamment incohérentes, particulièrement dans le cas des communications affectives. Par exemple, s'il voyait dans un estaminet deux personnes du sexe opposé, il lui était impossible de réprimer ses messages télépathiques.

— Je t'aime, émettait-il malgré lui.

— Qui de nous deux ?

— Mais... les deux, répondait-il embarrassé après une longue hésitation.

Les deux personnes du sexe opposé s'esclaffaient et Agénor rentrait dans sa coquille. S'il lui arrivait, au contraire, que ce soit une personne du sexe opposé qui fasse les premiers pas, sa première expérience malheureuse le poussait à jouer l'indifférent.

Un jour, il rencontra une personne du sexe opposé qui engagea la communication sans l'agresser. Et ils s'unirent.

Agénor, qui avait obtenu sa licence de télépathe, se chercha alors du travail. Il accepta le premier emploi qu'on lui offrit et entra au ministère de la Consommation étrangère des Miayels, à Clanton, capitale des Quantasques.

Dès sa première journée de travail, Agénor sentit qu'il avait trouvé sa voie. Pour commencer, on le payait maintenant pour jouer avec les mots et les idées. La rémunération était très intéressante, lui permettant même d'envisager de procréer avec Mélinoc (la personne à laquelle il venait de s'unir). Et ses patrons s'accordaient à lui trouver beaucoup de talent.

Agénor se donna donc à son travail avec ardeur. Il s'agissait essentiellement de trouver des formules concises, aptes à être diffusées massivement par télépathie et capables de motiver les Quantasques à acheter les produits que leur offraient les Miayels.

Pendant près d'un siècle, Agénor fut reconnu comme un des meilleurs spécialistes de la communication télépathique commerciale. Il fut l'auteur de plusieurs formules à grand succès dont les jeux de mots ne peuvent être traduits en notre langue, mais dont voici quelques équivalents approximatifs.

« Les fruits du pêcher sont toujours les meilleurs. »

« Il n'y a pas de fumée sans allumettes Proximet. »

« Le cercle des sexes parallèles est un cercle vicieux. »

« Ayez du coeur au ventre, avec les piles Ventral. »

Et ainsi de suite. Non seulement était-il excellent concepteur, mais il s'avéra aussi émetteur de premier ordre.

Il faut savoir que la communication télépathique commerciale n'est pas aussi simple qu'elle peut le sembler à première vue. Pour bien émettre une idée, il faut non seulement un appareillage assez complexe que nous décrirons plus loin, mais il est aussi essentiel d'avoir été l'auteur de cette idée.

Le ministère miayélien de la Consommation étrangère appréciait donc les télépathes puissants et capables de concevoir des idées originales et efficaces. Et, bien sûr, ce genre de spécialiste ne courait pas les rues.

Agénor n'était peut-être pas le meilleur concepteur de Clanton. Mais il était sûrement le meilleur émetteur.

Voici comment il s'y prenait.

Agénor devait d'abord se renseigner sur les problèmes de consommation du produit ou service en cause. Puis, on l'enfermait dans une pièce plombée, imperméable aux émissions télépathes. Lorsqu'après plusieurs jours d'isolement Agénor croyait avoir trouvé la « formule qui frappe », on faisait aussitôt venir le délégué commercial miayélien concerné. Enfermé avec lui dans la pièce plombée, Agénor lui exposait son idée. Si le délégué commercial l'approuvait, il lui donnait le « bouton bleu », expression miayélienne (langue qu'Agénor parlait couramment) qui signifie « je vous approuve ». Agénor pressait donc un bouton bleu sur la paroi plombée. Un jeu de mécanismes complexes transportait alors la pièce plombée le plus rapidement possible (il fallait faire vite, car les idées les plus fraîches sont celles qui se communiquent le mieux) jusqu'au sommet de la tour du ministère. Là, les parois plombées se rabattaient et l'énorme diffuseur en forme d'entonnoir inversé descendait au-dessus de la tête d'Agénor. Celui-ci, qui devait s'être concentré le plus possible, émettait alors son message.

Et, dans tous les cerveaux de Clanton — et même parfois plus loin si l'atmosphère était particulièrement claire ou Agénor particulièrement en forme — pénétrait le message : « Varistop stoppe les varices ».

Une bonne formule bien diffusée pouvait aisément accroître de 15% (parfois même de 20% !) les ventes du produit ce jour-là et pendant la semaine qui suivait. Agénor avait même été responsable de quelques pénuries, ce qui lui avait valu chaque fois une augmentation substantielle de traitement. Il avait aussi subi quelques échecs retentissants. Mais il avait une moyenne de succès de 0,657 et une moyenne d'augmentation des ventes de 8,2%, ce qui faisait de lui un des télépathes les plus efficaces du ministère.

Dans sa vie personnelle, signalons seulement qu'Agénor avait eu trois enfants de sexes opposés. Il vivait dans une jolie villa sur les hauteurs. Il allait à la mer tous les étés avec sa famille. Bref, il faisait l'envie de tous.

Fin causeur, apprécié de tous ses amis parce qu'il savait adapter aux formes d'humour quantasque les blagues miayéliennes qu'il était toujours le premier à savoir grâce à son travail au ministère, Agénor aurait pu passer plusieurs siècles encore à gravir les échelons de la hiérarchie télépathique — et peut-être même se faire offrir un poste au siège principal de Nouvelle-Ère, capitale et métropole des Miayéliens.

Mais Agénor avait près de deux cents ans. On venait de lui remplacer pour la première fois sa pile neutronique et cela lui avait donné un coup de vieux.

Les Blanantais supportent en général fort bien la longévité. Quelques-uns seulement, sans qu'on sache pourquoi, se révèlent incapables de vieillir selon les normes.

Agénor, lui, commença par perdre tout intérêt à l'égard de son travail. Et, lorsqu'on fait des travaux télépathiques sans s'y donner entièrement, les résultats sont désastreux. Après avoir accumulé plusieurs échecs consécutifs, Agénor ne se fit plus confier que des projets fictifs.

Lorsqu'un faux ami lui apprit qu'un petit bouchon de cuivre fermait le diffuseur quand c'était son tour d'émettre, cela ne lui fit ni chaud ni froid. Agénor prit même plaisir à trouver des formules de plus en plus débiles, en se disant qu'un jour on oublierait de mettre le bouchon et que tout Clanton entendrait une formule comme « Avec Joke, y a d'la joie » ou « Plus vous êtes varicant, plus nous sommes ravis ».

Mais le bouchon ne fut jamais oublié.

On offrit à Agénor de prendre une retraite anticipée. Mais Agénor refusa, pour la simple raison qu'il prenait un certain plaisir à l'embarras qu'il causait à ses patrons et collègues.

Un jour, pourtant, en rentrant chez lui à pied, il songea à débrancher sa pile, ce qui aurait mis fin à sa vie et rendu sa veuve millionnaire grâce aux nombreuses assurances auxquelles il souscrivait.

Mais il vit alors devant lui une enseigne lumineuse : « Centre de recrutement, troisième division de l'Aérospatiale intégrée ». Il était au courant des difficultés croissantes de recrutement de pilotes pour les voyages interplanétaires éloignés. Il se dit que ce serait amusant d'aller se casser la gueule dans l'espace plutôt que de mourir bêtement sur le trottoir.

Il n'avait que quelques pas à faire pour aller poser sa main au bas du formulaire photosensible qui changerait sa vie.

Il les fit.

En une heure, il avait paraphé les documents nécessaires, on lui avait trouvé une combinaison verte qui moulait parfaitement son corps, on l'avait même amené au champ des départs et fait monter dans un étincelant disque volant tout neuf.

Agénor avait pris place au poste de commande, avait soigneusement bouclé les baudriers.

— Si une personne nommée Mélinoc me cherche, émit-il à l'officier qui fermait le sas de sécurité, dites-lui que je vous ai dit de lui dire que vous ne m'avez pas vu.

L'officier haussa les épaules, jugeant que ce n'était guère une façon de se conduire, mais aussi que cela ne le regardait pas.

Agénor jeta un coup d'oeil au tableau d'affichage devant lui, qui devait pendant toute la durée du voyage le renseigner, lui donner des instructions et des conseils, parfois même le dérider avec des jeux, des histoires drôles, des devinettes. « NOUS PARTONS » furent les premiers mots au tableau alors que l'anneau circulaire du léger appareil se mettait à tourner de plus en plus vite. Puis, sans secousse, l'appareil s'éleva. Sur l'écran au-dessus de lui, Agénor put voir le sol de sa planète s'éloigner rapidement. Quelques minutes plus tard, Blanante n'était plus dans le ciel noir qu'une planète parmi les autres.

Le tableau d'affichage s'alluma à nouveau, accompagné d'une sonnerie cristalline sur trois notes pour attirer l'attention d'Agénor.

« NOTRE MISSION... » Pendant près d'une heure, le tableau expliqua à Agénor que son véhicule interplanétaire, le RX-317, avait pour mission d'aller prendre la relève du BG-991, affecté à l'exploration et à la collection d'échantillons sur la planète 12-8-33-5, planète offrant des conditions atmosphériques semblables à celles de Blanante et pouvant donc éventuellement servir de base coloniale avancée. Mais la mission avait plusieurs mois de retard, le centre de recrutement éprouvant des difficultés de plus en plus grandes à trouver des pilotes pour ces longues missions solitaires.

Le voyage fut long (près de douze ans) et presque entièrement dépourvu d'incidents. Le tableau d'affichage avait enseigné à Agénor les rudiments du pilotage manuel et Agénor s'était fort bien tiré des nombreux exercices imposés, jusqu'au moment où le tableau avait fait retentir les trois notes de sa joyeuse sonnerie pour lui annoncer : « BREVET PILOTE INTERGALACTIQUE ACCORDÉ AVEC GRANDE DISTINCTION ».

À mi-chemin environ entre Blanante et 12-8-33-5, Agénor fut éveillé par la sonnerie. « VÉHICULE SPATIAL INCONNU, COORDONNÉES 5-13-3. »

Sur le grand écran cathodique, Agénor ne put distinguer qu'un point lumineux lointain, grossissant lentement. Il poussa le bouton « affichage en cas d'urgence seulement », ce qui lui permettrait de se concentrer en confinant au silence ce tableau parfois trop bavard à son goût.

Il lui fallut près d'une heure pour établir le contact télépathique. Le pilote de l'autre véhicule était, si Agénor comprenait bien, un autre voyageur solitaire, en mission médicale. Parti depuis très longtemps de sa planète natale, il devait se rendre le plus rapidement possible circonscrire une explosion bactériologique dans un vaisseau d'exploration en panne.

Sur l'écran, Agénor pouvait maintenant distinguer assez clairement les formes de l'autre vaisseau spatial : il s'agissait d'un large parallélépipède triangulaire, d'un rouge étincelant, garni d'une longue série de hublots le long du fuselage.

Agénor demanda à son interlocuteur d'essayer de lui émettre une image de sa personne. Après quelques instants d'attente, il eut enfin la vision d'un être étrange qui le fit rire longuement. Imaginez une boule de forme irrégulière, percée de ce qui devait être quatre paires d'yeux, et de laquelle sortaient de longs membres filiformes, qu'Agénor supposa être l'équivalent de ses bras. Mais le compagnon de voyage d'Agénor dut percevoir le rire dont il était l'objet, car il coupa aussitôt l'image et demanda à Agénor de lui émettre son image à lui. Ce fut au tour d'Agénor de capter ce qui lui sembla être un grand rire grassouillet et de mettre aussitôt fin à son émission.

Comme son interlocuteur allait presque dans la même direction, Agénor décida de faire un détour et de voyager de concert avec lui, ce qui lui permettrait de se distraire par un peu de conversation.

Mais à peine s'était-il écoulé cinq minutes que le tableau d'affichage s'alluma : « URGENCE ! URGENCE ! DÉTOUR NON PRÉVU INTERDIT DANS MISSION ».

Agénor jura, reprit son cap et fit ses adieux à son interlocuteur qui s'enfonça rapidement dans le noir. Il remit le tableau d'affichage en position normale de fonctionnement et entreprit de jouer avec lui une quasi interminable partie de jonte, jeu auquel Agénor excellait et dans lequel il parvenait presque toujours à vaincre l'ordinateur du tableau d'affichage par des mouvements peu orthodoxes que le tableau devait parer avec des mouvements simples, de crainte d'endommager ses circuits par la recherche de combinaisons trop complexes.

Finalement, 12-8-33-5 fut en vue, avec son minuscule satellite naturel. C'était une planète magnifique, avec ses nuages blancs qui en cachaient une partie, ses vastes continents, ses océans d'un bleu saisissant. Agénor jugea Blanante, en comparaison, fort terne avec son atmosphère ambrée qui lui donnait l'apparence d'une énorme boule d'ouate crasseuse.

Il n'eut guère de mal à retrouver les trois véhicules spatiaux blanantais, dans l'hémisphère nord de la planète, pas très loin d'une des calotes toutes blanches dont elle était coiffée à chaque extrémité.

—- C'est pas trop tôt, émit sur un ton agressif le premier pilote qui aperçut Agénor.

—- Où sont les autres vaisseaux ? demanda le second.

Agénor expliqua qu'il était seul et qu'il avait pour instruction de relever le vaisseau BG-991 ; d'autres vaisseaux seraient envoyés dès qu'on pourrait trouver des pilotes.

Ses commentaires furent accueillis par deux énormes jurons et un cri de joie.

—- C'est ton premier voyage sur 12-8-33-5 ? demanda le pilote du BG-991.

—- C'est mon premier voyage interplanétaire, fit Agénor qui regretta aussitôt son aveu si spontané.

—- Des bleus ! Voilà qu'ils nous envoient des bleus pour nous relever, s'écria un des pilotes qui restaient.

Agénor parvint à se déconcentrer suffisamment pour éviter d'émettre les injures qui lui montaient à l'esprit. Et il comprenait la déception de ces hommes qui, après avoir passé une centaine d'années loin de leur planète, voyaient arriver avec du retard un seul vaisseau pour les relever. Deux d'entre eux devraient donc attendre encore —- et jusqu'à quand ?

—- En tout cas, fit le pilote du BG-991, méfie-toi en descendant chercher tes échantillons au sol. Il y a des espèces de choses qui se promènent en bandes et qui peuvent te dévorer même si tu ne leur as rien fait. On a perdu un pilote comme ça, l'an dernier.

—- C'est quand même mieux que dans l'hémisphère sud, fit un autre pilote. Là, ils ont des espèces de grands câbles presque aussi longs qu'un vaisseau, qui t'avalent vivant et qui te digèrent comme ça, pendant des jours.

Agénor haussa les épaules, car il sentait qu'on cherchait à l'effrayer.

—- Tout ça, c'est bien joli, fit le pilote du BG-991, mais il faudrait faire le transfert de programme. Branche ton récepteur.

Agénor poussa un bouton et, en quelques secondes, grâce au super-accéléré, tous les renseignements recueillis par le pilote qui partait furent transférés à son ordinateur. Cela éviterait tout dédoublement des recherches.

Le pilote fit alors ses adieux à ses compagnons et à Agénor, et partit sans plus attendre. Agénor et les deux autres pilotes mirent le cap sur le Nord, en conformité avec le plan de recherche et d'exploration.

— Dis donc, le bleu, fit un des pilotes, as-tu au moins appris le pilotage manuel ?

— J'ai fait les exercices prescrits, répondit prudemment Agénor.

— Les exercices, c'est pas tout, ça. Sais-tu faire un virage à 90 degrés ?

— Bien sûr, mentit Agénor qui n'avait pas vraiment envie de se quereller avec ses nouveaux compagnons de voyage.

— C'est facile, regarde.

Le vaisseau à sa gauche fit soudain un brusque virage à 90 degrés. Celui à sa droite fit de même. Pour ne pas avoir l'air d'un imbécile, Agénor poussa lui aussi le volant de commande complètement à gauche. L'appareil répondit merveilleusement, virant aussi brusquement qu'une balle qui rebondit sur un mur. Mais Agénor, qui n'avait pas sanglé ses baudriers de sécurité, tomba de son siège et émit une longue série de jurons qui n'échappa pas à ses compagnons.

— Le bleu est tombé sur le cul, on dirait, persifla un des pilotes.

— Il aurait dû s'exercer un peu plus, fit l'autre.

Agénor remonta sur son siège et boucla ses baudriers.

— As-tu déjà fait un 90 degrés à la verticale ? demanda l'autre pilote.

— Je sais comment, ne crains rien, émit Agénor profondément vexé et décidé à réchapper sa bourde de débutant.

Les trois vaisseaux firent demi-tour, volant en formation serrée. Ils prirent de l'altitude. Puis, poussant les tuyères à fond, les deux vétérans pilotes se lancèrent vers le sol. Agénor les suivit de près.

— Le premier qui cède est un enculé, fit un des pilotes.

— Et le deuxième un enfoiré, fit l'autre.

Le sol s'approchait de plus en plus rapidement. Agénor pouvait distinguer des habitations à sa droite, quelques collines droit devant. Puis, les arbres grossirent de plus en plus rapidement. Devant lui, un des vaisseaux fit un brusque écart à gauche, refusant de continuer.

— Enculé, émit Agénor en riant.

Puis, le second vaisseau céda presque aussitôt.

— Enfoiré ! triompha Agénor.

À son tour, il poussa le volant de commande. Le vaisseau fit un brusque virage à gauche, poussé par ses puissantes tuyères. Mais le bord de l'anneau giratoire frôla la pointe d'un arbre, puis frappa de plein fouet un second arbre.

— Triple con, se dit Agénor en fermant les yeux.

Le vaisseau percuta contre le sol de plein fouet, s'enfonçant aux trois quarts dans la terre meuble.

Agénor perdit connaissance sous le choc. Et il resta inanimé pendant plusieurs heures. Son silence fit croire aux deux autres pilotes qu'il était mort. Ils se mirent d'accord pour déclarer qu'il avait été victime des choses à quatre pattes qui dévorent les pilotes paisibles.

Lorsqu'il reprit conscience, Agénor se concentra, cherchant à émettre un S.O.S. Mais il ne reçut aucun message en retour. Il chercha à faire fonctionner le tableau d'affichage, mais celui-ci se contentait de clignoter le mot « URGENCE ». Il tenta d'ouvrir la porte d'entrée, mais en fut incapable. Finalement, au prix de longs efforts, il parvint à ouvrir le hublot de secours.

Il fit quelques centaines de pas, parvenant à ce qu'il devina être un petit chemin. Il s'assit sur une pierre et attendit.

Bottines Noires s'était présenté le premier. Et Agénor avait cru voir en lui une de ces choses à quatre pattes friandes d'explorateurs inoffensifs. Il avait toutefois réussi à l'esquiver. Puis, Marie-Clarina était arrivée et Agénor avait alors eu l'impression d'avoir rencontré des êtres moins dangereux que ceux qu'on lui avait décrits. Finalement, lorsque Clorimont était arrivé avec son cheval Grégoire, Agénor avait cru que celui-ci, étant le plus gros, était nécessairement la plus évoluée de ces créatures.

Ce n'est que lorsque, sous une impulsion inexplicable, il prit dans la sienne la main de Marie-Clarina et sentit qu'elle répondait avec amitié et chaleur, qu'il commença à croire qu'il n'était pas menacé.

VII

Agénor enleva sa main du nez de Marie-Clarina. Celle-ci, machinalement, se frotta le nez.

Toute l'histoire d'Agénor était entrée dans son cerveau trop rapidement. Impossible de tout comprendre dans cette histoire de planète lointaine, de vaisseaux spatiaux, de communications commerciales.

Mais elle comprenait l'essentiel. Qu'Agénor était quelqu'un. Pas un animal, mais quelqu'un comme elle, comme Tramore, comme eux tous, même s'il n'en avait pas les apparences. Elle comprenait qu'il n'était pas un enfant, mais un homme ayant eu des enfants lui-même. Et elle comprenait surtout qu'il avait dû être malheureux et que c'était le malheur qui l'avait amené jusqu'à elle, sans doute parce qu'elle pourrait l'aider à retrouver le bonheur.

— Ouvre ! criait la voix de Tramore à travers la porte.

Marie-Clarina se leva, enleva la barre de bois qui fermait la porte. Toute la population du village s'y engouffra derrière Tramore.

— Qu'est-ce qui se passe ? demanda celui-ci. Ça fait bien cinq minutes que tu t'es enfermée avec lui.

— Cinq minutes seulement ? s'étonna Marie-Clarina qui croyait qu'Agénor avait dû prendre des heures à lui raconter son histoire.

— Est-ce qu'il t'a dit quelque chose ? demanda Cabestan.

100

—- Oui, il m'a tout raconté.

—- Raconte-nous à nous aussi, fit Cabestan d'une voix si implorante, avec des yeux si grands de curiosité que Marie-Clarina ne put résister.

—- Bon, assoyez-vous, je vais tout vous raconter.

Tout le monde fit cercle autour d'elle, s'assit, s'agenouilla, se cala dans un coin ou l'autre de la grande pièce. Le silence se fit. Et Marie-Clarina raconta.

Elle hésita au début, car elle se souvenait mal de cette histoire qui lui était si vite passée dans la tête. Il y avait tant de mots dont elle ne comprenait pas le sens. Mais elle n'avait pas osé interrompre la merveilleuse histoire d'Agénor pour lui demander des explications. Et maintenant qu'elle essayait de raconter cette histoire à son tour, elle se rendait compte qu'elle lui était demeurée étrangère. Et les petits, au premier rang, l'interrompaient constamment par des questions auxquelles elle ne savait répondre.

Elle se résigna à demander à Agénor de lui remettre la main sur le nez. Et, au fur et à mesure qu'un brin de l'histoire lui venait à l'esprit, elle le récitait à son tour, dans des mots simples — les seuls qu'elle connaissait. Et elle demandait à Agénor d'expliquer tout ce qu'elle ne comprenait pas.

Agénor changea d'ailleurs quelque peu son histoire, insista un peu plus sur son enfance, prenant le temps de décrire les merveilleux jouets qu'il avait eus, pour le plus grand plaisir des petits. Il insista moins sur ses deux femmes, sentant que la voix de Marie-Clarina devenait plus triste lorsqu'elle répétait cette partie de son histoire. À la demande de Tramore, il tenta d'expliquer plus en détail les aspects techniques de son histoire. Mais, malgré ses efforts, les aéroglisseurs, collecteurs énergétiques, échangeurs télépathiques et autres mécanismes pourtant simples demeuraient des mystères pour Tramore et les autres villageois.

Lorsqu'il eut terminé son histoire, il y eut dans la maison de Marie-Clarina une longue minute de silence. Chacun avait envie de poser des questions, mais personne n'avait le courage de rompre le charme.

Finalement, Tramore se sentit obligé de parler.

—- Est-ce que nous pouvons faire quelque chose pour vous ? demanda-t-il.

Agénor sourit, car c'était là une des formules télépathiques de sa création. Mais elle avait connu peu de succès, bien qu'il ait convaincu une institution financière de l'adopter, sous prétexte que l'époque des jeux de mots éculés était révolue et que celle de la gentillesse et des propos directs allait débuter. Un problème plus urgent retenait toutefois son attention.

— Oui, fit-il dire à Marie-Clarina, j'ai un problème grave. Je ne peux vivre que grâce à la pile neutronique que j'ai dans la poitrine. Celle-ci n'a pas une durée éternelle. Et si je ne la fais pas remplacer à temps, je mourrai.

— Et combien de temps peut-elle durer encore ? demanda Marie-Clarina le coeur battant d'inquiétude.

— D'après mes calculs, à peu près cent soixante de vos années. Deux cents, au maximum.

Tout le monde se mit à rire. Et il fallut expliquer à Agénor qu'il avait bien de la chance, lui, de pouvoir vivre si longtemps.

Seule Marie-Clarina put compatir vraiment au problème d'Agénor, car elle voyait mal comment il pouvait être plus agréable de mourir dans deux cents ans que dans cinquante.

Longtemps encore, on interrogea Agénor sur tout et sur rien. En général, les questions semblaient plutôt insignifiantes — portant par exemple sur la couleur des maisons. Mais cela permettait d'imaginer plus aisément le monde nouveau que présentait Agénor. Jean-Baptiste (qui n'avait rien dit jusque-là parce qu'on l'avait traité de menteur) proposa enfin d'aller voir ce fameux vaisseau spatial. N'en ayant jamais vu lui-même, il doutait de son existence et espérait ainsi démontrer qu'il n'était pas le seul menteur à Sainte-Robille.

Tout le monde s'engagea donc sur le sentier de Sinéglou. Agénor fit signe de tourner à droite près de l'endroit où Bottines Noires l'avait d'abord découvert. On fit encore une centaine de pas dans les fourrés, avant de s'arrêter devant un trou béant, comme un coup de pelle géant donné au milieu des arbres et des buissons, tranchant dans le sol un trou mince et profond. Mais pas le moindre vaisseau spatial en vue.

— Qu'est-ce que je vous disais ? triomphait Jean-Baptiste qui n'avait pourtant rien dit à ce sujet.

—- Il devait y avoir un système de désintégration automatique, expliqua Agénor. Mais ça m'étonne que le tableau d'affichage
ne me l'ait pas dit.

—- C'est un grand trou, en tout cas, fit Tramore. Ça prendrait une grande pelle pour en faire un pareil.

—- C'est vrai. On dirait un trou fait par une grande pelle, renchérit Bottines Noires.

—- Il me semble que j'en ai déjà vu une de cette grandeur,
avança Jean-Baptiste prudemment, craignant de faire rire de lui.

Et il fit rire de lui, en plus de se faire lancer par Marie-Clarina
un coup d'oeil noir de fureur.

—- Si c'était une pelle à fumier, j'aimerais bien voir le cheval,
ricana Clorimont.

Tramore se pencha, toucha de sa main la coupure lisse faite
dans la terre, se releva.

—- J'ai jamais rien vu comme ça. Je crois à son histoire, moi.

Le petit Cabestan qui tenait dans sa main la main de son
père la serra encore plus fort, avec reconnaissance.

Dans les semaines qui suivirent, tout Sainte-Robille et même
Jean-Baptiste Dupont finirent par croire à l'histoire d'Agénor.
Non pas que celle-ci leur eût semblé si incroyable : dès qu'ils
admettaient qu'ils voyaient bel et bien une petite créature verte
capable de communiquer avec eux sans dire un mot, uniquement
en leur touchant le nez, ils étaient prêts à croire qu'il pût y avoir
des choses encore plus merveilleuses, dans leur monde ou dans un
autre. Leur scepticisme initial se résumait plutôt par ce proverbe
qu'Estrelle avait été la première à citer : a beau mentir qui vient
de loin. Qu'est-ce qui leur assurait qu'Agénor ne racontait pas un
tas de blagues, juste pour se moquer d'eux, pauvres colons du fond
des bois ?

Mais Agénor leur rendit tant de services — s'occupant des
enfants et leur inventant constamment de nouveaux jeux, montrant
aux hommes les techniques de la chasse à la glu qui d'après lui se
pratiquait intensément sur Blanante, aidant les femmes dans leurs
corvées, car il avait la faculté de faire surchauffer presque instantanément ses membres antérieurs pour bouillir de l'eau en quelques
secondes — Agénor, donc, se rendit si utile que ses propos furent de

plus en plus considérés comme parole d'Évangile, car on ne peut être à la fois serviable et menteur, c'est bien connu.

Après quelques semaines, on en vint même à oublier qu'il venait d'ailleurs. On cessa de l'interroger sur sa planète. Et Agénor eut la discrétion et le tact de s'abstenir de faire des comparaisons oiseuses entre la vie primitive qu'il avait sous les yeux et celle beaucoup plus évoluée qu'il avait connue jusque-là.

Il apprit assez rapidement la langue de ses hôtes, ce qui facilita grandement les communications, car il put parler à tous à la fois, au lieu d'utiliser les communications télépathiques qui franchissaient la barrière des langues, mais ne permettaient de s'adresser qu'à la personne dont il touchait le nez. De plus, Agénor retrouvait avec plaisir la parole, lente et imparfaite, mais exigeant si peu de concentration qu'on pouvait l'utiliser pour tout et pour rien, seulement parce qu'il est agréable de s'exprimer, fût-ce par des propos insignifiants. Il parlait toutefois sans ouvrir la bouche (car il n'en avait pas). Cela étonna les Robillois au début. Mais ils s'y habituèrent.

Agénor s'était donc parfaitement intégré à la vie quotidienne de Sainte-Robille. On s'était tout simplement entendu pour ne pas l'emmener à Sinéglou et pour ne pas y parler de lui.

*   *   *

Le mois d'août fut superbe, cette année-là, saluant de façon splendide la fin de l'été. Les journées étaient douces, permettant de récolter sans transpirer le maïs, l'avoine et le blé, les haricots, les pommes et les carottes qui permettraient à Sainte-Robille de passer l'hiver sans crainte de famine.

Les récoltes furent abondantes et Marie-Clarina se réjouit de l'aide que lui apportait Agénor dans les champs et à la maison. À sa demande, il lui avait gravé au couteau, sur un morceau d'écorce de bouleau, la forme d'une pile neutronique et, chaque fois qu'elle le pouvait, Marie-Clarina gardait les yeux au sol, espérant trouver par le plus grand des hasards peut-être, mais sait-on jamais, un petit objet de forme conique, poli comme un miroir.

Un soir, après avoir battu puis rentré la récolte d'orge, après avoir regardé Marie-Clarina manger un grand plat de blé bouilli avec des herbes fraîches, Agénor déclara :

— Je crois que j'ai du son d'orge sous ma combinaison de vol.

— Ah oui ? fit Marie-Clarina distraitement, occupée à appuyer la main sur le haut de son estomac dans l'espoir d'en faire sortir un rot retentissant.

C'est alors qu'Agénor fit un geste qui la laissa bouche bée. D'un simple mouvement de la main, il ouvrit sa peau depuis son front jusqu'à la conjonction de ses jambes. Il avait tout simplement baissé une glissière de polydécarbone, mais Marie-Clarina eut un instant l'impression qu'il s'était coupé la peau comme avec un ongle extrêmement aiguisé.

Agénor rejeta alors vers l'arrière la partie de sa combinaison qui lui entourait la tête. Il sortit ensuite ses bras des manches, et retira enfin ses jambes, faisant tournoyer la combinaison d'un coup de pied et la rattrapant d'une main.

— Le mieux, ce serait de la laver avec de l'eau seulement. J'ai peur que du savon laisse des dépôts, précisait Agénor qui n'avait pas remarqué le trouble de Marie-Clarina.

Stupéfaite, celle-ci examinait Agénor, incapable de détacher ses yeux de ce corps qu'elle voyait pour la première fois, après avoir cru pendant des mois que la combinaison était une peau.

Agénor révélait maintenant une peau rose, plus rose que celle d'un bébé, presque aussi rouge que de la viande fraîche. Son visage, que Marie-Clarina avait toujours cru lisse, était en réalité plein de creux et de rides, aussi vieux que le visage du plus vieux des vieillards. Les bras révélaient des muscles qu'elle n'avait jamais pu deviner sous la combinaison. Et, juste sous le centre du corps, Agénor avait un sexe disproportionné avec sa petite taille. En fait, le sexe d'Agénor était presque aussi gros que celui d'un humain. Marie-Clarina l'examina avec attention : contrairement à celui de son mari, recouvert de peau, il avait la forme d'un champignon bien lisse. Plus rouge encore que le reste du corps, il attirait l'attention et s'imposait sans décence au regard de Marie-Clarina.

Agénor remarqua son trouble. Et il n'eut pas à baisser les yeux pour sentir que ce trouble l'affectait à son tour.

—- Merde, pensa-t-il, je n'y aurais jamais pensé.

Gêné, sentant son sexe gonfler de plus en plus, il se demanda s'il devait remettre sa combinaison, mais eut peur de se coincer douloureusement dans la glissière.

Marie-Clarina reprit ses esprits, se pencha et ramassa la combinaison qui traînait sur le plancher de terre battue.

—- Oui, fit-elle, le mieux serait de l'eau seulement.

Mais le temps qu'elle se relève, c'était au tour d'Agénor d'atteindre le summum de son trouble. Une pensée lui avait traversé l'esprit, à lui qui n'avait jamais vu un Robillois ou une Robilloise nu : « Si la vue de mon sexe·la trouble, c'est que ça doit lui faire penser à quelque chose. Et il serait parfaitement logique, alors, que le sexe des Terriennes soit semblable à celui des Quantasques du sexe opposé. »

Marie-Clarina se redressa, la combinaison d'Agénor à la main. Un instant, son visage passa à quelques pouces seulement du sexe d'Agénor. Elle se releva lentement, sans détourner les yeux.

À quoi bon dissimuler ? Les pensées se bousculaient dans le cerveau d'Agénor et dans celui de Marie-Clarina à une vitesse folle, se transformant en ondes télépathiques embrouillées mais fortes.

Marie-Clarina porta presque machinalement une main au premier bouton de sa blouse. Elle le glissa hors de la boutonnière, et continua à se déshabiller sans se presser ni perdre son temps, comme lorsqu'elle était seule le soir.

Agénor s'étonna de la peau blanche des seins de Marie-Clarina. Sur Blanante, seules les très vieilles personnes avaient la peau si blanche, les soleils mettant des millénaires à tanner la peau des vieillards. Mais, malgré sa blancheur, Marie-Clarina était de toute évidence si jeune qu'elle effaça rapidement l'image de la grand-mère d'Agénor qui s'était formée dans le cerveau de celui-ci.

Marie-Clarina laissa glisser sa jupe à ses pieds. Agénor trouva ridicule le triangle de poils noirs, bizarrement inversé, à la jonction des jambes et du corps. Mais il n'en dit rien, d'autres sentiments plus puissants couvrant ses ondes télépathiques.

Marie-Clarina avança vers lui, lui prit la main, l'entraîna vers le grand lit, se glissa entre les draps frais. Agénor monta dans le lit après elle, s'inséra entre ses jambes.

Marie-Clarina ne retrouva ni la tendre intensité de ses rapports avec son mari, ni les brusques et violentes effusions qu'elle avait partagées avec un amant, jadis, à Sinéglou, pendant trois folles journées et trois folles nuits. Elle éprouva un certain plaisir, mais aucune grande jouissance.

Quant à Agénor, le visage contre le ventre de Marie-Clarina, la vue bloquée, ayant peine à respirer, il eut après quelques instants hâte que tout fût terminé. Il tenta de faire vite, mais l'orifice de Marie-Clarina serrait trop peu son sexe. Après quelques minutes, il vint enfin en elle, avec une quantité étonnante de sperme qui se répandit dans les entrailles de Marie-Clarina.

Agénor remonta ensuite vers le haut du corps de Marie-Clarina, s'appuya sur son épaule, et s'endormit.

Marie-Clarina attendit d'être sûre qu'Agénor dormait profondément, puis se leva doucement. Elle le couvrit soigneusement avec l'édredon tout chaud.

Elle essuya ses jambes avec un chiffon humide, puis lava la combinaison d'Agénor, sans savon, prenant bien soin d'enlever les grains d'orge et de sable. Puis elle mit la combinaison à sécher sur la longue corde qui traversait la pièce.

La nuit était tombée. Marie-Clarina retourna se coucher, reprenant la tête d'Agénor sur son épaule, plus comme la tête d'un enfant que comme celle d'un amant.

* * *

Agénor s'éveilla au petit jour, dès qu'un rayon de soleil eut pénétré dans la maison, lui chatouillant le visage.

Il lui fallut quelques instants pour se souvenir des événements de la veille. Se sentant bien au chaud dans les bras de Marie-Clarina, il eut envie de recommencer. Mais il eut beau se frotter contre elle, la caresser, prendre le temps de découvrir tous les coins et recoins de ce corps toujours méconnu, il fut incapable de retrouver le désir.

Et Marie-Clarina, qui s'était éveillée quelques secondes après lui, s'était laissée faire. Et pour elle non plus le désir n'était pas revenu.

107

Agénor se releva, prit sa combinaison sur la corde tendue au centre de la pièce, l'enfila, remonta la glissière.

« Il est à nouveau mon enfant », pensa Marie-Clarina qui avait ouvert un oeil et retrouvait l'Agénor jeune, qu'elle préférait à l'Agénor vieux.

*   *   *

Plus tard, ce matin-là, alors que midi approchait, Marie-Clarina avait gravi le sentier en direction de Sinéglou, jusqu'au sommet de la première colline, où elle s'était assise.

De là, elle pouvait contempler les maisons de Sainte-Robille. Elle pouvait distinguer, en plissant les yeux pour écarter le soleil trop éclatant, les enfants qui jouaient avec Agénor. Plus loin, elle voyait Clorimont et son cheval. Clorimont était affairé à déplacer des bûches, alors que Grégoire broutait paresseusement assez loin de lui, cherchant sans doute à ne pas se faire remarquer de son maître.

Le ciel était bleu, percé d'un soleil jaune et brûlant qui laissait dans les yeux de Marie-Clarina d'étranges taches bleues dès qu'elle regardait dans une autre direction. Marie-Clarina rêvassait plus qu'elle ne pensait, trop troublée par les événements pour réussir à concentrer ses pensées. Elle se sentait vaguement heureuse, mais aussi étrangement inquiète ou angoissée, comme si elle avait eu à se reprocher quelque mauvaise action. Elle savait pourtant n'en avoir point commis.

Marie-Clarina sursauta en entendant un bruissement dans l'herbe derrière elle. Elle se retourna et crut un instant qu'une bête sauvage la surveillait.

— Il y a quelqu'un ? demanda-t-elle d'une voix craintive.

— Oui, moi, fit la voix de Tramore.

Tramore sortit en effet des fourrés.

— Je peux m'asseoir ? demanda-t-il en s'assoyant près de Marie-Clarina.

— Oui, répondit-elle une fois qu'il fut assis.

Pendant plusieurs minutes, ils gardèrent le silence, semblant goûter tous les deux le bien-être de cette journée calme et chaude, la beauté de la vallée devant eux.

— Tu sais, il est très vieux, dit enfin Marie-Clarina.

— Oui ?

— Oui, je l'ai vu nu.

Tramore réfléchit. Il eut envie de poser des questions à Marie-Clarina. Mais il sentit qu'elle voulait lui dire des choses, sans se presser, comme elles lui viendraient.

— Il est vieux, reprit Marie-Clarina après un moment. Et sa peau est rose, presque rouge.

Tramore hocha la tête, sentit frissonner contre son bras celui de la jeune femme.

— Et il m'a fait un bébé, ajouta-t-elle précipitamment.

Tramore ressentit un choc.

— Comme nous ? demanda-t-il.

— Mais nous n'avons jamais...

— Je veux dire comme nous, les gens ? précisa Tramore en rougissant à l'allusion de Marie-Clarina à la possibilité qu'eux aussi auraient pu...

— Oui, comme nous.

Tramore ne sut que dire. Des images défilaient rapidement dans son cerveau qui cherchait à imaginer des scènes qu'il n'avait pas vues. Il vit d'abord Agénor ridé et rouge. Puis il lui vit un grand sexe. Puis il vit Marie-Clarina nue. Puis il se sentit rougir, mais de colère cette fois, comme lorsqu'il était allé chercher Marie-Clarina à Sinéglou quelques années plus tôt et qu'il l'avait trouvée au lit avec un solide bûcheron. Elle avait serré le drap contre ses seins, pudiquement. Il lui avait dit « Tu sais, Marie-Clarina, on aimerait bien te revoir, là-bas ». Marie-Clarina avait rougi de s'être laissée surprendre ainsi. Mais le bûcheron s'était levé en riant, nu comme un ver. Son gros pénis, au repos, avait atti-ré un instant le regard de Tramore. Le bûcheron avait déclaré « Justement, je retourne dans les chantiers. C'est le temps que tu rentres chez toi. » Tramore s'était écarté de l'embrasure de la porte, avait attendu quelques minutes dans les marches de l'esca-lier qui descendait à la grande salle de l'auberge. Marie-Clarina l'avait rejoint quelques instants plus tard. Et ils étaient rentrés à Sainte-Robille. Jamais plus ils n'avaient parlé de tout ça. Souvent Tramore y avait pensé, jaloux d'elle nue dans le lit de cet homme.

Jaloux de ce gros sexe que sa mémoire avait tendance à voir de plus en plus gros.

Tramore passa son bras autour de l'épaule de Marie-Clarina, la serra contre lui. Mais, sentant que son corps à lui se mettait à vibrer, à chauffer, à rougir comme si on y avait mis le feu, il lâcha Marie-Clarina, se releva.

—- Je dois aller à Sinéglou, fit-il. Si tu as besoin d'aide, tu peux compter sur moi.

* * *

Agénor s'était assis sur une grosse pierre, près du ruisseau du Vent, en compagnie de Jacob et Ésaü, les jumeaux de Tramore et Estrelle.

Ils jouaient aux trous, jeu consistant à lancer à tour de rôle de petits cailloux dans trois trous creusés dans la terre, sur une ligne, le plus rapproché étant à dix pas devant eux. Lancer une pierre dans le premier trou valait un point ; dans le second trou, deux points ; et dans le troisième, trois points.

Si la pierre tombait dans un trou pour rebondir et tomber dans le trou suivant, on gagnait cinq points. Mais si elle rebondissait hors d'un trou sans retomber dans un autre, on perdait deux points.

Ce n'était que la deuxième fois qu'Agénor jouait aux trous et il y était très médiocre. Il avait fait cinq points une fois, puis deux, mais en avait perdu deux au tour suivant.

On comptait toujours les points de gauche à droite, en commençant par Agénor, à gauche, jusqu'à Ésaü qui était à droite. Jacob lança. Son caillou tomba dans le deuxième trou, pour deux points.

—- 5, 14, 11, clama-t-il d'un ton triomphant.

Pinçant les lèvres, Ésaü visa avec soin, puis lança son caillou tout droit dans le trou numéro deux. Le caillou rebondit hors du trou, roula, sembla se diriger vers un arbre, puis changea de trajectoire sur un autre caillou, pour venir échouer dans le trou numéro trois.

—- 5, 14, 16, cria Ésaü ravi.

Agénor choisit un des plus gros cailloux entassés derrière lui.

Il se mit à genoux, tenta de viser soigneusement le trou numéro un. Le caillou tomba effectivement dans le trou visé, mais il en ressortit aussitôt pour s'immobiliser quelques pouces plus loin.

— Tu perds deux points, dit Jacob. Ça fait 3, 14, 16.

Agénor ne put s'empêcher de sourire.

— Ou plus précisément 3, 14, 15, 92, 65, 35, 89...

— Qu'est-ce que c'est tous ces chiffres ? demanda Ésaü.

— C'est un peu compliqué. Je t'expliquerai une autre fois.

Le jeu reprit. Jacob perdit deux points en maugréant. Au tour suivant, personne ne perdit de point, personne n'en fit. Puis, Jacob perdit encore deux points, absolument révolté d'une telle guigne. Mais il retrouva le sourire quand Ésaü en perdit deux à son tour. Au tour suivant, Agénor fit deux points. Jacob rata de justesse le trou numéro trois. Et Ésaü fit un point.

— 5, 10, 15, cria-t-il.

Agénor ne sourit pas cette fois, ne voyant rien de particulièrement amusant dans cette série mathématique insignifiante.

* * *

La fête de l'équinoxe d'automne battait son plein, chez Tramore et Estrelle.

Agénor se tenait à l'écart, avec les plus grands des enfants, sur le balcon de la maison. Par la porte et les fenêtres ouvertes, il écoutait la musique rythmée créée par les cuillers, les casseroles et autres ustensiles, la seule mélodie étant celle que Clorimont parvenait à tirer d'un brin d'herbe plié en deux et maintenu entre ses pouces contre ses lèvres. Les sons étranges ainsi produits donnaient une musique tantôt triste et tendre, tantôt stridente et enlevée. Mais Clorimont ne parvenait pas à contrôler son instrument improvisé, et celui-ci, comme mû par sa propre volonté, exprimait une gamme de sentiments que Clorimont aurait été incapable de décrire, ou même d'éprouver.

Agénor avait d'abord répondu aux invitations à danser d'Estrelle, puis de Marie-Clarina. Mais il était trop petit, sa tête s'enfouissant dans la poitrine généreuse et odorante de sa partenaire.

De plus, Agénor n'avait connu jusque-là que les rythmes complexes de la musique postélectronique avec ses quadruples syncopes, ses mesures 17/31, ses tessitures frissonnantes.

Habitué à vibrer plus qu'à se mouvoir en dansant, Agénor avait suscité quelques gentilles moqueries qui l'avaient blessé, lui avaient fait croire que cette fête n'était pas la sienne.

Il avait donc, après ces deux premières tentatives, refusé de danser.

Désirée, qui était assise près de lui, les jambes ballantes au bord du balcon, sentit confusément qu'Agénor n'était pas tout à fait dans son assiette. Elle chercha un sujet de conversation, mais le premier qui lui vint à l'esprit n'était pas le bon.

— C'est vrai que tu peux enlever ta peau verte ? demanda-t-elle.

— Oui, c'est vrai, répondit Agénor.

— Tu pourrais me montrer ?

— Non, fit Agénor sur un ton tranchant qui n'admettait pas de réplique.

« Donc, pensa Agénor, Marie-Clarina a parlé. Je me demande ce qu'elle a dit. Je me demande si les gens ont ici la même attitude que sur Blanante, et particulièrement chez les Quantasques, au sujet des relations sexuelles. Est-ce qu'ils les perçoivent eux aussi comme un plaisir honteux ? Je n'ai pourtant rien vu qui puisse ressembler aux libertés sexuelles que des explorateurs m'ont raconté être admises sur certaines planètes. »

De l'intérieur, un nouveau rythme de la musique interrompit les pensées d'Agénor.

En claquant des mains, Clorimont venait d'entonner le premier couplet de sa chanson préférée :

« Il avait un cheval,
Le père Marquette,
Il avait un cheval,
Le père Marquette.
Il avait un cheval,
Mais moi j'n'en avais pas.
Mais moi j'n'en avais pas.
Si vous l'aviez vu passer,
Le père Marquette, le père Marquette,

Si vous l'aviez vu passer,
Sur son gros cheval poilu,
Vous vous seriez ôté d'là. »

Puis, pendant quelques secondes, le brin d'herbe plié entre les mains de Clorimont sembla se transformer en harmonica. Le refrain devint une chevauchée grinçante, de piaffements stridents, de hennissements fous. Tous, à l'intérieur, interrompirent leurs battements de pieds ou de mains, leurs claquements de cuillers ou de casseroles.

Lancé, Clorimont devenait cheval, comme si Grégoire était entré s'asseoir à sa place et s'était mis à donner un échantillon des bruits dont il était capable.

Clorimont reprit la suite de sa chanson, inventant de couplet en refrain l'histoire d'un homme et d'un cheval qui s'aimaient d'un amour contrarié pour finalement se retrouver ensemble à la mort du premier maître.

Puis Clorimont se tut, pencha la tête, renâcla, soupira. Il s'était tellement agité pendant sa chanson qu'un peu d'écume lui blanchissait le coin des lèvres et qu'on pouvait voir comme un brouillard blanc monter de sa chemise à carreaux.

« Drôle de gens, pensa Agénor. Ils sont simples, et pourtant jamais Blanantais n'a présenté tant de mystères, n'a constitué tant d'énigmes. Peut-être est-ce une erreur de croire que ce qui est complexe est perfectionné ? Et je me demande s'il est nécessairement vrai que ce que je ne comprends pas m'est nécessairement supérieur ? »

La fête se terminait et les gens commençaient à sortir de la maison. Agénor se leva en voyant Marie-Clarina, qui passa son bras autour de son épaule.

— Tu ne t'es pas trop ennuyé ? demanda-t-elle.

— Non, pas du tout.

— Elle est jolie, Désirée.

— Désirée ? s'étonna Agénor, incapable de mémoriser le nom des nombreux rejetons de Tramore.

— Désirée, la fille de Tramore. Ne me dis pas que tu n'as pas remarqué la façon dont elle te regarde ?

Il y avait eu une pointe de méchanceté — ou d'ironie, Agénor n'aurait su dire au juste — dans les propos de Marie-Clarina.

—- Non, je n'ai pas remarqué, dit Agénor d'un ton indifférent.

Mais son indifférence fut de courte durée. Il ne put s'empêcher de se souvenir d'images dans lesquelles, il devait le reconnaître, les yeux de Désirée se posaient sur lui avec insistance. Il se demanda ensuite si Marie-Clarina était jalouse, mais n'osa pas lui poser la question. Et il ne put s'empêcher de se demander si, sur Terre, les personnes du sexe opposé étaient pubères dès la naissance, comme sur Blanante.

*   *   *

Deux années passèrent. Une seule fois, par une nuit d'hiver troublée des fins rideaux des aurores boréales, Agénor avait vu passer dans le ciel un disque volant, se détachant tantôt en silhouette noire sur le blanc laiteux des aurores boréales, tantôt avec un éclat argenté sur le fond noir de la nuit.

« Si on me cherche, ce n'est pas avec énormément d'enthousiasme », avait-il pensé à ce moment.

Il était avec Désirée et d'autres enfants, à mi-chemin sur la colline, à admirer le rare spectacle que leur offrait la nature.

Pendant ces deux années, rien ne s'était passé à Sainte-Robille. Marie-Clarina avait fini par s'apercevoir, avec un mélange de soulagement et de déception, qu'elle n'était pas enceinte d'Agénor. Tramore avait continué à parcourir fidèlement le chemin de Sinéglou. Bottines Noires avait bu chaque jour, jamais moins mais souvent plus que la veille.

Les enfants avaient grandi, mais n'avaient pas encore cessé d'être des enfants. Désirée, par exemple, avait des seins mûrs maintenant, mais ne soupçonnait pas encore leur pouvoir de séduction.

Une seule maison de plus dans le village : une cabane, maintenant délabrée, que Marie-Clarina avait construite pour Agénor. Mais celui-ci n'y avait logé que deux semaines. Marie-Clarina était retournée le chercher, car elle avait, pendant les quatre premiers mois qu'Agénor avait passés chez elle, perdu l'habitude de vivre seule. Aucun des deux ne fit le moindre geste vers l'autre. Et ils vécurent chastement côte à côte, sans que personne à Sainte-Robille y trouvât à redire, car personne ne trouvait jamais rien à redire sur la conduite des autres.

114

Le matin où nous reprenons notre récit, Agénor s'était levé tôt et avait donné à manger aux poules.

Agénor avait échappé sans s'en rendre compte une poignée de grain sur son pied droit, et les poules et les poussins s'étaient précipités sur ce pied, picorant à qui mieux mieux jusqu'à ce qu'Agénor se rende compte que ces picotements subits n'étaient pas le résultat d'un engourdissement.

C'est à ce moment-là qu'il devina plus qu'il n'entendit une présence au-dessus de lui. Il leva les yeux et aperçut une soucoupe volante d'un modèle qui ne lui était pas tout à fait connu, mais assez familier tout de même pour être un nouveau modèle de soucoupe blanantaise. Il tendit son oreille télépathique et perçut des bribes d'émission.

« Cherche Blanantais... cherche Blanantais. Nommé Agénor... »

En entendant son nom, Agénor en échappa de stupéfaction son sac de grain et les poules, ravies de l'aubaine, se mirent à piailler de plus belle.

Agénor, le coeur battant, chercha à activer son émetteur télépathique à ondes modulaires dont il ne s'était pas servi depuis des mois.

« Ici Agénor, ici Agénor de Blanante. Suis presque directement sous vous. Ici Agénor, ici Agénor... »

Il reprit la position d'écoute.

« Cherche nommé Agénor de Blanante... »

« Ici Agénor de Blanante, triple imbécile... »

Mais Agénor eut beau invectiver son interlocuteur, celui-ci semblait ne pas l'entendre et continua son chemin en disparaissant par delà les collines.

Déçu, Agénor tenta de ramasser le sac de grain, mais rencontra la farouche opposition des poules.

— Bon, leur dit-il. Mangez tout. Vous serez malades. Et vous n'aurez rien demain.

Il se hâta de monter sur la colline dans la direction où était disparue la soucoupe volante et en répétant constamment son appel « Ici Agénor de Blanante, ici Agénor de Blanante ».

Il s'en voulait de ne pas avoir songé à exercer ses pouvoirs télépathiques à longue portée. Il s'était cru exceptionnellement fort dans ce domaine et avait négligé de maintenir sa capacité. Pas étonnant qu'on ne l'entende pas !

Parvenu au sommet de la colline, il scruta le ciel dans toutes les directions : plus la moindre soucoupe en vue.

Furieux, Agénor s'assit sur une souche. Il connaissait les méthodes de transcirculation d'une planète et savait que la soucoupe ferait le tour de la Terre de façon à reprendre le jour suivant à un degré de latitude plus à l'est, et ainsi couvrir une dizaine de degrés par jour. Elle ne repasserait donc à la verticale que dans quelques jours — et encore, à condition de ne pas abandonner les recherches après un circuit seulement.

Graduellement, sa fureur se transforma en déception, puis en résignation. Après tout, la vie à Sainte-Robille ne manquait pas de charme. Il s'y était fait des amis auxquels il était attaché. Et jamais il ne regretterait les deux années qu'il y avait passées.

Mais la vue de cette soucoupe et cette voix impersonnelle parvenant à son oreille télépathique avaient éveillé en lui le goût de repartir, de retrouver Blanante et sa technologie, de parler à nouveau de cosmogonie supérieure et de moralitude, d'aller voir un match de catch électronique — à moins qu'un autre sport n'ait pris le dessus depuis son départ.

De plus, Agénor était inquiet de la durée limitée de sa pile neutronique. Si, d'ici deux siècles, il ne trouvait pas le moyen de la faire recharger, il mourrait, perspective qui ne l'intéressait guère maintenant.

Le sort d'Agénor était donc simple si on ne le retrouvait pas d'ici là : aux premiers signes de faiblesse, il débrancherait sa pile, pour éviter la fin débilitante de celui qui voit ses ressources diminuer d'heure en heure.

Bien sûr, Agénor n'avait suscité à ce sujet que peu de commisération de la part des Robillois, destinés eux à mourir à soixante ou quatre-vingts ans, rarement plus. Au contraire, Agénor avait été frappé de la sérénité avec laquelle on semblait accepter la perspective de mourir si jeune.

« Sans doute est-il facile d'admettre qu'on mourra jeune lorsqu'on sait qu'on ne pourra vivre vieux », pensait Agénor.

Il en était là dans ses pensées, lorsqu'un bruit de chute dans des feuilles l'interrompit.

Et le lecteur comprendra bientôt pourquoi nous avons choisi de sauter ces deux années pour en arriver à cette journée précise.

Car ce ne fut pas seulement le passage de la soucoupe volante qui en fit une journée exceptionnelle.

Agénor entendit des cris de plusieurs voix parlant une langue étrangère. Il se faufila entre les arbres, marchant d'un pas souple, en se penchant, vers l'endroit d'où venaient les voix.

Il s'arrêta lorsqu'il vit une première veste rouge à travers le vert tendre des feuilles du printemps.

Ils étaient une douzaine d'hommes en veste rouge avec de grands bâtons en bois et en métal, autour du trou formé deux ans plus tôt par la chute puis la désintégration de la soucoupe volante d'Agénor. Du fond du trou parvenaient des sons gutturaux et plaintifs. Un homme tira d'un grand sac qu'il portait sur le dos un rouleau de corde, dont il noua un bout autour de sa taille. Les discussions étaient animées.

Seul, un peu à l'écart, un homme au visage grave fumait une pipe d'écume de mer sans dire un mot. Agénor, qui avait connu sur sa planète des soldats bien différents de ceux-là par l'uniforme et par la stature, ne s'y trompa pourtant pas.

« Lui, c'est un officier. Et eux, ce sont des soldats », conclut-il sans hésiter.

Il recula de quelques pas, retourna au sentier, puis dévala la montagne à toutes jambes.

Il eut tôt fait d'ameuter tout le village. Et il raconta ce qu'il avait vu et entendu.

— Des vestes rouges, dis-tu ? demanda Tramore.

— Oui, rouges.

— Dans ce cas-là, ça doit être des soldats zanglais.

— Des Zanglais ! s'exclamèrent en chœur les enfants excités.

Tramore les fit calmer, leur demanda de s'asseoir près de lui, sur le balcon de sa maison.

Et il leur raconta l'histoire des Zanglais, la façon dont ils étaient venus se saisir de la grande patrie qui n'était pas à eux. Il leur raconta la déportation des Zacadiens, lorsque les Zanglais avaient entassé tous les Zacadiens dans des bateaux pour les disperser quelque part, si loin qu'on n'en avait plus jamais entendu parler.

Il leur raconta les Grands Troubles, pendant lesquels il avait préféré fuir plutôt que de se ranger parmi les Enfants de Dieu, partisans des Zanglais, ou les Fils de la Patrie, leurs ennemis.

Aux enfants qui comprenaient mal pourquoi il avait refusé de se battre contre les Zanglais, Tramore dut résumer ses aventures dans la guerre Nord-Sud.

—- La guerre, dit-il pour terminer, c'est la chose la plus laide qui soit. J'espère que nous ne l'aurons jamais ici.

Il fut interrompu par les cris des premiers enfants qui virent les vestes rouges descendre la colline.

—- Gardons notre calme. Ils voudront peut-être tout nous prendre, mais peut-être ne veulent-ils rien.

—- Cachons Agénor, dit Marie-Clarina.

—- Oui, cela vaut mieux.

—- Je vais me cacher dans les bois jusqu'à ce qu'ils soient repartis, proposa Agénor.

—- D'accord.

Agénor courut vers la forêt. Les vestes rouges continuaient d'approcher. Au milieu du groupe, deux hommes portaient avec précaution un troisième sur un brancard improvisé de branches de bouleau.

L'homme à l'allure grave s'avança jusqu'à Tramore, fit d'un geste du bras arrêter ses hommes.

—- Bonjouw, fit-il. Un de mes hommes vient de tomber dans un twou.

Les enfants s'étaient mis à rire.

—- Pouwquoi wiez-vous ? demanda l'officier.

—- Ils rient parce que votre façon de parler les fait rire, expliqua Tramore.

—- Et si je les obligeais à pawler ma langue, est-ce que je wiwais, moi ?

—- Eux, en tout cas, ne riraient pas.

Les enfants se remirent à rire de plus belle. Tramore se tourna vers eux et leur fit signe de se taire.

—- Je suis le capitaine Boogwallow, fit l'officier. Et je wéquisitionne cette maison...

D'une souple badine qu'il portait à la main, il pointa tour à tour les différentes maisons de Sainte-Robille, depuis celle petite, délabrée et peu accueillante de Tire-Bouchon, jusqu'à celle haute et fière de Tramore. La badine hésita un instant, puis refit une partie du chemin inverse, s'arrêtant à la maison de Marie-Clarina.

—- Celle-là, oui, celle-là.

—- Marie-Clarina, tu resteras chez nous, dit Tramore.

—- Vous êtes le maiwe de ce... hameau ? fit le capitaine Boogwallow d'un ton méprisant.

—- Non. Nous n'avons pas de maire. Mais je suis l'inspecteur des chemins.

—- Pawce que vous avez des woutes ?

—- Oui, le chemin par lequel vous avez dû venir de Sinéglou.

—- Nous n'avons pas pwis le chemin. Nous sommes passés à twavews bois, tout dwoit, comme le chemin de few qui passewa ici bientôt.

—- Le chemin de fer ?

—- Oui, le chemin de few. Vous savez ce que c'est qu'un chemin de few ?

Stupéfait, le capitaine regarda tous les habitants de Sainte-Robille faire sans aucune exception non de la tête.

—- Ils n'ont jamais vu de chemin de few ! Quel twou, mon Dieu, quel twou !

Même si cette dernière remarque s'adressait à lui-même, il avait préféré la dire à haute voix, pour que ces pauvres primitifs sachent dès le départ à quoi s'en tenir sur leur propre état d'infériorité.

—- Eh bien, nous allons nous installer.

Marie-Clarina les précéda dans sa maison. Le capitaine soupira en voyant la première pièce circulaire.

—- Mais c'est une powchewie !

—- Je n'ai jamais eu de cochons, protesta Marie-Clarina.

Le capitaine haussa les épaules. Décidément, cette paysanne avait du mal à comprendre le sens figuré des choses.

Il fit signe à ses hommes de s'installer dans cette pièce circulaire, puis suivit Marie-Clarina dans la pièce centrale, où il s'installa avec son aide de camp, élégant jeune homme qui avait réussi à traverser plus de quatre-vingts lieues de forêt dense et boueuse sans souiller son uniforme.

Profondément déprimé par l'aspect de cette seconde pièce à peine plus habitable que la première, le capitaine passa à un cheveu de rappeler tout son monde pour commander de monter les tentes à l'extérieur du village. Mais il se ravisa, car cet esprit d'indécision aurait eu un bien piètre effet sur la population.

Pendant que le capitaine et son aide de champ Farwick s'installaient, Marie-Clarina ramassait quelques vêtements avant d'aller loger chez Tramore.

— Mais qu'est-ce que c'est qu'un chemin de fer ? ne put-elle s'empêcher de demander.

— Un chemin de few, fit calmement le capitaine en s'armant de patience... un chemin de few est comme son nom l'indique dans votwe langue un chemin en few sur lequel ciwculent à twès gwande vitesse des locomotives twanspowtant des gens et des mawchandises.

— Et c'est bon, un chemin de fer ?

— Cela pewmet aux gens de se déplacer plus vite, d'aller plus loin. Cela pewmet de twanspowter des mawchandises et des twoupes dix fois plus vite qu'à pied ou en chawwette. Cela pewmet d'ouvwiw de nouvelles contwées à la civilisation. C'est le pwogwès, quoi.

— Et c'est bon le pwogwès ?

— Évidemment, que c'est bon le pwogwès, mademoiselle. Nous les Zanglais sommes la nation la plus pwogwessiste du monde.

— Ah oui ?

Marie-Clarina avait fini de prendre ses effets personnels. Elle poussa la porte et sortit sous le regard averti du lieutenant Farwick.

Si le lecteur avait pu voir Marie-Clarina au tout début du chapitre, il aurait constaté que ces deux dernières années n'avaient qu'ajouté plus de rondeur à ses rondeurs. « Un vrai fruit mûr, pensa Farwick, un fruit mûr qui ne demande qu'à être cueilli. »

*   *   *

Marie-Clarina entra chez Tramore et Estrelle au comble de l'excitation.

— Il m'a expliqué ce que c'est qu'un chemin de fer, s'excla-ma-t-elle.

— Oui, fit Tramore amusé. Et qu'est-ce que c'est qu'un chemin de fer ?

— C'est un chemin en fer pour aller dix fois plus vite qu'à pied, triompha Marie-Clarina.

— Et comment ça fonctionne ?

— Avec du pwogwès, du pwogwès zanglais.

Tramore fit signe à Marie-Clarina de s'asseoir.

— Écoute, Marie-Clarina. Je sais ce que c'est qu'un chemin de fer. J'en ai déjà pris pendant la guerre Nord-Sud.

— Et comment c'est ? demanda Estrelle.

— Eh bien, à l'avant, y a une grande machine qu'on appelle la locomotive, et qui brûle du bois ou du charbon. Derrière la machine, je veux dire accrochés derrière la machine, y a ce qu'on appelle les wagons. C'est des espèces de charrettes dans lesquelles on peut transporter n'importe quoi. Des soldats. Du bois. Tout ce qu'on veut.

— C'est bon, le chemin de fer ? demanda Marie-Clarina.

— Oui, si on veut faire la guerre. Ou faire de l'argent.

— On devrait en avoir ici ?

— Non.

Histoire de Clarence Boogwallow

Clarence naquit pendant le dixième mois du siège de Shrimonga.

Son père, colonel de l'armée des Zindes, commandait la vaillante garnison qui résistait farouchement aux attaques des montagnards yaourts, vexés lorsque le monarque zanglais avait décidé, sans les consulter ni mettre le pied dans leur pays, de lever des taxes sur la contrebande.

Contrebandiers de père en fils et de mère en fille, les Yaourts eurent à choisir entre verser des impôts à un roi qu'ils ne connaissaient pas, ou garder tout leur argent pour eux.

Le choix fut rapidement fait. Et les montagnards yaourts, avec femmes, enfants, grands-parents et arrière-grands-parents, car la contrebande était chez eux une activité tout à fait familiale, dégringolèrent les sommets des montagnes du nord des Zindes et coupèrent les lignes d'approvisionnement des Zanglais. Ils fondirent sur les petites garnisons isolées, s'emparèrent de plusieurs villes, menaçèrent même de marcher sur Bélumac, capitale de la colonie. Lorsque la nouvelle parvint en Zanglemanie, elle eut l'effet d'une bombe : la Vastitude était menacée et on n'était aucunement disposé à laisser saper sa base la plus essentielle, la levée des taxes.

Une armée fut rassemblée en toute hâte, mise sous le commandement d'un colonel à la retraite, le colonel Boogwallow, et expédiée en Zindes, où elle se mit aussitôt en marche vers le nord et s'empara sans coup férir de Shrimonga, la capitale yaourte.

Les Zanglais n'eurent que le temps de s'y installer confortablement, lorsqu'ils remarquèrent des colonnes de fumée sur les collines environnantes.

L'amiral Longway, envoyé comme conseiller spécial du colonel Boogwallow parce que les meilleurs livres de tactique comparaient souvent la guerre dans le désert à la bataille navale, soutint que c'étaient des signaux que les différents éléments de l'armée ennemie se faisaient entre eux.

— Comment, ces sauvages illettrés se feraient des signaux ? Allons donc : ils ne font que cuire la viande de leurs chèvres.

L'amiral eut beau faire valoir que des éleveurs de chèvres ne mangeraient pas leurs chèvres parce qu'elles leur étaient trop précieuses, qu'ils n'avaient aucune raison de garder allumés des feux vingt-quatre heures par jour, que des nuages si parfaitement formés ne pouvaient être expliqués par les accidents de la cuisson, le colonel s'obstina dans sa position : l'armée yaourte était en déroute et on pourrait bientôt balancer la tête de ses chefs à des piques qu'on enverrait, comme preuves de victoire, au roi en Zanglemanie.

Toutefois, dans les jours qui suivirent, la disparition de trois patrouilles fortes d'une centaine d'hommes chacune commença à semer l'inquiétude chez le colonel, qui parla d'abord d'escapades, puis de désertions, et enfin de trahisons.

Mais un matin, lorsque le soleil se leva, les sentinelles stupéfaites virent sous les murs quelques centaines de cavaliers yaourts qui s'étaient glissés jusque-là à la faveur de la nuit, sans faire de bruit.

Réveillé, le colonel s'amena en toute hâte sur les murailles. Reconnaissant les descriptions qu'on leur avait faites du « gros chef zanglais », les cavaliers yaourts sourirent de toutes leurs dents. Puis, comme à un signal, chaque cavalier leva le bras droit, fit tournoyer une espèce de grande fronde au-dessus de sa tête et balança un objet rond au-dessus de la muraille.

On compta dans l'enceinte trois cent trois têtes zanglaises, soit la totalité du personnel des trois patrouilles qui avaient quitté la ville.

Atterré, le colonel envoya une colonne de trois cents hommes à la poursuite des sauvages.

Le lendemain, à l'aube, même manège. Mais cette fois ce furent trois cents têtes très exactement qui roulèrent au-dessus des murailles.

Douze minutes plus tard, Clarence Boogwallow fut conçu par un père déchaîné, cherchant à affirmer sur sa femme la supériorité et l'autorité qui lui échappaient.

Le siège traîna en longueur. Le colonel ne parvint plus à trouver un seul volontaire pour des patrouilles, tellement était grande la hantise de la décapitation.

La colonelle, Elia, vit son ventre grossir. Elle tenta de convaincre son mari de tenter une sortie pour la laisser retourner en Zanglemanie. Mais le colonel, de moins en moins sûr du courage de ses troupes, refusa.

La colonelle eut par contre droit aux meilleurs morceaux, puis aux seuls morceaux lorsque la famine commença.

Mal préparés à un siège si long, les Zanglais firent face à l'adversité avec un courage exemplaire. Tant qu'on ne leur demandait pas de sortir, les soldats étaient prêts à tout accepter en souriant. Manger des sauterelles (crues, frites, grillées ou en salade), des brins d'herbe marinés dans du vinaigre de poires, des rats dont la viande tendre vint trop rapidement à manquer, des champignons inconnus (les hallucinogènes étant particulièrement appréciés), des pous, tiques, lentes et autres parasites (la meilleure façon de s'en assurer un approvisionnement continu était évidemment de cultiver les siens), des araignées, coquerelles, cafards et autres insectes domestiques, manger tout cela n'eut aucun effet négatif sur le moral des troupes.

Il fallut par contre régler rapidement le problème des réfugiés qu'on trouvait de plus en plus nombreux à l'aube au pied de la grande porte.

Au début, le colonel les avait laissés entrer. Mais, les vivres venant à manquer, le colonel ordonna de laisser dehors ces malheureux. À l'aube suivante, les cavaliers yaourts lançaient par-dessus les murailles les têtes de ces gens appartenant en général à d'autres ethnies du nord des Zindes.

Les autres Zindiens réfugiés dans le camp furent soupçonnés d'avoir utilisé ces têtes dans un étrange ragoût dont le fumet se répandait dans toute la ville. Mais on ne put rien prouver à ce sujet.

Après deux mois de siège, les quelque trois mille réfugiés zindiens déjà dans la ville devenaient un problème de plus en plus pressant. Le colonel, malgré les protestations de l'aumônier Fosdick, décida de les refouler. « Perdre la tête ou crever de faim, quelle différence » insista-t-il.

— Pourquoi alors ne sortons-nous pas avec eux ? demanda l'aumônier.

— Parce que nous sommes des soldats et que notre rôle est de résister. De plus, n'oubliez pas que nous avons avec nous une femme enceinte.

À la faveur d'une nuit sans lune, on poussa les réfugiés dehors, après les avoir comptés trois fois. Le premier comptage ayant donné trois mille deux cent treize, le second trois mille deux cent vingt-neuf et le troisième trois mille deux cent dix-huit, le colonel dut trancher. Il fit la moyenne, mais se trompa dans ses calculs et fit inscrire dans son journal de campagne: « Ce jour, nous avons laissé partir, à leur demande, 3221 réfugiés qui risquaient de mourir de faim. »

Quelques heures plus tard, à l'aube, presque toute la cavalerie yaourte attendit de voir la silhouette maintenant familière du colonel pour balancer par-dessus les remparts les têtes des réfugiés.

Le colonel fit compter les têtes trois fois : on arriva chaque fois au total de trois mille deux cent vingt, car il était beaucoup plus facile de compter des têtes immobiles que des gens vivants qui bougeaient constamment.

« Il en manque un, annonça le colonel triomphant. Pourvu qu'il parvienne à alerter Bélumac. »

Neuf mois plus tard, on n'avait pas encore aperçu à l'horizon, au sommet des collines qui entouraient la ville, la moindre silhouette de troupes zanglaises.

Les Yaourts mêmes se faisaient rares, s'étant remis sans entraves à leur contrebande de khoka-khola entre les Zindes et le Mi-Levant. Seuls quelques cavaliers se faisaient un devoir de galoper fièrement sous les murailles de Shrimonga, en faisant des pieds de nez à la garnison zanglaise, respectueuse des ordres du colonel interdisant la moindre provocation à l'égard de l'ennemi.

C'est donc dans un calme relatif que la colonelle donna naissance à son fils, qu'elle prénomma Clarence sous l'influence de l'aumônier qui, maîtrisant mal le latin, lui fit croire que ce prénom signifiait « qui voit clair ». Comme le colonel était myope et la colonelle hypermétrope, celle-ci s'était dit qu'il valait mieux mettre le sort de son côté.

La colonelle regretta qu'on n'ait pas retenu, parmi les trois mille réfugiés chassés, au moins deux ou trois jeunes femmes au sein généreux, pour nourrir son nouveau-né. Mais elle n'y avait pas songé à temps et le regrettait maintenant amèrement, d'autant plus qu'il ne restait plus à Shrimonga ni vache, ni chèvre, ni brebis.

Dans ces circonstances, elle fut forcée de donner elle-même le sein à son fils, tâche qui lui déplut à prime abord, mais qu'elle finit par accomplir avec un plaisir qu'elle avait du mal à comprendre. Dès que son bébé commençait à s'éveiller, elle se sentait frémir et elle éprouvait une grande jouissance lorsqu'il mordait son sein. Elle n'osa parler de cette jouissance ni à son mari (qui l'aurait trouvée ridicule) ni à l'aumônier (qui l'aurait jugée scandaleuse).

Il s'établit donc entre elle et son bébé une complicité des plus intimes.

Pendant ce temps, à Lugdune, capitale de Zanglemanie, le sort du colonel Boogwallow et de ses troupes commençait à passionner l'opinion publique. Les rumeurs les plus inattendues naissaient et s'évanouissaient, remplacées par d'autres rumeurs encore plus farfelues.

« Boogwallow et ses troupes sont devenus pirates de caravanes », pouvait-on lire un jour à la une des journaux.

« Mais non, lisait-on le lendemain dans un autre journal, Boogwallow a été vu dans un monastère. »

On leva finalement une autre armée, dans le but de retrouver Boogwallow.

Les Yaourts, qui ne s'étaient que peu préoccupés du sort des Zanglais assiégés, se remirent à s'y intéresser, car on racontait chez eux que les Zanglais avaient beaucoup d'or, originellement destiné à acheter des espions.

Plus de dix mille hommes armés jusqu'aux dents s'assemblèrent donc devant les murs de Shrimonga et lancèrent une attaque de jour d'une telle violence qu'ils eurent tôt fait de trancher la tête de tous les défenseurs de la ville y compris le colonel et l'amiral.

Seuls furent épargnés la colonelle et son fils, que les Yaourts emmenèrent avec eux dans leurs montagnes.

La colonelle fut nourrie de lait caillé. Et Clarence, dès qu'il fut sevré, découvrit lui aussi le goût piquant et les vertus tonifiantes de cet aliment.

La nouvelle armée, sous la direction d'un chef habile et dynamique, le général Smutt (le plus jeune général de toute la Vastitude), mit un an à remonter jusqu'à Shrimonga, où on déterra d'immenses charniers remplis de têtes.

Elle mit encore une année à pourchasser les Yaourts par monts et par vaux. Et on retrouva enfin la colonelle et son fils, dans un campement abandonné à la hâte par les guerriers yaourts.

Le général Smutt prononça alors une phrase qui allait devenir célèbre :

— Colonelle Boogwallow, je suppose ? dit-il avec esprit en baisant la main crasseuse de la colonelle.

On mit à la disposition de la colonelle et de son fils la baignoire de campagne du général. Il fallut six mois encore pour les rapatrier, en même temps qu'un crâne qui pouvait vraisemblablement être celui du colonel, mais pouvait tout aussi vraisemblablement être celui de l'un de ses mille deux cents soldats ou de l'un des trois mille réfugiés.

On enterra ce crâne sous un immense monument qu'une souscription publique permit d'ériger à un des carrefours les plus achalandés de Lugdune.

À l'inauguration du monument, le petit Clarence se tenait droit comme un soldat, aux côtés de sa mère. Il portait un uniforme ravissant, fidèle reproduction de celui qu'avait porté son père.

Contrairement aux usages de l'époque, la colonelle n'envoya pas son fils dans un pensionnat, même si son statut d'orphelin de guerre lui permettait d'y avoir accès gratuitement.

La colonelle préféra garder son fils près d'elle, se contentant de faire venir de temps à autre un précepteur pour lui donner quelques notions de mathématiques ou de grammaire.

Clarence passa donc une enfance merveilleuse, à jouer avec sa mère, à l'accompagner dans ses promenades dans les parcs, à l'écouter lui raconter des histoires de fées ou de chevaliers. Ses souvenirs du temps passé chez les Yaourts s'estompaient rapidement et sa mère n'y faisait jamais allusion devant lui.

Il arriva donc à l'adolescence sans s'être fait d'amis, un peu efféminé et n'ayant appris qu'à converser sur tous les sujets inutiles.

Il s'imaginait, sans y avoir vraiment réfléchi, qu'il passerait toute sa vie aux côtés de sa mère, à ne rien faire.

Malheureusement pour lui, sa mère rencontra le capitaine Newton. Élégant, fin causeur, fort peu porté sur la chose militaire, le capitaine Newton charma la colonelle, qui voulut l'avoir près de lui.

Jusque-là, la colonelle avait consacré toute sa vie au colonel, puis à son fils. Elle n'avait jamais songé qu'il pût y avoir un amour qui serait plus passion que devoir. Approchant la quarantaine, elle se mit à aimer son capitaine avec tant de force que cela suffisait amplement à combler toute sa vie.

Elle envoya donc enfin son fils dans un grand pensionnat réputé.

Clarence y passa les trois années les plus malheureuses de sa vie. N'ayant jamais été véritablement instruit dans les matières traditionnelles, il fut en quelques mois rétrogradé de la septième à la sixième, de la sixième à la cinquième, puis directement de la cinquième à la deuxième.

Grand, dégingandé, doux de manières et de paroles, il devint le souffre-douleur du pensionnat. Il tenta de se tuer en sautant d'une fenêtre en pleine nuit. Mais, à sa plus grande honte, il atterrit dans une charrette pleine de fumier qui passait par là à ce moment précis.

La nouvelle de cette tentative de suicide ne lui valut qu'une courte lettre écrite distraitement par sa mère pour lui expliquer comment laver et désodoriser ses vêtements.

À seize ans, Clarence s'enfuit du collège. Après avoir erré sans but dans Lugdune, affamé, dépenaillé, il fut forcé de faire la seule chose qui s'offrait à un garçon de seize ans : il s'enrôla dans l'armée zanglaise.

D'abord peu disposé envers l'art militaire, il devint rapidement un bon soldat. En effet, ses malheurs lui avaient appris qu'il valait mieux ne plus penser, sinon on était encore plus malheureux. Il adopta donc tout naturellement cette allure d'automate qui distingue les bons militaires de carrière.

Docile, discipliné, ne discutant jamais un ordre, il termina son entraînement de base avec la plus grande distinction. Envoyé à l'école des officiers, qu'il détesta autant que le pensionnat, mais sans en rien montrer, il recevait à dix-huit ans ses galons de lieutenant.

Lors de la soirée donnée en l'honneur des nouveaux officiers, la mère de Clarence fit une brève apparition au bras de son capitaine. Mais Clarence ne la salua même pas et elle repartit presque aussitôt, sans le moindre regret.

Les dix années suivantes se passèrent sans événement dans une caserne sombre perdue au fond d'une campagne brumeuse.

Lorsque les Grands Troubles débutèrent, Clarence Boogwallow était capitaine et il demanda à être envoyé outre-océan, ce qui lui fut accordé sur-le-champ, car c'était le genre de lutte dans laquelle il était pratiquement impossible de se couvrir de gloire. Il s'agissait essentiellement de brûler des villages, de piller des fermes, de brutaliser des femmes, des enfants et des vieillards.

Clarence eut la chance de traverser les Grands Troubles sans tirer un coup de fusil. En effet, le hasard fit que les troubles n'éclataient qu'aux endroits où il n'était pas. Dès qu'il était affecté à une garnison de l'Est, les troubles commençaient dans l'Ouest. Si on l'envoyait au Nord, c'est le Sud qui s'embrasait. Et ainsi de suite.

Il resta donc capitaine, alors que plusieurs collègues accumulaient les galons ou tombaient au champ d'honneur.

À la fin des Troubles, on demanda à Clarence s'il voulait rester ou rentrer dans la mère patrie. Clarence décida de demeurer dans ce pays rude et jeune, qu'il commençait à aimer.

Solitaire, taciturne, maniaque de la discipline, il était presque respecté de ses hommes et de ses collègues. Ses seuls contacts avec des femmes, il les avait lors des visites mensuelles au bordel du régiment. Ils étaient courts et comptaient peu dans sa vie.

Un jour de printemps, son colonel décida de l'envoyer en mission d'arpentage. On prévoyait construire un chemin de fer jusque dans les Régions du Haut et il fallait repérer le terrain.

Cette mission aurait été agréable, si ce n'avait été des mouches, moustiques, maringouins, brûlots et autres insectes qui empoisonnaient la vie des arpenteurs.

On avait déjà parcouru plus de cinquante lieues à travers bois, sans incident, marchant toujours droit devant vers le Haut, lorsque Mitchell, un soldat lourdaud, tomba au fond d'un grand trou étrange creusé dans le sol, comme si un immense coup de pelle avait été donné là par un géant.

On parvint à tirer Mitchell de là et on lui fit une civière. Mais quelle ne fut pas la surprise du capitaine, en descendant de la montagne, d'arriver dans un petit village qu'aucune carte ne mentionnait.

Il décida de s'y installer, le temps qu'on trouve une solution au problème de Mitchell, incapable de marcher. D'ailleurs, le chemin de fer ne devait-il pas justement passer par ce village qu'aucune carte ne mentionnait ?

IX

Au petit jour, la chute avec grand fracas d'un arbre éveilla tous les Robillois.

Ils sortirent des maisons, virent les soldats qui entouraient le grand cadavre d'un pin, coupant à coups de hache les plus grosses branches.

Tramore et Bottines Noires s'approchèrent.

— Qu'est-ce que vous faites ? demandèrent-ils respectueusement.

— Nous awpentons le tewwain, répondit laconiquement le capitaine Boogwallow.

— Ah bon, fit Bottines Noires sans comprendre.

Pendant plus de deux heures, Tramore observa attentivement les soldats. Ceux-ci abattirent encore deux arbres, qu'ils ébranchèrent. Puis, en empilant des billes de bois les unes sur les autres, ils construisirent une plate-forme haute d'une quinzaine de pieds, au sommet de laquelle ils hissèrent des instruments bizarres, munis de lunettes, de viseurs et d'autres éléments étranges et sans doute perfectionnés.

Puis, un soldat prit un petit bouleau long, droit et grêle, l'ébrancha lui aussi. Avec un pinceau, il appliqua à tous les pieds environ une large bande de peinture rouge.

Le spectacle avait attiré les adultes et enfants de Sainte-Robille. Mais, après quelque temps, comme le travail progressait lentement et de façon peu spectaculaire, les enfants étaient allés jouer, regrettant déjà l'absence d'Agénor.

Quelques adultes étaient restés encore un peu. Puis, Tramore s'était trouvé seul à regarder les Zanglais. Il recommençait à comprendre leur langue, qu'il avait apprise de son père dans son enfance, qu'il avait perdue dans son adolescence, puis retrouvée pendant la guerre Nord-Sud, pour la perdre encore par la suite.

Le lieutenant Farwick dirigeait les opérations, toujours élégant dans son bel uniforme, tandis que le capitaine Boogwallow, assis sous un arbre, prenait des notes et faisait des calculs dans un grand cahier noir.

D'hypothèse en hypothèse, de déduction en déduction, le cerveau logique et appliqué de Tramore finit par comprendre les principes essentiels de l'arpentage.

Perché sur son échafaudage, un soldat, le plus âgé, regardait dans une lunette et criait des chiffres au capitaine qui, au pied de son arbre, les notait dans son grand cahier.

Ces chiffres avaient sans doute un rapport avec le nombre de bandes de couleur rouge que le soldat voyait, par la lunette, sur la grande gaule que tenait un autre soldat se déplaçant plus loin dans la forêt.

Le tout devait sans doute permettre de mesurer non seulement les distances sur le terrain, mais aussi les dénivellations, ce qui pouvait avoir éventuellement de l'importance dans la construction d'un chemin de fer.

Mitchell, le soldat blessé, avait été transporté sous un autre arbre et semblait apprécier ce congé imprévu.

À midi, un des soldats servit aux troupes un bol d'un épais gruau fumant, que seul le capitaine avala sans grimacer.

Après le déjeuner, on fit faire un demi-tour sur place à l'appareil perché sur l'échafaudage. Et le soldat qui tenait la grande perche peinte s'enfonça dans la forêt, du côté diamétralement opposé à celui où il était le matin.

Bottines Noires avait généreusement offert aux soldats une rasade de genièvre. Mais, après que le capitaine eut refusé, les autres refusèrent aussi, avec un regret bien visible.

À la fin de la journée, apparemment satisfait de son travail, le capitaine referma son cahier. Le soldat descendit de son perchoir. Celui qui tenait la grande perche cassa celle-ci en deux.

— Vous partez ? demanda Tramore au capitaine.

— Il n'est pas dans les twaditions de l'awmée de Leuws Majestés de wévéler ses intentions aux civils, répondit le capitaine avec son sourire froid. Mais jc peux quand même vous appwendwe que nous sommes fowcés de wester ici tant que cet imbécile de Mitchell ne sewa pas wétabli.

Il avait prononcé la dernière phrase suffisamment fort pour que Mitchell, béatement étendu au pied de son arbre, l'entendît. Mal à l'aise, le soldat resserra le col de son uniforme et se redressa pour adopter une attitude un peu plus militaire.

Marie-Clarina fut atterrée d'apprendre que les soldats resteraient encore plusieurs jours. Elle avait mal dormi la nuit précédente, inquiète du sort d'Agénor seul dans les bois.

— Il faut faire quelque chose pour les faire partir, dit-elle à Tramore.

Mais celui-ci haussa les épaules, convaincu qu'il ne pouvait rien faire.

* * *

Olf, le loup des loups, gardait tous ses sens en éveil depuis la veille. Une odeur étrange flottait dans la forêt. Une odeur moins forte que celle de l'homme. Une odeur douceâtre, persistante, dont il ne parvenait pas à trouver la trace.

Suivi de la meute, il avait tourné en rond, dessinant de grands cercles dans la forêt, cherchant à croiser la piste de l'intrus. Mais sans succès.

Pourtant, l'odeur lui devenait de plus en plus familière. Sa mémoire semblait l'avoir déjà sentie, longtemps auparavant.

Son museau flaira une pierre, où l'odeur était plus forte, comme si l'intrus s'y était reposé pendant de longues minutes.

Et soudain la mémoire lui revint. Comme poussées par l'odeur maintenant plus forte, des images surgissaient dans son esprit. Images de la meute, lors du premier hiver de chasse d'Olf. Image d'une créature verte se débattant contre les attaques circulaires de la meute. Image de la créature tombant à genoux, mortellement blessée par Zec, le père d'Olf. Image aussi du grand diable rouge surgissant à ce moment, faisant fuir la meute. Image

133

encore du grand diable rouge écorchant l'animal vert et le faisant cuire sur un grand feu tandis que la meute, salivant toute sa salive, le regardait faire de loin, attendant l'occasion de ronger un os ou deux dès que le diable rouge serait parti.

Olf se remit à flairer tout autour de la pierre, mais fut incapable de retrouver la piste. Quel était donc cet animal capable de marcher sans laisser d'odeur, mais dont le parfum doux continuait quand même à flotter dans la forêt ?

Les enfants d'Olf et ses femmes, tout aussi excités que lui, cherchaient aussi sans succès, jetant de temps à autre un coup d'oeil au loup des loups, comme pour lui demander conseil, mais attendant surtout que le maître trouve la piste et les lance à la poursuite du gibier.

Olf hésita. L'odeur semblait venir de partout. Comment savoir ? Comment trouver ?

Olf se décida enfin. Il choisit d'aller vent dans le dos. La meute se lança dans la course derrière lui, convaincue que le loup des loups avait flairé une piste.

Mais, quelques minutes plus tard, presque imperceptiblement, Olf commença à obliquer vers la gauche. Les petits ne s'aperçurent de rien. Seule Saq, la femelle préférée d'Olf, se rendit compte du manège : on utilisait l'épuisante technique de la chasse en spirale, en prenant comme centre la pierre où s'était posé l'animal.

« Olf vieillit », pensa Saq. Et elle ne put s'empêcher d'admirer la foulée longue et robuste de Mic, fils d'Olf et de Meer. « Après un autre hiver, pensa-t-elle, ce sera toi notre chef, ce sera toi notre maître. »

Toute la journée, la meute courut, de plus en plus affamée. Seul un lièvre, attrapé à la course par Mic, apaisa quelque peu l'appétit des loups.

Les femelles savaient toutes maintenant qu'on chassait en spirale et ne parvenaient pas à retenir quelques grognements de dépit. Seuls les jeunes continuaient à trottiner sans se plaindre, convaincus qu'Olf, comme d'habitude, les mènerait au succès.

Olf faisait semblant de ne pas se rendre compte du mécontentement des femelles. Il fut tenté d'abandonner la chasse. Mais il savait ce que cela signifierait. Les jeunes loups étaient peut-être trop jeunes pour défier son autorité, mais celle-ci serait quand même grandement affectée. Non, il fallait continuer à foncer, en cercles de plus en plus grands. Résister, surtout, à la tentation de chasser au hasard, maintenant qu'on ne pouvait qu'approcher du but.

La nuit tomba et Olf continua à courir, malgré les protestations des femelles. Mais il sentit lui aussi la fatigue gagner ses pattes, aux articulations surtout. Il s'arrêta enfin près d'un ruisseau.

La meute alla boire aussitôt. Olf attendit, faisant le guet, cherchant surtout à cacher son épuisement et son inquiétude.

L'odeur maudite était toujours là, fuyante, insaisissable, semblant venir de toutes les directions à la fois.

Finalement, lorsque tous eurent bu, Olf alla boire lui aussi, évitant d'aspirer l'eau trop bruyamment. Un loup des loups boit parce qu'il faut boire et jamais parce qu'il a soif.

Il alla ensuite s'étendre avec les autres. Il faisait noir maintenant. Mais Olf évita de hurler aux loups comme il en avait l'habitude pour laisser savoir à tous les habitants de la forêt que leurs maîtres étaient là.

Olf n'avait envie ce soir-là de faire peur à personne. Au contraire, il pensa que mieux valait ne pas manifester sa présence.

Agénor voyait la meute à ce moment. Depuis plus de deux heures, avant même que le soleil n'ait disparu à l'horizon, il avait grimpé dans un grand chêne aux branches basses.

Il se savait depuis longtemps poursuivi par les loups. Mais, chaque fois qu'il avait cherché à retourner au village (où il aurait sûrement trouvé à se cacher des soldats), il avait entendu venir la meute qui lui coupait le chemin. Pendant quelque temps, il avait cru avoir affaire à plusieurs meutes de loups. Il avait fini par comprendre le manège des loups, mais sans réussir à s'échapper des cercles de plus en plus grands que les loups traçaient autour de lui.

Agénor ignorait qu'il devait sa vie à sa combinaison. En l'enfilant ce matin-là après l'avoir lavée, il n'en avait pas touché les pieds ou les jambes, ce qui lui permettait de marcher sans laisser de piste à son odeur.

En voyant le soleil baisser, inquiété par les récits des autres explorateurs blanantais, il se dit que les loups seraient peut-être incapables de monter aux arbres. Il s'installa confortablement à un croisement de branches. Mais le sommeil ne vint pas.

La meute s'était endormie malgré les estomacs creux. Seul Mic ne parvenait pas à dormir. Lui aussi sentait l'odeur persistante du gibier. Et cela l'excitait au plus haut point. Il se releva donc, marcha silencieusement autour du campement, flairant à gauche et à droite.

Il arriva ainsi au pied d'un chêne, où l'odeur se fit beaucoup plus forte. Il leva la tête et aperçut l'animal vert.

Mais Agénor le suivait des yeux depuis de longs moments déjà. Il s'était dit que si le loup l'apercevait il aurait tôt fait d'alerter les autres. Assiégé au sommet de son arbre, Agénor risquait d'y passer des semaines. Peut-être même les loups pourraient-ils y grimper ou aller chercher des animaux grimpeurs et s'en faire des alliés.

Agénor était donc descendu, en se cachant derrière le tronc de l'arbre, jusqu'à une branche basse.

Dès que le regard de Mic croisa le sien, Agénor sauta. De son doigt central fin et coupant, il sectionna la gorge du loup avant que celui-ci n'ait eu le temps d'ouvrir la gueule. Mic mourut sans un râle.

Agénor essuya le sang de sa main sur des feuilles de chêne. Il songea à rentrer au village. Mais il craignait que d'autres loups ne rôdent dans la forêt. Il se contenta de faire quelques centaines de pas et de monter à un autre arbre, un orme cette fois, sans branches basses, qu'il eut du mal à escalader, mais qui serait un obstacle d'autant plus sérieux pour les loups.

Lorsque la meute se réveilla au petit jour, Olf remarqua l'absence de Mic. Furieux de cette insubordination, il se lança aussitôt à sa recherche. En deux minutes, il avait trouvé le cadavre de Mic, baignant dans une mare de sang, les membres depuis longtemps raidis par la mort, pointés vers le ciel.

Accourue peu après lui, Saq jura de se venger.

Olf décida de changer de tactique. On diviserait la meute en trois groupes. Le premier serait dirigé par Ceq, demi-frère de Mic, jeune loup presque adulte. Saq dirigerait le second. Et Olf partirait avec les plus petits et la vieille femelle Mas. Malheureusement pour eux, Agénor resta dans son arbre toute la journée et les loups chassèrent en vain.

À la fin de la journée, Olf rejoignit les autres groupes et on mit en commun deux lièvres et une tortue alligator.

Olf réfléchit longuement. Et il en vint à la conclusion que, si on n'arrivait pas à attraper l'animal vert pendant le jour, même si on sentait sa présence par son odeur, ce devait être parce qu'il se cachait le jour pour circuler la nuit. La mort de Mic en pleine nuit justifiait aussi cette hypothèse. Olf décida donc de faire des patrouilles de nuit. Mais la meute était encore trop épuisée pour repartir en chasse immédiatement. Olf attendit donc que tous soient endormis pour se lever et, prudemment, conscient du sort qui avait été réservé à Mic, parcourut les bois aux alentours. Il passa sous l'arbre sur lequel Agénor était perché, mais pas suffisamment près du tronc pour y relever son odeur.

Retrouvant le reste de la meute, il éveilla Saq et son fils Cofi. Ceux-ci comprirent qu'Olf voulait qu'ils aillent chasser. De mauvaise grâce, ils partirent tandis qu'Olf se couchait.

C'est ce moment qu'Agénor choisit pour quitter son arbre et rentrer au village.

Les deux loups le virent avant de le sentir ou de l'entendre, en contournant un rocher au milieu d'une colline. Deux pas seulement les séparaient à ce moment-là. Cofi, impulsif, se lança aussitôt à l'attaque. Agénor eut tout juste le temps de mettre devant son visage sa main droite, dont le doigt trancha net l'artère carotide du jeune loup.

Saq eut d'abord un instant d'hésitation. Elle n'avait eu jusque-là aucune idée de ce qu'Olf cherchait avec tant d'insistance, n'ayant pas participé à cette chasse où Olf, deux ans plus tôt, avait été mis en déroute par Jean-Baptiste Dupont. Lorsqu'elle vit Cofi retomber raide mort devant elle, elle recula et regarda l'adversaire droit dans les yeux, cherchant à l'effrayer comme les fois où elle réussissait à hypnotiser des lièvres, qui figeaient sur place jusqu'à ce qu'un coup de dent leur casse l'échine.

Mais cela faillit lui jouer un mauvais tour, car ce fut le regard d'Agénor qui eut le dessus sur le sien. Dès qu'elle sentit que les yeux de l'adversaire pénétraient dans les siens, cherchant à s'infiltrer dans son cerveau, Saq baissa les paupières et se mit à hurler à pleins poumons.

La meute s'amena à toute vitesse, aboyant férocement pour se donner du courage autant que pour effrayer l'ennemi. Saq ouvrit les yeux en les entendant approcher. Mais l'animal vert était disparu.

Furieux, Olf regarda Cofi baignant dans son sang, puis Saq, comme une idiote, la queue entre les jambes, incapable même de pointer la direction dans laquelle l'animal s'était enfui. Olf découvrit ses gencives dans un geste de mépris et de haine à son endroit.

* * *

Le sommeil du lieutenant Farwick commença à être troublé. Une odeur bizarre, âcre, persistante, lui chatouillait les narines. Mais il se rendormit.

Toutefois, quelques minutes plus tard, l'odeur se fit plus présente encore et fut accompagnée d'un grésillement familier. Le temps d'expédier en une seconde la fin d'un rêve dans lequel il faisait la cour à Marie-Clarina qui l'enfermait dans des chiottes et y mettait le feu, et le lieutenant s'éveillait tout à fait. Il se frotta les yeux, picotés par la fumée. Il toussota et se rendit rapidement compte de la situation : la maison brûlait.

— Capitaine, capitaine, au feu, cria-t-il en sautant du lit.

Le capitaine s'éveilla aussitôt.

Sans doute son sommeil avait-il déjà commencé à être troublé par la fumée. En une fraction de seconde, pour mettre fin à son rêve, dans lequel il avait attaché Marie-Clarina sur un bûcher, il y mit le feu.

Les deux officiers ouvrirent précipitamment la porte qui menait à la pièce circulaire entourant celle où ils se trouvaient. Les soldats qui y dormaient commençaient eux aussi à s'éveiller. Les officiers les secouèrent violemment. Les flammes, poussées par le vent, commençaient déjà à consumer l'intérieur des murs.

— Debout, debout, tout le monde ! criait Farwick.

Boogwallow avisa la porte que les flammes léchaient. C'était la seule issue. Il s'élança donc, épaule droite devant, pour l'ouvrir sans perdre un instant. Mais son épaule rencontra une résistance inattendue et deux de ses os se cassèrent presque sur la porte.

Le capitaine hurla de douleur, tandis que Farwick s'emparait d'une hache et s'appliquait à débiter la porte à partir du haut. Le lieutenant fit tant et si bien qu'il y eut bientôt une grande ouverture, à hauteur de poitrine, par laquelle les soldats se précipitèrent.

Le lieutenant et le capitaine furent les derniers à sortir. Une fois dehors, ils regardèrent derrière eux les hautes flammes qui dévoraient dans la nuit la maison de Marie-Clarina.

— Nous l'avons échappé belle, fit le lieutenant en s'épongeant le front.

Mais un hurlement de douleur s'éleva soudain. C'était Mitchell qui, sous l'effet des sédatifs, avait été incapable de se réveiller en même temps que les autres et devait maintenant tenter vainement de marcher ou de franchir la porte.

Le hurlement dura plus d'une minute, pendant laquelle le capitaine eut fort à faire pour retenir le lieutenant. Puis la voix se tut brusquement.

— C'est fini, Farwick, dit le capitaine d'une voix indifférente.

— Pauvre Mitchell.

Femmes, hommes et enfants de Sainte-Robille s'étaient aussi éveillés à la hâte et s'étaient approchés de la maison en flammes, restant à distance respectueuse des soldats. Comme eux, ils pouvaient voir, empilées devant la porte, les billes de bois qui avaient servi à la construction de l'échafaudage d'arpentage et que quelqu'un avait placées là pour empêcher les soldats de sortir pendant l'incendie.

— Qui a fait ça ? demanda le capitaine de la même voix indifférente. Hein, qui a fait ça ?

Il s'approcha des villageois alignés les uns à côté des autres. Il avait sa badine à la main, seul objet qu'il avait par réflexe songé à sauver des flammes. Il commença à marcher, comme un général qui passe ses troupes en revue, devant les Robillois atterrés.

— C'est toi ? demanda-t-il à Désirée, la plus proche de lui.

— C'est toi ? demanda-t-il à Jacob, puis à Ésaü.

— C'est toi ? demanda-t-il à Tire-Bouchon complètement hébété.

— C'est toi ? demanda-t-il à Marie-Clarina puis à Estrelle.

— C'est toi ? demanda-t-il à Bottines Noires puis à sa femme.

— C'est toi ? C'est toi ? C'est toi ? demanda-t-il à tour de rôle à Clorimont, à Aimé et à Dieudonné.

Chaque fois, il poussait de la pointe de sa badine la personne à laquelle il s'adressait. Son interlocuteur faisait un pas ou deux en arrière, sans dire un mot.

Il arriva enfin devant Tramore, le regarda avec insistance.

— C'est toi ? demanda-t-il enfin avec un sourire méchant.

Mais Tramore ne recula pas d'un pouce lorsque le capitaine le poussa de sa badine. Le capitaine poussa plus fort sur la badine, qui fléchit presque à se rompre. Mais Tramore ne bougea pas.

— Si ce n'est pewsonne, c'est tous, s'écria le capitaine. Et tous paiewont.

Il fit demi-tour, tenta de claquer des talons, mais ce n'est qu'à ce moment qu'il se rendit compte qu'il était nu comme un ver. Et la plupart de ses hommes aussi.

Les soldats s'installèrent dans la maison de Tramore. Ils fouillèrent dans tous les tiroirs à la recherche de vêtements.

* * *

Le lendemain matin, les soldats accoutrés des vêtements les plus disparates allèrent retrouver les Robillois déjà assemblés autour des ruines fumantes de la maison de Marie-Clarina.

Le capitaine, affublé d'une chemise à carreaux trop grande pour lui et d'un pantalon grisâtre percé, également beaucoup trop vaste et qui ne tenait en place que grâce à une ficelle enroulée autour de sa taille, monta sur une grosse pierre.

Instinctivement, les trois soldats qui avaient eu la présence d'esprit ou le réflexe de sortir du brasier avec leur fusil allèrent se placer devant lui, menaçants.

— Comme pewsonne ne veut avouer sa culpabilité, fit le capitaine, nous allons tiwer à la couwte paille.

— Les femmes et les enfants aussi ? demanda Tramore.

— Les femmes et les enfants aussi, confirma le capitaine. Il y a eu mowt d'homme. Un soldat de l'awmée zanglaise est mowt d'une main cwiminelle. Il faut puniw le coupable. Et si nous ne twouvons pas le coupable, la loi zanglaise est fowmelle : nous fusillons quelqu'un au hasawd.

Le capitaine sortit de derrière son dos sa main droite tenant treize pailles.

Chaque Robillois s'avança, prit une paille en silence. Les enfants d'abord, puis les adultes. Marie-Clarina prit une des dernières pailles : elle était courte.

— C'est donc toi ! triompha le capitaine.

— Attendez, insista Tramore.

Il prit la dernière paille, la montra : elle était courte.

— Ah, ah, fit le capitaine. Nous avons deux coupables. De mieux en mieux.

Il fit placer Marie-Clarina et Tramore côte à côte au pied d'un gros arbre. Estrelle et les enfants pleuraient.

Jacob et Ésaü pleuraient plus que les autres, en se regardant piteusement. C'étaient eux qui avaient empilé les bûches de bois devant la porte de la maison de Marie-Clarina et y avaient mis le feu dans l'espoir de faire partir les soldats et ainsi pouvoir jouer à nouveau avec Agénor dont ils s'ennuyaient. Mais la peur de la mort les empêchait maintenant de se dénoncer, chacun se disant que l'autre pouvait le faire de toute façon sans impliquer son jumeau.

Farwick s'approcha du capitaine, qui venait de sauter en bas de sa pierre, et s'entretint avec lui en zanglais.

— Capitaine, vous n'allez pas exécuter ces pauvres gens ?

— Et pourquoi pas ? Mitchell est mort.

— Capitaine, j'ai moi-même commis beaucoup de crimes pendant les Grands Troubles. Mais je n'ai jamais fusillé une femme.

— Il y a un début à toute chose. Vous dirigerez le peloton d'exécution.

* * *

Le lieutenant Farwick avait disposé les trois soldats armés de fusils à dix pas devant Tramore et Marie-Clarina. Il attendait que le capitaine Boogwallow lui fasse signe de commander le feu.

141

Mais le capitaine, à plusieurs pas sur sa gauche, regardait Marie-Clarina avec insistance, d'un oeil sombre.

« Ainsi, c'est toi, et tu es femme comme ma mère, pensait-il. Et je te tiens comme on tient un oisillon au creux de sa main. Je n'ai qu'à faire un signe et tu mourras. Tu mourras parce que tu es trop belle et moi pas assez. Tu mourras parce que je sais avec quels yeux le lieutenant te regarde. Tu mourras parce que tu te refuses à moi sans même que j'aie à te demander... »

Les lèvres du capitaine s'étaient mises à remuer sans qu'un mot en sortît. Tramore O'Brien, qui savait lire sur les lèvres et qui comprenait le zanglais, put distinguer quelques mots : « je t'aurais aimée... ta mort me sera douce... »

Intrigué, le lieutenant Farwick regardait son capitaine. Jamais celui-ci n'avait fait montre de la moindre émotion et il l'en avait cru incapable.

Pourtant, le capitaine semblait de plus en plus ému. Il fit quelques pas en direction de Marie-Clarina, puis s'arrêta, marmonna on ne savait quoi. Seul Tramore lut sur ses lèvres quelques mots de plus : « je t'aurai morte ».

Le capitaine fit encore quelques pas, puis se laissa tomber à genoux, prit entre ses mains un bout de la jupe de Marie-Clarina qu'il porta à ses lèvres et baisa avec ferveur.

— Elia, Elia, pourquoi m'as-tu abandonné ? s'écria-t-il.

Marie-Clarina le regarda sans comprendre. Le capitaine lâcha sa jupe, se roula sur le sol.

*　*　*

Olf était au comble de la fureur. Il savait le petit animal là, tout près, quelque part, dans quelque buisson épais, dans quelque fourré impénétrable.

Et pourtant il n'arrivait ni à le voir, ni à sentir sa trace. Seul un vague parfum continuait à flotter dans la forêt, affolant son odorat et son cerveau.

À celle de l'animal vert se mêlait maintenant l'odeur du sang, de plus en plus pénétrante. Çà et là dans la forêt reposaient maintenant les cadavres de ses femelles et de ses enfants assassinés un à un, toujours d'un adroit coup de patte aiguisée comme un couteau.

Le ciel s'était couvert de nuages et lui rendait encore plus difficile de voir dans l'épaisse forêt. Et le soleil baissait. Olf, ayant passé toute sa vie à traquer d'autres animaux, se sentait maintenant traqué à son tour. Il sentait confusément que deux yeux bleutés le guettaient à tout moment, le suivaient partout où il allait.

La tombée de la nuit semblait nuire à ses chances de retrouver un adversaire si insaisissable.

Olf fit donc semblant de s'éloigner lentement, comme s'il abandonnait la partie. Il cessa de garder le museau au sol, rentra la queue honteusement entre ses pattes.

Agénor le vit. Et il continua à suivre la tactique qu'il avait suivie avec succès toute la journée. Au lieu de perdre de vue son poursuivant, il descendit de son arbre et le suivit dans la forêt. Il savait maintenant marcher sans bruit dans les bois. Et la nuit lui permettait de se dissimuler facilement chaque fois qu'Olf regardait derrière lui.

Olf n'était pas sûr que le petit animal vert le suivait. Il le souhaitait ardemment, toutefois. Et il marchait assez lentement pour que l'autre puisse le suivre sans effort.

L'un suivant l'autre, ils marchèrent pendant presque toute la nuit.

Les étoiles commençaient à peine à pâlir, lorsqu'Agénor arriva devant une rivière peu profonde que le loup traversait d'un pas rapide.

Sur l'autre rive, Olf fit semblant de continuer son chemin dans la forêt, mais se jeta derrière le premier buisson venu. C'est là qu'il avait prévu tendre une embuscade à l'animal vert, qu'il voyait facilement s'avancer dans la rivière, sa silhouette sombre se détachant sur le miroitement de l'eau.

Agénor, sans se méfier, traversa la rivière en hâtant le pas, car il avait perdu de vue le loup. Il courait presque, en passant près du buisson où Olf s'était caché.

Olf s'arc-bouta contre un tronc d'arbre mort et se lança de toutes ses forces. Il atterrit sur les épaules d'Agénor, qui ne l'avait pas vu arriver. Il y planta ses crocs.

143

Agénor tenta d'abord de secouer le loup pour s'en dégager. Mais il n'y parvint pas. Et les crocs dans son épaule avaient transpercé sa combinaison pourtant garantie imperçable par le fabricant. Ils étaient bien plantés dans sa chair et la douleur était difficilement supportable. Agénor faillit perdre connaissance. Mais il se concentra, réussit à reprendre ses esprits.

Il mit alors la main sur le museau du loup, par-dessus son épaule. Il chercha ses mots, hésitant entre la douceur et la menace. Puis il émit, avec le plus de force possible.

— Je ne te veux pas de mal.

Étonné, le loup cligna des yeux. Il desserra les mâchoires et faillit lâcher prise. Mais la méfiance du loup est profondément ancrée en lui depuis des générations. Olf replanta ses crocs un peu plus haut, un peu plus profondément dans l'épaule d'Agénor. Celui-ci chercha alors à trancher la gorge du loup. Il parvint à atteindre son cou de sa main gauche. Mais, comme le loup était derrière lui, il lui fut impossible d'appuyer sa main avec force. Il n'entama que superficiellement la fourrure puis la chair de son agresseur.

Il chercha, de sa main droite, le museau du loup pour émettre à nouveau. Mais le loup secouait le museau du mieux qu'il pouvait sans lâcher prise et réussissait à fermer son cerveau à toute idée de l'extérieur.

Le loup serrait de plus en plus les crocs. Agénor commençait à croire qu'il emporterait un bon morceau de chair. Il aurait alors beau fuir, le sang coulerait à grands flots. En dix minutes il serait mort.

Tout à coup, une grande lueur éclaira le petit bois. Le loup fut secoué violemment. Il ne lâcha pas prise, mais Agénor sentit qu'il était devenu inerte.

Il vit ensuite un Blanantais sauter sur le sol devant lui, utilisant le rayon d'urgence.

— Mérinos ! s'écria joyeusement Agénor en reconnaissant son frère.

* * *

Le lieutenant Farwick marchait en tête de la colonne, dans le sentier de Sinéglou. Derrière lui, toute la population de Sainte-Robille suivait docilement. Les autres soldats zanglais fermaient la marche, encadrant le capitaine Boogwallow toujours en larmes.

Marie-Clarina fut la première à apercevoir la soucoupe volante. La colonne parvenait justement au sommet de la colline où on avait pour la première fois, deux ans plus tôt, aperçu des objets volants. À cet endroit, les arbres plus rares ouvraient l'horizon aux regards. Et Marie-Clarina avait regardé par-dessus son épaule.

Mais, contrairement à la première fois, l'appareil qu'elle vit cette fois ne volait pas très haut dans le ciel. Il se tenait en semi-suspension à quelques pieds seulement derrière les derniers soldats.

Marie-Clarina s'arrêta pour examiner l'appareil volant. À cette distance, elle pouvait distinguer le moindre boulon, le moindre joint entre les plaques de métal. Par les hublots, elle reconnut Agénor, avec un autre personnage semblable.

Clorimont et Grégoire dépassèrent Marie-Clarina. Le soldat qui suivait lui dit, en zanglais, d'avancer.

Comme Marie-Clarina ne semblait pas comprendre, il croisa son fusil devant sa poitrine pour lui faire signe de continuer.

Agénor crut alors que le soldat voulait violenter Marie-Clarina. Il tourna le sélecteur de couleur à « rouge » et tira.

Le soldat tomba aussitôt, foudroyé.

Les soldats qui suivaient se demandèrent ce qu'il lui arrivait. Mais, voyant Marie-Clarina tournée vers l'arrière, ils se retournèrent à leur tour et aperçurent la chose qui les suivait sans bruit.

La moitié des soldats figèrent sur place. Les autres se mirent à courir en tous sens.

Agénor pointa le dérégulateur tour à tour sur les soldats immobiles et appuya cinq fois sur la gâchette. Les cinq soldats tombèrent au sol.

Mérinos descendit alors par le rayon porteur, armé du dérégulateur portatif. Il abattit quatre soldats.

Boogwallow était encore debout, tentant de sécher ses larmes, au milieu de ses hommes étendus sur le sol. Machinalement, il se pencha et ramassa une carabine. Il n'avait jamais, de sa vie, tiré sur autre chose que des pigeons. Mais les réflexes étaient ancrés en lui depuis plus de vingt ans : tirer sur l'agresseur et de préférence avant que celui-ci ne tire.

Il tira donc un premier coup en direction de Mérinos. La balle ricocha sur sa combinaison nouveau modèle (celle plus ancienne portée par Agénor avait, depuis le départ de celui-ci, fait l'objet d'un rappel, car elle n'avait pu subir avec succès les tests de pénétration d'objets contondants), écorchant à peine la surface.

Mérinos hésita à riposter. En effet, son sélecteur était au rouge, et juste à côté de Boogwallow, il pouvait voir le rouge de la chemise d'un des fils de Tramore et risquait donc de le toucher lui aussi.

Boogwallow avisa alors la soucoupe volante, toujours en semi-suspension presque à la verticale au-dessus de lui.

La première balle ricocha sur le métal, alla se perdre dans les bois. La seconde balle toucha aussi le métal, rebondit en tintant gaiement et frappa Grégoire, le cheval de Clorimont, en plein centre du front. Le cheval tomba aussitôt sur le côté.

Le capitaine se mit alors à crier en faisant de grands moulinets avec sa carabine qu'il tenait par le canon.

— Awwièwe, démons, cria-t-il. Si vous me touchez, vous auwez toute la Vastitude suw le dos.

Il eut encore le temps de penser à sa mère en un dernier réflexe d'amour et de honte. Mais le rayon du dérégulateur de Mérinos toucha enfin son pantalon bleu, Mérinos ayant choisi cette couleur car le fils de Tramore qui était dans son champ de tir n'en portait pas.

Il ne restait plus que le lieutenant Farwick, qui était allé se réfugier derrière un arbre. Il lança sa carabine loin devant lui.

— Vous voyez, cria-t-il. Je me rends. Je me rends.

Mais Mérinos ne comprit pas. Il le mit en joue.

— Ne le tuez pas, s'écria Marie-Clarina. Il est gentil, lui.

Mérinos visa. Le lieutenant Farwick tomba sans un mot.

Agénor descendit de l'appareil après l'avoir placé en suspension automatique. Il s'approcha du petit groupe, qui restait craintivement à distance de Mérinos.

— C'est mon frère, dit-il en pointant Mérinos du doigt.

— Ah bon, fit Marie-Clarina, à peine rassurée.

Mérinos pointa enfin son dérégulateur vers le sol, mit le cran de sûreté.

— Pourquoi les avoir tués ? demanda Tramore.

— Ils ne sont pas morts, précisa Agénor. Uniquement dérégulés.

— Dérégulés ?

— C'est un peu compliqué à expliquer. Disons que nos armes accroissent les régules entre les globules du sang. Le sang se trouve donc en quelque sorte en suspension. Il ne coule plus, mais il continue à vivre.

— Comment peut-on les ranimer ?

— J'ai bien peur que ce ne soit impossible, dit Agénor sincèrement désolé car il n'avait pas prévu que son frère et lui se laisseraient emporter par l'action au point de faire un tel massacre.

Agénor dut alors expliquer aux Robillois que si on laissait les soldats là, ils continueraient à vivre, parfaitement conscients de ce qui se passerait autour d'eux, mais incapables de bouger. Et, comme on n'avait pas encore trouvé de moyen de ranimation sur Blanante, il semblait peu probable qu'on en trouve sur Terre avant plusieurs siècles. Il valait donc mieux les achever d'un coup de carabine. Autrement les loups risquaient de les dévorer vivants.

Tramore insista pour que Mérinos fasse ce travail lui-même. Et Agénor eut beaucoup de mal à convaincre son frère que c'était à lui d'achever les victimes.

Dégoûté, Mérinos, qui n'avait jamais tué quoi que ce soit, prit donc une carabine. Mais la carabine était beaucoup trop lourde et trop grande pour lui. Il dut renoncer et Tramore se résigna à le remplacer.

Les soldats, du moins ceux qui comprenaient suffisamment cette langue, avaient entendu la conversation. Quelques-uns s'efforcèrent de retrouver quelque prière de leur enfance. Mais la plupart d'entre eux furent incapables d'éprouver d'autre sentiment que la terreur la plus intense.

Tramore s'approcha du soldat qui était tombé le plus près de lui. Il pointa sa carabine sur la tempe, appuya sur la gâchette. Le crâne éclata et la cervelle se répandit tout autour, giclant jusque sur la combinaison de Mérinos, à plusieurs pas de là. Mérinos se réjouit d'avoir un modèle intachable.

Tramore rechargea la carabine et acheva le soldat suivant, s'efforçant d'adopter une attitude insouciante.

Lorsque tous les soldats furent tués, Mérinos se dirigea vers un ruisseau qu'on entendait couler non loin de là. Il s'y lava à grande eau, tandis que Tramore, Clorimont et Bottines Noires creusaient une grande fosse où ils jetèrent les cadavres des soldats et de Grégoire.

Lorsque Mérinos revint du ruisseau après s'être séché tant bien que mal avec des feuilles, il vit Tramore qui enfonçait dans le sol à coups de pierre un pieu sur lequel il avait posé un bout d'écorce de bouleau où étaient gravés les mots :

« Ci-gisent des Zanglais
et un cheval mort
par accidan. »

Histoire de Clorimont

Rien n'est plus malaisé que tenter d'expliquer des relations simples en apparence mais qui deviennent de plus en plus troubles à mesure qu'on en perce la surface.

Et, pour comprendre que Clorimont ne ressentit absolument aucun chagrin lorsque mourut son cheval, seul amour de sa vie, il faut sans doute remonter loin en arrière.

Les ancêtres de Clorimont avaient été d'humbles cultivateurs de l'Ancien Continent, traçant à l'aide de boeufs des sillons dans plusieurs pays d'Occident et d'Orient, gens paisibles et industrieux qui n'auraient jamais troqué leurs boeufs contre des chevaux si on le leur avait offert.

Ces gens-là savaient combien le cheval est inconstant, capable d'émotions comme le chien, tandis que le boeuf ne ressent rien, ni le froid ni le chaud, ni l'amour ni la haine, et est incapable d'aller plus lentement ou plus vite que le pas qui semble lui venir de la nature ou d'une longue accoutumance de la terre et de ses embûches.

Si on remonte plus loin, on trouvera sans doute dans les ancêtres de Clorimont, comme dans ceux de chacun de nous, des cavaliers primitifs guerroyant sur d'habiles équidés tout aussi primitifs qu'eux. Mais ces gens-là ne s'attachaient pas à leur monture. Ils pouvaient en changer comme ils auraient changé de chemise s'ils en avaient eu plus d'une.

Plusieurs millénaires plus tôt, avant même que l'homme ne songe qu'on pouvait chevaucher un cheval, des ancêtres de Clorimont avaient sûrement tendu des embuscades aux éohippus et aux mésohippus, dont la chair délicate changeait agréablement le menu monotone d'aurochs et de baluchiteriums.

Et les ancêtres plus lointains encore de Clorimont, primates velus marchant courbés et se nourrissant d'insectes et de noix, eurent peu de rapports avec les ancêtres du cheval, ne pouvant ni les monter ni les chasser.

Et on aurait beau remonter à la première amibe qui fit son apparition sur terre il y a on ne sait trop combien de millions d'années, on ne saurait trouver aucun lien ancestral qui pourrait expliquer d'une part l'amour que Clorimont vouait à Grégoire, ni d'autre part le calme avec lequel il accepta la mort de celui-ci.

D'ailleurs, faudrait-il toujours chercher si loin les raisons de l'absence de rationalité dans le comportement de l'homme sous le seul prétexte que l'homme est un être raisonnable ? Lorsqu'un chat ou un chien pose un acte qui semble irraisonnable, cherche-t-on avec autant d'insistance les raisons de cet acte dans son lointain lignage ou dans sa tendre enfance ? Pourquoi la déraison ne serait-elle pas tout simplement le fruit de la seule raison qui déraisonne ?

Chez Clorimont, par exemple, on peut difficilement justifier la folie par la première enfance ou même l'adolescence.

Troisième de neuf fils d'un agriculteur plutôt prospère (qui avait aussi sept filles), Clorimont fut élevé sans trop peu ni trop d'amour, sans trop peu ni trop d'attention, sans trop peu ni trop de punitions ou de récompenses, dans un milieu où les gens s'aimaient sans trop peu ni trop se le dire, dans ce genre de famille qui donna aux Régions du Haut des centaines de milliers de citoyens sains de corps et d'esprit.

Aucun événement extérieur, non plus, ne vint perturber l'enfance ou la jeunesse de Clorimont. Aucune mauvaise rencontre, aucun mauvais camarade, aucune expérience traumatisante. Au contraire, Clorimont vécut une enfance comme nous la souhaiterions tous à nos enfants.

Nous ne croyons pas, non plus, que la folie de Clorimont fut causée par quelque microbe insidieux, par quelque phénomène physique qui aurait affecté les cellules de son cerveau (les médecins de l'époque furent d'ailleurs d'accord avec nous sur ce point, ce qui ne prouve pas du tout que nous ayons raison, mais pas non plus que nous ayons tort).

Et, s'il est impossible de justifier cette folie par l'influence d'éléments extérieurs, force nous est de l'expliquer par l'intérieur — par ce besoin d'être fou que ressent parfois un être raisonnable lorsqu'il a bu ou lorsqu'il veut être un autre que lui-même.

Les premiers signes de déraison se manifestèrent chez Clorimont vers l'âge de dix ans. Au début, la maîtresse d'école qui enseignait à tous les enfants du rang, qu'ils aient sept ans ou douze, crut que Clorimont voulait faire l'original et lui prêta en conséquence un sens artistique plus développé, mais qu'il n'avait aucunement.

En effet, Clorimont se distingua d'abord des autres enfants de son âge par des comportements bien innocents, qui semblaient être le fait d'une imagination fertile.

Il commença par inverser sa gauche et sa droite.

Un jour, il commença son nouveau cahier brouillon par la fin, en faisant de la dernière page la première. Et il se mit à écrire de la main gauche, et de la droite vers la gauche comme les Orientaux. L'institutrice crut que Clorimont voulait se moquer d'elle. Elle le réprimanda, chercha à le corriger, le punit de coups de règle sur les doigts. Mais Clorimont levait vers elle de grands yeux étonnés, incapable de comprendre pourquoi il ne pouvait écrire autrement. Et il s'efforçait de bien faire, de tracer des lettres de plus en plus parfaites, évitant de son mieux les fautes d'orthographe et les ratures.

Sa bonne volonté devenait évidente lorsque l'institutrice regardait ses devoirs dans un miroir. Elle était même forcée de lui donner les meilleures notes, car il faisait moins de fautes que les autres et s'efforçait de faire oublier ses inversions en soignant son écriture.

Ce drôle de premier de classe devint encore plus énigmatique aux yeux de son institutrice lorsqu'il se mit aussi à inverser sur le plan vertical. Il commençait donc à écrire une page dans le coin inférieur droit. Une fois la feuille mise à l'envers puis présentée devant un miroir, on n'y voyait pas la moindre différence avec le travail d'un excellent élève.

Perplexe, l'institutrice écrivit à Ville-Dieu, aux services psycho-pédagogiques de la division des études du Contrôle de l'éducation publique. Six mois plus tard, on lui répondait que ce cas était exceptionnel et que c'était la première fois qu'on en signalait un de ce genre. On lui conseillait de s'acheter un meilleur miroir et on lui demandait d'écrire à nouveau s'il se présentait d'autres cas du genre dans son école, car ce phénomène était peut-être contagieux.

Il ne l'était pas.

À la maison, Clorimont commença aussi à se faire remarquer par des bizarreries de plus en plus nombreuses. Ainsi, il était incapable de faire la différence entre un boeuf et une vache, et, après l'avoir surpris plusieurs fois en train de traire un boeuf, son père dut lui interdire cette corvée, même s'il était convaincu que son fils faisait exprès pour l'éviter.

Mais cela n'était pas vrai, car Clorimont adorait rendre service. En particulier aller acheter des choses chez le marchand général, ou porter un message à un voisin.

Malheureusement, dès qu'il se mit à confondre la gauche et la droite, Clorimont s'égara à quelques reprises. Devant tourner à gauche à un carrefour, il tournait à droite et on ne le revoyait que deux ou trois jours plus tard, lorsqu'un bon samaritain ramenait à la maison le pauvre garçon ahuri.

Malgré une naïveté et une candeur peu communes, Clorimont n'était pas complètement idiot. Et, même si sa famille, ses camarades et sa maîtresse d'école faisaient mine de ne pas remarquer les anomalies de sa conduite, il finit lui-même par en prendre conscience.

Il fut par exemple stupéfait de constater que plusieurs de ses camarades écrivaient à l'envers, de haut en bas et de gauche à droite. Lorsqu'il se fut rendu compte que tous les autres étaient différents de lui à ce chapitre, il ne mit pas longtemps à constater que c'était lui qui était différent des autres, et non les autres de lui.

Il finit aussi par remarquer que l'institutrice lui donnait toujours la même note pour ses devoirs. Il s'imagina que ses devoirs avaient cessé de l'intéresser. Et, en effet, l'institutrice s'était lassée de corriger des devoirs dans un miroir. Pendant quelques semaines, elle avait fait un effort pour varier les notes, puis convaincue que son élève ne remarquerait rien elle lui mit systématiquement un médiocre soixante et onze pour cent.

Démoralisé, Clorimont négligea ses devoirs, mais continua à recevoir la même note.

À la maison, Clorimont s'aperçut que ses parents et ses frères et soeurs refusaient de plus en plus souvent ses offres de services.

Désoeuvré, le cerveau de Clorimont s'occupa à se fabriquer des chimères. Peu imaginatif, ce cerveau évita les rêves et se tourna plutôt vers la personnalité de son possesseur. Il trouva fascinant le comportement de celui-ci.

À douze ou treize ans, la plupart des garçons comparent leur comportement à celui des garçons de leur âge, dans le but de les imiter et de se faire accepter d'eux.

Clorimont, au contraire, se mit à se comparer aux autres garçons en se délectant des moindres tics, des moindres manières de marcher ou de courir, des moindres expressions qui le distinguaient des autres.

Il se convainquit ainsi de plus en plus de sa propre anormalité et il exagéra tout ce qui pouvait faire de lui un être différent des autres, car ainsi il sentait qu'il vivait plus et qu'il était plus lui-même.

Il cultiva sa démarche particulière jusqu'à la transformer en boitement (boitement qui fut enfin justifié plusieurs dizaines d'années plus tard par un malencontreux coup de hache).

Il se mit aussi à bégayer, après avoir pendant quelque temps tenté d'adopter une espèce de jargon auquel sa famille et ses amis s'habituèrent trop rapidement à son goût. Clorimont préféra de beaucoup le bégaiement qui lui permettait d'attirer l'attention, de créer chez qui l'écoutait un délicieux suspense avant de lancer une phrase d'une banalité absolue.

Clorimont se mit à parler seul chaque fois que quelqu'un était près de lui, mais sans s'écouter parler. Il dut abandonner cette pratique lorsqu'il se rendit compte que les autres aussi cessaient de l'écouter.

Clorimont s'appliqua alors à cultiver les mauvaises manières, se mouchant dans sa manche, éternuant dans sa soupe ou dans celle de son vis-à-vis, crachant par terre ou sur les murs, ne disant jamais « merci » ni « s'il vous plaît », interrompant les autres à tort et à travers pour bégayer longuement sans vraiment rien dire, tutoyant sa mère et sa grand-mère, appelant le curé « Chose » et passant une bonne part de son temps en classe à péter, à roter, à se décrotter le nez avec une délectation ostensible.

Sa mère remarqua ce changement de comportement chez un enfant qui avait été jusque-là docile, poli et agréable. Mais jamais elle n'avait vu de cas de folie, jamais même elle n'avait entendu parler de démence et elle accepta tout simplement son fils tel qu'il était, renonçant à le corriger.

Bien qu'il cherchât surtout à se rendre intéressant aux yeux des autres, Clorimont devint de plus en plus ennuyeux pour son entourage et finit par n'intéresser que lui-même.

Traité avec bonté, sans animosité, sans curiosité même, il devint un adolescent bizarre qu'un milieu artistique aurait peut-être trouvé prometteur, mais que sa famille et son village acceptaient tel qu'il était, sans le mépriser ni l'admirer, de la même façon qu'on admet qu'un érable est différent d'un merisier.

Et Clorimont aurait sans doute passé ainsi toute sa vie, à ne déranger personne, à faire ce qui lui plaisait, c'est-à-dire presque rien, si un cousin de la famille ne s'était un jour amené pour présenter à ses cousins et cousines sa nouvelle épouse.

Ce cousin était tout jeune médecin et il faisait cette tournée de famille plus ou moins lointaine d'une part pour faire étalage de son bonheur, de sa science et de l'opulente poitrine de sa femme, et d'autre part parce que, frais émoulu de la faculté de médecine de l'Université de Ville-Dieu, il n'avait pas encore les moyens de se payer des vacances ailleurs que chez ces parents qui, sans l'avoir jamais vu, l'accueillaient à bras ouverts, lui servaient ce qu'ils avaient de meilleur sans même lui demander de couper du bois.

Le jeune médecin s'appelait Hypocrate Tisonnier (en réalité, on l'avait baptisé Hypocarpe, mais il avait préféré modifier son nom en fonction de sa profession). Il ne s'était pas encore assis à la table de la cuisine qu'il avait déjà remarqué le comportement bizarre de son cousin Clorimont.

Dès que celui-ci se fut éloigné suffisamment pour ne pas entendre, Hypocrate Tisonnier demanda à voix basse à la mère de Clorimont pourquoi elle ne plaçait pas son rejeton dans une institution.

— Une institution ?

Hypocrate dut lui expliquer ce qu'était une institution : une grande maison grise, où on avait tout ce qu'il fallait — des médecins spécialisés, des infirmières, du matériel hautement perfectionné — pour soigner les fous.

— Fou, mon Clorimont ? s'exclama-t-elle au comble de l'étonnement.

Et Hypocrate se mit en devoir, alors qu'on pouvait aisément observer Clorimont assis par terre jouer avec des blocs de bois, de faire prendre conscience à la brave femme de toutes les anomalies de son troisième fils.

— Remarquez, ma tante, fit Hypocrate hypocritement, que je ne suis pas aliéniste. Mais ou Clorimont est fou, ou je ne parle pas latin.

Comme il était évident qu'Hypocrate devait parler latin après avoir fait de si longues et si coûteuses études (ce qui n'était pas tout à fait exact, car il n'était pas doué pour les langues, ni d'ailleurs pour la médecine comme devaient le constater quelques années plus tard plusieurs malades envoyés à la rencontre de leur Créateur par ses soins), toute la famille réunie autour de la table fut aussitôt convaincue que Clorimont était fou à lier.

— Il n'y a qu'une chose à faire, répéta Hypocrate : le mettre en institution. Il y a un excellent asile à Ville-Dieu.

Comme tous voulaient le bien de Clorimont, on l'envoya donc à l'asile de Ville-Dieu.

Fort imprudemment, on l'envoya seul, par la diligence, car le passage coûtait fort cher.

Le voyage prenait deux jours, mais Clorimont ne se présenta à l'asile de Ville-Dieu que treize jours après son départ.

Les onze jours supplémentaires, Clorimont les avait consacrés à un voyage aussi merveilleux qu'involontaire.

Parti dans la mauvaise direction, il était d'abord allé là où la route arrêtait parce qu'il n'y avait rien plus loin et que le conducteur de la diligence lui avait dit qu'il fallait descendre.

Clorimont avait marché le long du grand fleuve, cherchant en vain la grande bâtisse grise qu'on lui avait décrite. Il avait surtout apprécié marcher sur le sable de la plage. Il avait après quelques heures songé à enlever ses chaussures et à les suspendre autour de son cou par les lacets noués ensemble, à fourrer ses chaussettes dans ses poches, et il avait marché en se retournant souvent pour voir derrière lui ses traces dans le sable, qui lui rappelaient un livre qu'il avait lu et qui racontait l'histoire d'un Zanglais perdu sur une île déserte.

À la fin de l'après-midi, il rencontra des jeunes gens qui se baignaient nus sur la plage. Et, sans trop se faire prier, Clorimont accepta de se joindre à eux. Jamais il ne s'était baigné dans plus d'eau que le contenu d'une cuve. Ne sachant pas nager, il faillit se noyer. Mais une jeune fille, le voyant disparaître sous l'eau, nagea jusqu'à lui, lui prit la main, le ramena à un endroit où l'eau était moins profonde.

L'eau était très froide et Clorimont ne tarda pas à retourner sur le rivage où on lui prêta une couverture. Il s'assit sur le sable et regarda les îles toutes vertes qu'on voyait au loin, se demanda s'il y vivait des gens mais fut vite convaincu qu'il n'y en avait pas car il n'en voyait pas.

Le soleil brillait, le sable était doux et confortable et les jeunes gens donnèrent à manger à Clorimont un bout de pain et un morceau de jambon.

Clorimont (qui avait surpris quelques bribes de la conversation du cousin Hypocrate) se sentit moins fou.

Le soir, on fit un grand feu de camp avec du bois ramassé sur la plage. Et les jeunes gens chantèrent en choeur des chansons que Clorimont n'avait jamais entendues.

Un des jeunes hommes lui apprit à répéter une des chansons, dont Clorimont ne comprenait pas les paroles, mais il chanta de bon coeur, après avoir mémorisé le refrain :

« Ôte ta robe,

perruque, perruque,

ôte ta robe,

perruque à morpions. »

Une cigarette circulait parmi les jeunes gens assis autour du feu. On hésita à faire fumer Clorimont. Mais on lui prêta tout de même la cigarette en riant.

Clorimont inspira la fumée maladroitement. Il n'avait même jamais fumé une cigarette ordinaire. Et il s'étouffa. Mais, sentant confusément que c'était un geste qui ferait de lui un homme, Clorimont fit un effort et inspira à nouveau la fumée âcre.

Quelques minutes plus tard, Clorimont était pris de fous rires irrépressibles. Et les jeunes gens autour du feu se mirent à rire comme lui, sans qu'il comprenne pourquoi il riait et faisait rire.

* * *

Quelques jours plus tard, Clorimont se retrouvait au milieu de paysages radicalement différents.

Les plats contours du bord du fleuve avaient fait place à des montagnes escarpées, sombres, sauvages, presque menaçantes.

Il était assis dans une barque, au milieu d'un lac, avec un vieil homme qui chiquait du tabac.

Ce matin-là, le vieillard avait fait monter Clorimont dans sa charrette et lui avait demandé s'il aimait la pêche. Clorimont répondit qu'il n'avait jamais essayé, mais qu'il allait à l'asile de Ville-Dieu.

— Tu y seras bien assez tôt, va, avait dit le vieillard en faisant passer sa chique d'une joue à l'autre.

Et il avait emmené le garçon à la pêche cet après-midi-là, dans un lac qu'il connaissait et où il possédait une barque.

Clorimont avait essayé d'enfiler lui-même un ver sur son hameçon. Mais le ver avait résisté, s'était tant tortillé et avait sécrété tant de liquide visqueux que Clorimont avait pris conscience qu'il faisait mal à un être vivant. Et il s'était mis à pleurer.

Le vieillard, en haussant les épaules, appâta l'hameçon pour lui, puis lança la ligne à l'eau.

Il expliqua à Clorimont comment il fallait rester à l'affût de la moindre secousse, comment il fallait ferrer d'un brusque coup de gaule, comment il fallait ensuite tirer sur la corde en l'enroulant autour d'une petite bûche de bois au fond de la barque.

Bientôt, Clorimont sentit avec émotion de légères secousses qui se transmettaient par la ligne à la gaule et par la gaule à ses doigts.

— Ferre ! cria le vieillard.

Et Clorimont donna un grand coup qui fit monter la gaule droit dans le ciel.

— Pas si fort, fit le vieillard.

Clorimont rebaissa sa gaule. Pendant une seconde, il crut que le poisson s'était enfui. Mais non, le poisson tiraillait maintenant au bout de la ligne, cherchant à gagner l'abri de pierres ou d'herbages.

Clorimont se mit à rentrer la corde en l'enroulant. Le poisson se débattait de son mieux. Le coeur de Clorimont battait à tout rompre, car jamais il n'avait vécu de moment si excitant.

Le poisson apparut enfin à la surface de l'eau, brillant comme une pièce d'argent.

— Bravo ! cria le vieillard.

D'un coup sec, comme s'il n'avait fait que ça de toute sa vie, Clorimont fit sauter le poisson dans la barque.

— Un beau corégone, apprécia le vieillard en sifflant d'admiration.

— C'est bon ? demanda Clorimont avec inquiétude.

— Tu vas voir tout à l'heure.

Ils pêchèrent encore chacun quelques corégones argentés. Et, lorsque les ombres des montagnes commencèrent à rafraîchir l'air, ils ramèrent jusqu'au rivage.

Le vieillard fit un feu de bois qu'il laissa réduire en braise. Il vida, lava et écailla les poissons, puis les enveloppa dans de grandes feuilles fraîches. Avec l'aide de Clorimont, il fit autour du feu une pile de billes de bois ressemblant à une cabane de rondins. Par-dessus, il posa des branches de bouleau bien vertes, qui formèrent une grille. Et il y plaça les poissons soigneusement enveloppés.

Clorimont n'avait jamais mangé de poisson. Dans sa famille, on disait que le poisson n'avait pas bon goût. C'est du moins ce qu'on avait entendu dire des gens qui en avaient mangé.

Mais, lorsque le vieillard ouvrit les feuilles, l'arôme des poissons mi-grillés mi-bouillis fit saliver Clorimont.

Jamais il n'avait rien mangé d'aussi bon. Le vieillard lui montra comment, du bout de la langue, détacher le filet et éviter les arêtes.

Comme il avait peu faim lui-même, il ne mangea que deux poissons, tandis que Clorimont en dévorait une bonne dizaine.

Puis, à la nuit tombée, ils remontèrent dans la charrette et reprirent leur route.

Clorimont n'eut pas à dire merci au vieil homme. Sa reconnaissance se lisait dans son regard brillant.

* * *

Clorimont passa aussi quelques jours dans une réserve indienne. Non pas une réserve misérable comme celles qu'il avait traversées jusque-là. Mais un véritable village, de maisons solides et presque riches. La plupart des hommes de ce village travaillaient pendant l'été dans les villes du Sud, où on appréciait leur courage ou leur absence de vertige lorsqu'il fallait construire ces ponts ultramodernes, tout en métal, qui faisaient l'orgueil des ingénieurs progressistes.

L'hiver, les hommes revenaient à leur village. Et ceux qui en avaient envie ou en avaient besoin allaient trapper les castors et les loutres.

Les enfants allaient à l'école et apprenaient le langage des Blancs. Dans certaines familles, on avait déjà oublié la langue indienne, si belle et si riche pour exprimer les choses de la vie véritable.

Mais on n'avait pas oublié le sens de l'hospitalité. Et, quand le vieux Lacharrette, qu'elles connaissaient et qu'elles aimaient bien, leur demanda de s'occuper de ce grand garçon gauche qui devait bientôt entrer à l'asile de Ville-Dieu, les femmes du village ne demandèrent pas ce qu'était un asile ni pourquoi on y entrait. Elles acceptèrent Clorimont comme s'il avait été un de leurs fils.

Et Clorimont passa encore quelques jours passionnants. À pêcher, bien sûr, mais aussi à apprendre le nom des oiseaux, à diriger un canot dans des rapides blancs d'écume, à tirer de l'arc, à enfiler des perles pour en faire des colliers ou des bracelets, à cueillir des fraises dans les champs, à deviner l'heure à la hauteur du soleil, à distinguer les pistes de loups de celles de renards et celles de chevreuils de celles d'orignaux, à faire tout ce que sa famille trouvait mauvais car ce n'était pas du travail et seul le travail est une occupation valable quand on a tant de bouches à nourrir.

Mais, ces quelques jours passés, les femmes, à regret, durent le mettre dans la diligence comme les en avait priées le vieillard et

159

dire au cocher qu'il fallait laisser Clorimont à l'asile de Ville-Dieu.

* * *

C'est ainsi que Clorimont finit par arriver à la porte de l'asile. Mais ce Clorimont-là était très différent du Clorimont qui était parti de son village.

Oublions la saleté repoussante et l'odeur de ses vêtements qui n'avaient pas été lavés depuis deux semaines. (Si sa mère l'avait vu alors, elle serait sans doute morte de honte, car la propreté était pour elle une vertu aussi grande que le travail.)

Clorimont avait perdu tous ses tics, ne bégayait plus, ne boitait plus, ne secouait plus la tête pour rien, ne parlait seul que lorsqu'il lui était ainsi plus facile de réfléchir.

Quiconque aurait pu le voir alors, après l'avoir vu deux semaines plus tôt, en aurait conclu que Clorimont était sur la voie de la guérison s'il avait jamais été malade.

Mais les gens qui lui ouvrirent la porte de l'asile de Ville-Dieu et lurent la note crasseuse qu'il leur tendit, note écrite par l'inepte Hypocrate, n'étaient pas en mesure de faire cette comparaison.

Ils se contentèrent de regarder Clorimont et de le flairer, et ils conclurent qu'il fallait en effet être fou pour être si sale et si malodorant.

Ils n'eurent rien de plus pressé que rendre Clorimont fou pour de bon.

* * *

On connaît les clichés au sujet des asiles du siècle dernier, plus prisons qu'hôpitaux, plus lieux de détention perpétuelle qu'endroits de guérison, plus cénacles de la mort lente que temples de la vie.

Et l'asile de Ville-Dieu fut fort probablement à l'origine de ces clichés.

Confondant hygiène et santé, dans une propreté exemplaire, on y accélérait la mort de gens dont le seul crime avait été de ne pouvoir travailler normalement, ou de faire peur aux autres, ou de

160

connaître quelqu'un qui avait intérêt à les faire enfermer, ou de ne pas savoir servir une tasse de thé sans en renverser partiellement le contenu, ou de dire non lorsqu'ils voulaient dire oui, ou d'être tout simplement différents des autres, que ce soit par choix ou malgré eux.

À ces gens qui, plus que les autres, auraient eu besoin d'un milieu actif et vivant, on opposait un environnement tout blanc, aseptisé, immobile, inexistant.

À ces gens qui jusque-là s'intéressaient à tout — au vol d'un papillon, à l'éclosion d'une fleur, aux premiers pas d'un bébé — on opposait des médicaments qui annihilaient la conscience, des traitements qui brisaient le goût de vivre, des diagnostics de maladies inexorablement incurables.

Curieusement, Clorimont se sentit chez lui dès le début dans ce milieu. Bien sûr, le manque d'air et de liberté et d'activité lui fut cruel.

Mais Clorimont sentait qu'on s'occupait de lui, autant que lorsqu'il était avec les jeunes gens près du grand fleuve, ou avec le vieillard à pêcher dans la barque, ou avec les Indiens avides de faire partager leur vie et leurs joies.

Ici, on ne le traitait plus comme dans sa famille, pour laquelle il était devenu un meuble ou une mauvaise herbe.

Non, l'asile de Ville-Dieu veillait sur lui. Tous les matins, on le tirait de son sommeil et de ses songes pour l'amener à la douche. Puis, on lui servait à déjeuner et, s'il ne mangeait pas suffisamment au goût des médecins, deux infirmiers musclés se faisaient fort de le gorger du nombre de cuillerées prescrit. On l'emmenait ensuite à son médecin traitant (le docteur Joseph Meister, directeur de l'hôpital) qui lui faisait inlassablement subir des tests physiques ou psychologiques, dont il tirait des courbes absolument fascinantes par leur absence de sens et qui, selon cette sommité médicale, étaient par là même la preuve absolue de la démence de Clorimont.

Ensuite, venaient les « jeux ». Ils consistaient en général à faire asseoir en un grand cercle un certain nombre de malades et à les laisser parler.

Au début, Clorimont parla un peu, surmontant son bégaiement. Mais, après quelques jours, il s'aperçut que personne — ni les infirmières, ni les autres malades — ne l'écoutait. Et il se tut comme les autres.

(Le docteur Meister jugeait cet exercice de silence essentiel, car il était destiné à rendre les malades conscients de leur propre futilité et, partant, de leur propre démence. Et le docteur jugeait qu'un malade conscient de sa démence était sur la voie de la guérison — cette théorie était à la base de sa thérapie toute portée à rendre les fous encore plus fous.)

Suivait ensuite le déjeuner, en général un potage servi en portions d'autant plus généreuses qu'il était immangeable. On laissait ensuite les malades jouer librement dans la cour ou, en cas de mauvais temps, dans la salle de récréation. Par « librement », on entendait évidemment que les malades pouvaient choisir entre quelques activités auxquelles ils ne comprenaient rien, qu'il s'agisse du jeu d'échecs ou des barres parallèles.

On envoyait ensuite les malades dormir. Et Clorimont qui, au début, avait été incapable de faire la sieste, finit par s'habituer à être las à ce moment précis et à dormir d'un sommeil lourd, encouragé par les médicaments qu'on lui faisait avaler.

Les médecins faisaient alors le tour des dortoirs, ne se gênant pas pour éveiller des dormeurs dont ils trouvaient la position peu conforme aux préceptes du docteur Meister. Par exemple, si Clorimont avait le malheur de s'endormir sur le côté, on le réveillait pour le faire dormir sur le dos, les bras sagement allongés sur les couvertures.

— Garde-à-vous ! criait le médecin en riant.

Et Clorimont reprenait aussitôt la position de sommeil prescrite.

Venait ensuite le repas du soir — le plus repoussant et le plus copieux de tous. Et aussi celui qu'on insistait le plus à faire ingurgiter par les malades, car le cuisinier-pharmacien le bourrait de divers médicaments choisis selon le temps qu'il faisait ou l'attitude générale des malades ce jour-là ou la plus ou moins bonne humeur du docteur Meister.

On envoyait ensuite les malades se coucher. Et les malades dormaient. Quiconque s'éveillait pendant la nuit avait droit à une vigoureuse douche froide.

Clorimont s'habitua rapidement à ce mode de vie. Presque trop rapidement au goût des médecins et infirmiers qui eurent trop rarement l'occasion de lui infliger les traitements « spéciaux » : surdose de magnalium, séjour en cachot capitonné, camisole de force, décharges de haute tension à la pile de Volta, projection d'images subliminales stimulantes, privation de calmants, dénonciation publique, nudité forcée... bref, toute la gamme de traitements ou de représailles que le docteur Meister et son équipe réservaient aux malades récalcitrants.

Mais Clorimont se remit à bégayer, à boiter. Ses tics se firent de plus en plus nombreux, son comportement devint de plus en plus bizarre, à la plus grande joie des médecins.

* * *

Clorimont serait resté là toute sa vie, si le docteur Meister n'avait fait paraître dans la revue médicale *Aliénation et Manies* un article fort controversé, dans lequel il affirmait que la folie venait toujours de l'intérieur et jamais de l'extérieur. Autrement dit, que l'aliéné naissait aliéné même si sa folie ne se manifestait pas immédiatement. Et la seule guérison possible devait nécessairement venir de l'intérieur — par un changement dans la manière d'être du malade — et non de l'extérieur, dans la manière d'agir. La preuve de ce qu'il avançait, il la trouvait évidemment dans le taux de guérison extrêmement faible de l'asile de Ville-Dieu, malgré un environnement extrêmement agréable dont de jolis dessins tracés au fusain par un artiste de ses amis témoignaient éloquemment.

Quelques mois plus tard, un autre aliéniste répondait au docteur Meister dans un article sarcastique où il accusait son confrère de grossière incompétence et où il établissait que certaines maladies mentales venaient de l'extérieur et d'autres de l'intérieur et que les traiter toutes de la même manière relevait plus du crime que de la médecine.

L'affaire en serait restée là, si, lors d'une réunion du conseil médical de l'asile de Ville-Dieu, un des plus jeunes médecins n'avait eu la mauvaise inspiration de faire une allusion, alors qu'il parlait tout simplement de la boue excessive de la cour, à « l'environnement extérieur » de l'institution.

Au mot « extérieur », le docteur Meister sortit de sa poche un revolver dont il tira trois coups sur celui qu'il prenait pour un accusateur et qui mourut sur-le-champ.

À son procès, le docteur Meister, non sans habileté, plaida la folie. Et de nombreux aliénistes appelés en expertise témoignèrent en ce sens, ses amis voulant lui éviter la pendaison et ses adversaires ravis de la vengeance suprême : le faire enfermer.

C'est ainsi que le docteur Meister en vint à occuper le lit voisin de celui de Clorimont.

Entre-temps, on avait mis à la tête de l'institution un jeune médecin qui croyait en la possibilité de guérir les malades et qui adoucit le régime. Il convainquit les médecins, infirmières et infirmiers qu'il fallait parler aux malades, les écouter, prendre soin d'eux. Et plusieurs lui obéirent.

Le nouveau directeur tint à voir de près chaque malade et se rendit compte que plusieurs d'entre eux n'étaient aucunement aliénés. Certains avaient été envoyés là par un frère qui refusait de partager un héritage ; ou par un mari qui, dans l'incapacité de divorcer, avait trouvé là un moyen simple et peu coûteux de se débarrasser d'une femme qu'il avait assez vue ; ou par une mère qui n'aimait pas son fils ; ou par un médecin qui, ne connaissant rien à la médecine, avait jugé un cousin trop bizarre à son goût.

Ainsi, l'asile de Ville-Dieu se vida lentement de ses patients. Le journal *Monitor* avait tenté de dénoncer cet état de choses, soutenant qu'on envoyait dans les rues de Ville-Dieu et dans les campagnes environnantes des gens dangereux. Mais les crimes et catastrophes prédits par le journal ne se produisirent pas. L'opinion publique, momentanément alertée, se calma donc.

Et Clorimont, après avoir passé plus de huit ans à l'asile, fut renvoyé chez lui.

Clorimont fut atterré lorsqu'on lui apprit la nouvelle. Convaincu de sa propre folie, il jura qu'il était encore malade. Mais on ne le crut pas.

Il dut donc quitter l'hôpital, qui était devenu sa vie et son seul point d'attache.

Sa rencontre avec le père de Marie-Clarina sur le bateau-passeur changea encore une fois sa vie.

Et les nombreuses années qu'il passa à Sainte-Robille lui permirent de trouver un certain équilibre entre sa santé mentale naturelle et son désir de se distinguer des autres. Comme on l'acceptait tel qu'il était, Clorimont fut enfin lui-même : un homme bizarre mais relativement heureux.

L'événement le plus marquant de son séjour à Sainte-Robille (qui s'appelait encore alors Sans-Hommes-Ni-Rivières) fut sa rencontre avec Grégoire.

Il avait accompagné Agénor à Sinéglou. C'était le jour mensuel de marché et Agénor voulait acheter une vache.

La place du marché de Sinéglou présentait un spectacle bruyant et haut en couleur. Coqs, poules, porcs, vaches, boeufs, chevaux, moutons y allaient de leurs chants, de leurs cris, de leurs meuglements, hennissements, bêlements. Des commères offraient aux curieux de goûter à leurs tartes, à leurs cretons, à leur sucre d'érable. Sur des étals interminables, des monceaux de légumes étaient offerts à prix très raisonnables à condition de marchander longuement. Dans un coin du marché, les marchands de fruits offraient des choses que peu de gens présents avaient goûtées : des oranges éclatantes de lumière, des raisins opulents, des kiwis humbles et négligés, des prunes vertes ou bleues ou jaunes.

Dans un autre coin du marché, des marchands de vêtements offraient des colifichets, des manteaux, des chemises, des robes que l'on assurait être à la dernière mode du Vieux Pays et qui faisaient bien rire les paysannes des environs.

Clorimont déambulait parmi tout cela, flairant, tâtant, regardant tout, émerveillé, ayant peine à résister aux invitations des marchands et des marchandes.

Et, tout à coup, Clorimont aperçut Grégoire.

Grégoire était loin d'être un beau cheval. Il n'avait ni l'élégance des rares chevaux arabes qu'on offrait au marché, ni la puissance évidente des solides chevaux de labours qu'enviaient la plupart des paysans sans pouvoir se permettre de les acheter, ni même l'équilibre des chevaux à la fois robustes et modestes qu'achetaient les paysans des Régions du Haut.

Au contraire, Grégoire était lourdaud sans paraître puissant. Il réussissait à sembler à la fois trop petit et trop grand. Sa robe noir cendré semblait être sale même si elle avait été étrillée cinq minutes plus tôt. Et aucun paysan ne l'aurait acheté, ni même accepté en cadeau.

Mais Clorimont ne prêta aucune attention à ces détails. Il regarda tout simplement l'oeil de Grégoire. Il fut subjugué, comme s'il avait vu l'oeil du diable ou celui de Dieu. Et Clorimont ne put laisser des yeux le regard du cheval, comme hypnotisé par ces yeux ronds, noirs, luisants.

Remarquant son intérêt, le maquignon s'approcha de Clorimont.

— C'est un beau cheval, hein ? fit-il en feignant le ton d'un connaisseur.

— Comment s'appelle-t-il ? demanda Clorimont.

— Comme tu voudras, si tu as quinze piastres pour l'acheter.

Clorimont tâta le fond de sa poche. Ses trois piastres en argent ne s'étaient pas multipliées. Il hocha la tête tristement.

C'est alors qu'Agénor s'amena, tirant derrière lui une belle vache brune et blanche.

— Regarde-moi ça, Clorimont, dit fièrement Agénor.

— Elle est belle, fit Clorimont sans quitter des yeux le regard de Grégoire.

— C'est un beau cheval, fit Agénor sans vraiment regarder le cheval.

— Il te reste de l'argent ? demanda Clorimont en tremblant.

— Six piastres, répondit Agénor. Pourquoi ?

Le maquignon avait entendu.

— Dix piastres et il est à vous.

— On en a rien que neuf, dit Clorimont au bord des larmes.

— Va pour neuf, fit le maquignon en serrant la main de Clorimont.

Agénor protesta, voulut marchander encore. Mais le maquignon ne voulut rien entendre : un cheval acheté est un cheval acheté.

Et Clorimont repartit en bombant le torse, tirant derrière lui le plus vilain cheval qu'on ait vu de mémoire d'homme à Sinéglou.

* * *

166

Sans doute Clorimont était-il attaché à Grégoire comme un chien à son maître.

Mais lorsque Grégoire mourut, Clorimont, à sa plus grande surprise, se trouva comme libéré.

XI

Après avoir enterré les Zanglais et le cheval, les autres rentrèrent à pied au village, Mérinos seul ramenant la soucoupe volante qu'il stationna au-dessus de la maison de Tramore.

Agénor annonça qu'il repartirait le lendemain matin avec son frère. Non qu'il n'eût pas apprécié l'hospitalité des Robillois. Au contraire, il s'y était senti chez lui. Mais sa pile neutronique baisserait d'ici peu... enfin, d'ici moins de deux cents ans. Et sans doute le destin qui venait de lui envoyer son frère voulait-il que son chemin changeât maintenant.

Marie-Clarina ne songea pas à tracer de parallèle entre l'indifférence avec laquelle elle accueillit cette nouvelle et l'absence de peine de Clorimont à la mort de Grégoire. Mais sans doute leurs sentiments étaient-ils un peu de même nature.

À la tombée de la nuit, Tire-Bouchon, que tous avaient oublié et qui était parti ce matin-là travailler à Sinéglou sans que personne fasse attention à lui, rentra à Sainte-Robille.

— J'espère, fit Tramore, que tu n'as rien dit à Sinéglou au sujet des Zanglais.

— Quels Zanglais ? demanda Tire-Bouchon, dont la mémoire était aussi limitée que l'intelligence.

Tous rirent de bon coeur.

*　*　*

Cette nuit-là, Désirée, fille de Tramore, ne parvenait pas à dormir. Dans quelques heures seulement, Agénor, avec qui elle avait tant joué, tant dansé, tant marché dans les bois, partirait. Elle ne le reverrait plus jamais. Et pourtant, elle sentait que ses rapports avec Agénor avaient commencé à changer, sans qu'elle pût dire comment.

Les nuages qui avaient passé pendant toute la soirée devant la lune s'écartèrent à ce moment et un rayon de lune frappa le visage d'Agénor qui dormait, à même le plancher, près de son frère et de Marie-Clarina.

Assise sur son lit, Désirée le regarda longuement. Puis, comme un éphémère attiré par une lampe à pétrole, elle se leva, s'approcha d'Agénor endormi, caressa son visage tout doucement, sans qu'elle pût dire si elle voulait ou non l'éveiller.

Après quelques minutes de cette douce caresse qu'il ne pouvait percevoir à travers sa combinaison, Agénor ouvrit les yeux. Ses percepteurs télépathiques avaient depuis longtemps senti une présence. Mais cette présence était amie et les percepteurs avaient maintenu le contact sans l'amplifier.

Lorsqu'elle aperçut les yeux d'Agénor briller dans la semi-obscurité, Désirée mit un doigt sur sa bouche et fit signe à Agénor de la suivre dehors.

Ils firent quelques pas sous la lune, Désirée marchant devant et Agénor suivant de près. Désirée s'arrêta tout à coup sans dire un mot. Agénor, qui jetait à ce moment un coup d'oeil à la lune entourée de nuages et qui se disait que jamais une nuit sur Blanantc n'avait été si belle que cette nuit, la heurta sans le vouloir. Leurs corps se touchèrent, semblèrent se toiser mutuellement et remarquer pour la première fois qu'ils étaient de la même taille, du même gabarit.

— J'aimerais te voir sans cette peau, murmura Désirée à l'oreille d'Agénor.

Agénor lui obéit.

Et, sous la lueur de la lune, son corps ne donna pas à Désirée l'impression d'être rouge et ridé. Au contraire, il lui sembla bleuté, lisse et mince. Désirée s'approcha de lui à nouveau et leurs corps se frôlèrent tandis que Désirée se déshabillait presque sans bouger.

Pour Agénor, ce corps de jeune fille apparut fort différent de celui de Marie-Clarina. Au lieu d'exprimer la force et la santé, il paraissait bleuté, lisse et mince comme le corps des Blanantais du sexe opposé.

Ils firent l'amour six fois cette nuit-là, sous la lune, dans l'herbe un peu sèche de septembre.

Agénor ne pouvait se souvenir avoir été si puissant. Peut-être, jadis... mais il y avait si longtemps. Sous lui, dans ses bras, autour de lui, le corps de Désirée semblait avoir été fait pour lui. Le vagin de Désirée caressait son pénis comme si les deux avaient été faits l'un pour l'autre. Les genoux de Désirée s'encastraient dans ses cavités surrénales, comme si celles-ci n'avaient été créées que pour recevoir les genoux d'une Terrienne de quatorze ans.

Dans le ciel, la lente course de la lune changeait les ombres de leurs corps. Et Désirée, passées les douleurs initiales, aurait voulu retenir contre elle et en elle ce corps frêle comme celui de ses frères, mais puissant comme celui d'un cheval.

La lune disparut derrière les grands arbres. Les étoiles se mirent à pâlir. L'Orient se mit à prendre des couleurs. Et les corps d'Agénor et de Désirée, à regret, commencèrent à se défaire l'un de l'autre, à se dénouer comme des lacets enchevêtrés, à glisser l'un hors de l'autre comme du sable hors d'une main.

Ils s'habillèrent et retournèrent se coucher dans la maison de Tramore.

Le lendemain, Agénor, ému, remonta avec son frère dans le vaisseau spatial après avoir fait ses adieux à tous. Désirée, comme elle le souhaitait secrètement, ne fit l'objet d'aucune faveur ou attention spéciale de la part d'Agénor.

Toutefois, quelques heures plus tard, elle disparaissait pour ne revenir à Sainte-Robille que le lendemain.

Aussi, lorsqu'il devint évident qu'elle était enceinte et devant son refus de dire qui était le père, on déduisit que cela lui était arrivé lors de cette absence.

Et quand naquit son bébé, un beau garçon, solide comme son grand-père, elle le baptisa de sa propre main « Agénor ». Tramore et Estrelle trouvèrent que c'était une bonne idée de choisir le nom de leur ami de Blanante et du père de Marie-Clarina. Ils ne soupçonnèrent rien d'autre, car ils n'avaient pas un naturel soupçonneux.

* * *

Par un beau matin de printemps, Désirée donnait le sein à son fils sur le pas de la maison de Tramore. Elle était ce jour-là seule au village avec les enfants et Éliane, la femme de Bottines Noires, qui dormait toujours jusqu'à midi.

Elle entendit le prospecteur bien avant de le voir. Cling-clang-kéclang-cling-clong, le bruit attira aussi l'attention du bébé qui ouvrit les yeux, tendit l'oreille, cessa de téter.

Kékécling-clong-clang. Le prospecteur apparut enfin à l'orée de la forêt, portant un immense sac à dos hérissé de pelles et de pioches, traînant autour de lui des casseroles, des assiettes de métal et d'autres ustensiles maintenus par des ficelles.

Désirée se demanda si cet homme à la barbe aussi hirsute que son chargement comptait effrayer les loups et autres bêtes sauvages en faisant tant de bruit.

L'homme s'approcha de Désirée. Il enleva son grand chapeau de feutre grisâtre et salua en se courbant vers l'avant, ce qui fit résonner de plus belle sa collection de ferraille.

— Anatole de la Tour Magnanime, prospecteur, dit-il d'un ton cérémonieux.

Désirée éclata d'un grand rire cristallin, qui fit rire Agénor aussi.

Vexé, le prospecteur chercha à mettre de l'avant ses qualités.

— Je cherche de l'or, fit-il du même ton cérémonieux. Et j'en trouverai.

Désirée se remit à rire de plus belle.

— De l'or ? Ma mère a une alliance en or. Mais elle n'est pas ici.

— Mais non, je cherche de l'or dans le sol, ou dans les rivières.

Désirée n'avait jamais entendu parler d'une si folle idée. Elle crut avoir affaire à un fou et s'efforça respectueusement de réprimer son rire, mais sans trop de succès.

— Vous voulez dire, mademoiselle, reprit Anatole de la Tour Magnanime, que personne n'est encore venu chercher de l'or ici ?

— Mais non, puisqu'il n'y a pas d'or ici.

— Pfeuh, fit le prospecteur sceptique.

Il jeta un coup d'oeil circulaire autour de lui. En effet, il n'y avait pas le moindre piquet de concession. Il avisa une pile de billes de bois le long de la maison de Tramore.

— Je peux prendre un piquet ? demanda-t-il à Désirée.

Celle-ci fit oui de la tête, alors que le bébé reprenait goulûment, entre ses lèvres, le mamelon nu de sa mère.

Le prospecteur prit une des billes les plus fines et mit sur le sol son lourd sac à dos. Il en détacha une hachette avec laquelle il entreprit de tailler une pointe à un des bouts du piquet. À l'autre bout, il tailla une surface plate qu'il se mit à graver avec la pointe de son couteau. Finalement, il planta le piquet en terre, de l'autre côté du sentier qui passait devant la maison de Tramore, de façon qu'il soit bien visible pour quiconque arriverait de ce côté.

— Et voilà, fit-il avec une évidente satisfaction.

Désirée se leva et, prenant garde de nuire au bébé qui tétait, se pencha pour lire ce que le prospecteur avait gravé sur le piquet.

« Réclamé par Anatole de la Tour Magnanime, ce... ». Désirée savait lire suffisamment bien pour quelqu'un d'élevé dans les bois. Mais elle connaissait mal les chiffres. Elle ne put donc lire la date inscrite après le nom du prospecteur. Elle en déduisit seulement que c'était la date du jour.

— Si jamais tu vois quelqu'un enlever ce piquet, ordonna le prospecteur, tu lui tires dessus.

Il fixa la hachette à son sac, mit le sac sur son dos, fit quelques pas bruyants.

— Attendez, fit Désirée. Vous n'avez pas soif ?

Le prospecteur se tourna vers elle, ne put empêcher ses yeux de descendre sur le sein de la jeune fille, ne put s'empêcher d'envier le bébé.

— Ouais, fit-il. J'ai appris à vivre sans eau. Mais je prendrais bien un verre de genièvre.

— Je n'en ai pas, mais je sais où en trouver, fit Désirée joyeusement.

Elle arracha son bébé à son sein, le glissa dans les bras du prospecteur et courut vers la maison de Bottines Noires et Éliane.

Le prospecteur regarda le bébé. Le bébé regarda le prospecteur et fit une moue dégoûtée.

— Je sais bien, je pue, fit le prospecteur. Mais j'ai le droit.

Le regard du bébé devint moqueur, tandis que Désirée reve-

nait avec une bouteille, entrait dans la maison de Tramore et res-
sortait avec un verre.

Elle emplit le verre jusqu'au bord, le tendit au prospecteur et
reprit son bébé.

Le prospecteur avala une longue lampée de genièvre, qu'il
sentit lui brûler l'intérieur de la gorge, puis de l'estomac et presque
aussitôt lui pénétrer les veines du corps, apportant une agréable
sensation de lassitude. Prenant soin de ne pas renverser son verre, il
enleva son sac d'un coup de hanche et s'assit dessus.

Il prit une autre gorgée de genièvre. L'alcool lui descendit
dans les jambes. Il eut envie de dormir et ferma les yeux.

Désirée en profita pour le dévisager sans retenue.

« Quel âge peut-il avoir ? » se demanda-t-elle.

Le visage était ridé, mais de rides larges et profondes qui ne
ressemblaient pas à celles d'un vieillard. Il était encadré de cheveux et d'une barbe dans lesquels de larges mèches blanches con-
trastaient avec d'autres mèches d'un noir jais.

Un nez mince et crochu, solidement planté au milieu du
visage, faisait aussi contraste avec le regard doux, mi-sérieux, mi-
moqueur.

L'homme avala encore une bonne gorgée, ouvrit les yeux, examina la jeune fille et le bébé qui le regardaient tous deux maintenant. Le corsage de Désirée était resté ouvert sur un beau sein
blanc comme il n'en avait pas vu depuis longtemps.

Il vida d'un trait ce qu'il restait de genièvre dans son verre.
Désirée le remplit aussitôt.

Il n'avait parlé à personne depuis près d'un mois. Mais il
sentait, sous l'effet de l'alcool, que sa langue se déliait. Il sentait
aussi, en regardant la jeune fille et le bébé devant lui, qu'il avait
deux auditeurs de choix.

— Oui, dit-il après avoir laissé ses auditeurs désirer son récit
pendant quelques instants encore, oui, je m'appelle Anatole de la
Tour Magnanime. Et je suis prospecteur. Mais je n'ai pas toujours
été prospecteur.

Charmée, Désirée écoutait la voix chaude mais un peu cassée
d'Anatole lui parler avec l'accent vieux-paysan qu'elle entendait
pour la première fois.

Plus critique, Agénor écoutait avec autant d'attention.

Histoire d'Anatole
de la Tour Magnanime

Les ancêtres d'Anatole s'étaient hissés aux rangs inférieurs de la petite noblesse vieux-paysanne, non pas, comme le laissait entendre le résumé généalogique de la famille, à l'occasion de la bataille de Chasse-Penouille, mais plutôt pendant que se livrait cette fameuse bataille.

En effet, au même moment, à l'autre bout du Vieux-Pays, Anthelme Cauchon accompagné d'un huissier en livrée noire s'emparait du vignoble d'un hobereau qui lui devait un peu d'argent. Le hobereau, pour éviter le sombre cachot qui attendait à l'époque les mauvais payeurs, accepta pour effacer complètement sa dette de céder son nom en même temps que ses titres de propriété.

Dans les siècles qui suivirent, les de la Tour Magnanime eurent la sagesse de changer de nom en fonction des vicissitudes de la politique vieux-paysanne.

En effet, pendant les quatre révolutions, ils adoptèrent le nom plus démocratique de Latour (à l'exception du filiforme Louis-Adhémar qui fut décapité lors de la deuxième révolution, après avoir prononcé la célèbre devise qui orne toujours les armoiries des de la Tour Magnanime : « Tête je perds, mais nom je porte haut »). Cela leur permit de survivre en attendant la restauration, qui ne manquait jamais de se produire après chaque révolution.

Toutefois, lors de la troisième révolution (la plus longue parce que la plus modérée), le chef de la souche tartonne, dont Anatole était issu, fut déporté avec femme et enfants en territoire soumis pour avoir par distraction oublié d'enlever son chapeau devant le grand consul.

Cela fit de la souche tartonne une des souches les plus prospères des de la Tour Magnanime.

En effet, les déportés en territoirc soumis s'octroyaient péremptoirement les meilleures terres à raisin des indigènes, sans que ceux-ci puissent dire quoi que ce soit.

La souche tartonne prospéra, faisant de grandes quantités d'enfants. Il fallut donc s'emparer de plus en plus de terre. Et la famille devint en trois générations seulement un véritable clan armé jusqu'aux dents, faisant régner sur une vaste région sa foi et sa loi.

Anatole naquit à l'ombre d'un olivier, lorsque sa mère, partie porter de l'eau à son mari qui travaillait aux champs, sentit tout à coup son fils plus pressé de sortir qu'elle ne s'y attendait.

Elle s'étendit donc et, avec l'aide de sa servante indigène, donna naissance à un beau poupon à la peau presque aussi sombre que celle des indigènes et au nez aussi crochu que celui du chef d'équipage, lui-même indigène.

Elle rendit l'âme quelques instants plus tard.

Anatole fut élevé par ses frères et soeurs et connut une enfance heureuse, à courir les campagnes avec ses camarades indigènes, traquant les lézards, organisant des combats de scorpions, débusquant lièvres et tétras pour les abattre parfois d'un coup de lance-pierres.

Cette belle enfance ne dura pas longtemps. À onze ans, on l'envoya en Vieux-Pays parfaire son éducation. Mais Anatole se révéla peu doué pour les connaissances, ou peu passionné par elles. Il passa six ans à rêvasser au fond d'une classe et échoua deux fois aux examens du certificat d'études métropolitaines.

Le père d'Anatole, qui aimait beaucoup son fils et ne l'avait pas vu depuis six ans, le rappela près de lui sans même le gronder. Il était, à tout prendre, ravi que son fils fût si peu doué pour les études. Il aurait ainsi un successeur au vignoble.

Mais il ne garda pas son fils près de lui longtemps. Une minorité d'indigènes s'était soulevée pour Dieu sait quelle histoire d'impôts ou de douanes. Et Anatole fut appelé sous les drapeaux.

On l'envoya en Vieux-Pays s'entraîner à marcher au pas, à faire le garde-à-vous, à saluer à droite et à gauche, à faire mille et une pitreries. Puis il revint en territoire soumis avec le grade de sous-lieutenant (promotion qui remplit son père de fierté, même si c'était une promotion obligatoire — seuls les indigènes pouvaient avoir un grade moins élevé dans l'armée vieux-paysanne).

Anatole ne participa à aucune des batailles de l'insurrection ; les de la Tour Magnanime semblaient avoir un talent bien particulier : celui de s'enrôler dans toutes les guerres, mais de ne participer à aucune des batailles. Seul un arrière-grand-oncle d'Anatole était mort en uniforme. Et encore, l'enquête avait démontré que l'ennemi le plus près était à plusieurs lieues de là et qu'une chute malencontreuse devait être la seule cause de ce décès, quoiqu'il valût tout de même à sa femme une solde complète de veuve de guerre.

Anatole retrouva sous l'uniforme l'ambiance insouciante de sa tendre enfance. Fusil au dos, il parcourait à cheval le pays sans jamais rencontrer âme qui vive, et sans les lièvres, tétras, lézards et autres animaux des plaines, il n'aurait jamais eu l'occasion d'acquérir un bon coup de fusil.

Le seul événement de son service militaire se produisit alors qu'il se promenait ainsi avec d'autres soldats. Tirant des coups de tromblon à gauche et à droite de la route dans l'espoir de débusquer quelque ennemi, mais de préférence quelque animal, il avait effrayé un lièvre qui s'était lancé à travers la route, devant le cheval d'Anatole. Il tira aussitôt un second coup sur le lièvre ; et on ne peut douter qu'il aurait fait un joli carton s'il n'avait pas négligé le fait que la tête du cheval se trouvait entre le tromblon et le lièvre au moment où il appuya sur la gâchette.

Le sous-lieutenant de la Tour Magnanime rentra donc à pied au cantonnement, où il ne put prétendre que sa monture avait été abattue par un ennemi, aucun n'ayant été signalé dans les environs depuis plusieurs semaines. Il avoua donc l'accident et fut déchu de son grade. On lui rasa le crâne et on le condamna à six mois de corvée de pommes de terre.

Le jour même où se termina cette corvée, la troisième révolution, ébranlée par les conséquences politiques de son impuissance à réprimer l'insurrection des territoires soumis, se saborda et vota la troisième restauration. Le nouveau monarque, malgré ses engagements, n'écrasa pas l'insurrection. Il décréta (certains dirent à contrecoeur) que le Vieux-Pays se retirait des territoires soumis.

Les de la Tour Magnanime durent donc vendre à vil prix tout ce qu'ils possédaient et rentrer en Vieux-Pays. Le père d'Anatole y racheta un vignoble, mais beaucoup plus petit.

Poussé par son père qui craignait que ce nouveau vignoble ne se révélât insuffisant à le faire vivre convenablement, Anatole se remit aux études. Ce furent de belles années, marquées de nombreux échecs à de nombreux examens, mais de plusieurs conquêtes galantes.

Puis, poussé par la nécessité et le désir d'être autonome, Anatole devint représentant de commerce, métier qui consistait à vendre des brosses à cheminée en allant frapper à toutes les portes. Une fois la porte ouverte, il suffisait de l'empêcher de se refermer en y plaçant un pied et d'agiter par l'ouverture ainsi créée une brosse à cheminée en s'écriant « Nouveau modèle pas cher ».

Malgré son esprit bohème Anatole était demeuré un de la Tour Magnanime, avec tout ce que cela supposait de noblesse d'esprit et de coeur, et il ne sut résister un jour aux charmes d'une jeune fille de bonne famille qu'il épousa.

Les deux familles désapprouvèrent cette union. Les parents d'Anatole accusèrent la jeune fille d'être de noblesse d'argent. Et les beaux-parents d'Anatole accusèrent la nouvelle famille de leur fille d'être de nouveaux riches. Pourtant, aucune des deux familles ne possédait la moindre fortune.

Devant cette opposition et trouvant son travail de plus en plus fatigant et peu rémunérateur, Anatole décida d'émigrer avec sa femme.

Il avait entendu parler des nouveaux pays, où on disait que les rues étaient pavées d'or. Anatole n'était pas naïf au point de le croire, mais il se dit qu'il n'avait pas grand-chose à perdre et que ce serait tout de même mieux que vendre des brosses à cheminée.

Malheureusement pour lui, le seul travail qu'il put trouver pendant sa première année à Ville-Dieu consista à vendre des brosses à cheminée. Et encore il en vendit peu, car beaucoup de gens se moquèrent de son accent vieux-paysan.

Toutefois, son accent attira l'attention de ses patrons, fabricants de brosses zanglais qui avaient un souverain mépris pour les natifs des Régions du Haut et une admiration sans borne pour les gens du Vieux-Pays.

Ils en déduisirent qu'Anatole devait être capable d'écrire correctement et le nommèrent rédacteur.

Anatole n'avait jamais rien écrit de sa vie, mais il apprécia la sécurité que lui offrait ce nouveau poste. D'autant plus qu'avec l'arrivée de l'hiver il préférait travailler dans un bureau à user une plume d'oie plutôt que dans la rue à user ses semelles.

Il connut beaucoup de succès dans ses nouvelles fonctions. Il faut dire qu'à cette époque la rédaction de messages pour représentants en brosses à cheminée était un métier tout nouveau, donc relativement peu exigeant.

Il consistait tout simplement à écrire différents « scénarios » que les représentants itinérants devaient apprendre par coeur, au lieu d'improviser au gré de leur fantaisie. Anatole apprit rapidement les principes essentiels de cette nouvelle profession : l'importance des phrases d'ouverture et de fermeture, la relance hebdomadaire, les mots-déclencheurs, et ainsi de suite.

Puis il passa, toujours dans les mêmes fonctions, au service d'un fabricant de papier collant tue-mouches, pour lequel il créa la fameuse phrase d'ouverture qui pendant des années devait retentir dans les rues de Ville-Dieu : « Qui s'y frotte s'y colle. »

Il gagnait enfin très honnêtement sa vie, avait des enfants, de nombreux amis, des employeurs qui le respectaient.

Mais cela ne le satisfaisait guère. Peut-être jugeait-il que vendre des collants tue-mouches n'était pas à la hauteur d'un de la Tour Magnanime.

Il annonça donc un jour à sa femme qu'il quittait son emploi et qu'il travaillerait dorénavant « à la lettre ».

Travailler à la lettre était une expression qu'on devait aux calligraphes indépendants qui, au lieu de recevoir un salaire, étaient payés selon le nombre de lettres qu'ils traçaient.

De la même façon, les rédacteurs indépendants de messages pour vendeurs itinérants se faisaient payer « à la lettre » par leurs clients, et on les appelait des « lettristes ».

Anatole devint donc lettriste et là encore réussit à gagner sa vie honorablement.

Toutefois, s'il était devenu lettriste, c'était avec la secrète ambition de devenir autre chose qu'un rédacteur de messages pour vendeurs itinérants.

En effet, Anatole, qui avait toujours aimé lire, rêvait de devenir écrivain.

Anatole se mit donc à écrire. Sous sa plume, il inventa des centaines de gens qui étaient presque toujours une partie de lui. Il leur faisait vivre des aventures folles. Il aimait chacun d'eux et pourtant il n'hésitait pas à les tuer d'un trait de plume si cela lui chantait. Il avait l'impression d'être Dieu. Et peut-être l'était-il à sa manière.

Malheureusement, son activité littéraire prit de plus en plus de son temps et Anatole consacra de moins en moins de temps à ses activités de lettriste, qui l'ennuyaient suprêmement.

Forcée de gagner sa vie, la femme d'Anatole devint infirmière à l'asile de Ville-Dieu.

Un beau jour, Anatole s'aperçut qu'il s'était très éloigné de sa femme et de ses enfants. Il prit son manuscrit, ses plumes d'oie et un peu de bagages, et déménagea dans un minuscule logement du quartier le plus mal famé de Ville-Dieu.

Travaillant à peine assez pour gagner sa vie de lettriste, Anatole se lança à fond dans son récit, qui prenait de plus en plus d'ampleur, de plus en plus de temps, de plus en plus de sueur et de peine.

Le jour de son quarantième anniversaire, Anatole termina la dernière ligne de la dernière page de son récit. Il l'envoya aussitôt à un éditeur.

Il refusa tout travail en attendant la réponse de l'éditeur du Vieux-Pays à qui il avait posté son récit. Dévoré d'impatience, il ouvrit enfin nerveusement le paquet qui lui revint trois mois plus tard, contenant son manuscrit et la note suivante :

« Cher monsieur de la Tour Magnanime,

Nous avons pris connaissance de votre récit et celui-ci nous a laissés bien perplexes. En effet, nous faisons de notre mieux pour manifester un peu d'indulgence lorsque les oeuvres d'un tout jeune écrivain ne semblent pas avoir donné des résultats très heureux.

Dans votre cas, toutefois, nous croyons que les autorités du pays dans lequel vous vivez maintenant devraient adopter une loi vous interdisant d'écrire.

Vous semblez croire que, sous prétexte que ce que vous écrivez n'est qu'écrit, vous avez le droit de traiter vos personnages avec la plus grande désinvolture.

Même le marquis de Boutade, que nous avons l'honneur de publier, se sentirait incapable de réserver un tel sort à ses créatures. Vous faites mourir toutes les vôtres, souvent cruellement, parfois en grand nombre, toujours sans raison.

De plus, vous ne respectez aucune unité : ni de temps, ni de lieu, ni de sujet. En fait, nos lecteurs ont tous été absolument incapables de dire quel est le sujet de votre livre.

Monsieur, nous ne pouvons vous interdire de raconter des histoires. Mais nous ne pouvons souffrir que l'on écrive des histoires qui n'ont aucun sens.

Cela, monsieur, même Dieu ne le fait pas. »

Et la lettre était signée du nom d'un éditeur réputé.

Anatole envoya son manuscrit à d'autres éditeurs, qui lui répondirent sur le même ton. Le plus blessant lui écrivit :

« Monsieur, vous devriez essayer d'écrire pour les représentants itinérants. Vous y gagneriez votre vie, sans ennuyer les gens longtemps. »

Anatole en était là, déterminé certains jours à persister malgré les critiques, et d'autres jours désabusé, désespéré, lorsque sa voisine (jolie fille avec laquelle il passait de temps à autre la nuit) lui apprit qu'on venait de trouver de l'or quelque part au nord de Ville-Dieu.

L'or n'avait jamais intéressé Anatole. Il n'en avait jamais eu et n'en avait jamais voulu.

Mais il gratta ses fonds de tiroirs, emprunta quelques écus avec lesquels il s'acheta une pioche, des ustensiles de fer-blanc et les autres articles indispensables au chercheur d'or.

Il examina longuement son manuscrit, ne sachant s'il devait le brûler ou l'emporter avec lui. Mais le manuscrit était trop lourd. Et Anatole ne pouvait se résoudre à le détruire. Il le laissa donc dans le fond d'une armoire, en se disant que peut-être un jour, dans cent ans ou dans mille, quelqu'un le retrouverait et l'aimerait.

Il partit à pied vers le nord. Il marcha pendant plus d'un mois, dans les broussailles, à travers les ruisseaux, sous la pluie ou sous un soleil de plomb.

Et un jour, en entrant dans une clairière, il aperçut une jeune fille, presque une enfant encore, qui donnait un joli sein blanc à un bébé.

Il ne raconta pas à Désirée sa véritable histoire, car il la trouvait trop banale. Il lui raconta plutôt qu'il avait été moine, puis écrivain célèbre, qu'il avait tué son père dans un duel sans savoir que c'était son père car il était fils naturel, qu'il était parti du Vieux-Pays pour sauvegarder l'honneur d'une dame mais qu'il ne pouvait en dire plus. Que maintenant, fuyant les salons et la notoriété, il était parti chercher de l'or, car seul l'or pouvait vraiment mener le monde. Et que, s'il trouvait de l'or, il en donnerait une pépite à son fils à elle, en souvenir de ce joli sein blanc, le plus beau qu'il lui ait jamais été donné de voir, et pourtant il en avait beaucoup vu, on pouvait l'en croire.

Désirée rougit sous le compliment. Elle avait beaucoup apprécié le récit que lui avait fait Anatole, probablement plus encore que s'il lui avait raconté sa véritable histoire. Elle vida dans le verre du prospecteur le fond de la bouteille de genièvre.

Le prospecteur but et se leva en titubant. Il dit au revoir en reprenant son sac sur l'épaule. Il attendit un instant, espérant que Désirée le retienne, l'invite à passer la nuit chez elle, le laisse sucer à son tour ce joli sein blanc. Mais Désirée ne dit qu'au revoir et le laissa s'éloigner.

Anatole sentit son coeur se serrer. Il haussa les épaules, sourit tristement et reprit sa marche vers l'or.

XIII

Dans les semaines qui suivirent, plusieurs autres prospecteurs chargés de même façon et tout aussi bruyants traversèrent tour à tour Sainte-Robille, à la plus grande joie de Désirée, qui se fit un plaisir de leur offrir genièvre, eau ou nourriture à la seule condition que chacun leur racontât, à elle et à Agénor, son histoire.

Certaines histoires étaient tout à fait banales, souvent de gens venus de l'Ancien Continent et déçus de la vie ou d'une femme, ou d'une carrière monotone.

D'autres étaient nettement plus fascinantes. Histoires de menaces et de mort, histoires d'amours et de plaisirs furtifs. Histoires folles d'écumeurs des mers. Histoires glorieuses d'anciens soldats se prétendant couverts de gloire sur les champs de bataille.

Désirée écoutait toutes ces histoires avec ravissement, berçant Agénor contre sa poitrine. Mais tous deux étaient convaincus qu'aucune histoire ne serait jamais aussi belle que l'histoire d'Anatole de la Tour Magnanime, qu'aucune voix ne serait aussi chantante que la sienne, qu'aucun accent de vérité n'égalerait celui qui luisait dans le coin des yeux noirs du Vieux-Paysan. Et Désirée regrettait de ne pas avoir été plus hospitalière avec lui.

Elle devait garder à portée de la main le pistolet de son père, car rares étaient les voyageurs qui ne s'avisaient pas, en voyant le piquet planté par Anatole de la Tour Magnanime, d'essayer de l'arracher ou d'en changer l'inscription.

Mais Désirée, en les mettant en joue et en affichant une mine décidée, avait tôt fait de les en dissuader.

Toutefois, tous ces récits, tous ces lieux inconnus, tous ces pays, toutes ces villes, tous ces châteaux et ces palais, tous ces hôtels, toutes ces maisons à plusieurs étages, toutes ces aventures merveilleuses ou tristement mesquines, tout cela avait donné à Désirée le goût d'aller voir plus loin que les confins de Sainte-Robille ou même de Sinéglou.

S'il ne s'était agi que d'elle-même, elle se serait sans doute résignée, se contentant de se fabriquer des chimères et des rêves.

Mais son fils, Agénor, ne devrait pas se limiter à des horizons si étroits. Elle sentait confusément, à la manière avec laquelle il regardait et écoutait les choses et les gens, qu'il devait avoir quelque chose d'exceptionnel. Chaque fois qu'elle y songeait, elle prenait dans sa main la menotte d'Agénor et la posait sur son nez à elle, dans l'espoir de lui découvrir ainsi des pouvoirs mystérieux. Mais c'était en vain.

Lorsqu'Agénor eut un an, Désirée prit la ferme résolution de quitter sa famille. Elle hésita de longues journées, se demandant s'il valait mieux gagner Ville-Dieu, où elle savait que son fils pourrait disposer de toutes les merveilles de la technique moderne, ou s'il était préférable de prendre un bateau vers l'Ancien Continent, peut-être vers ce Vieux-Pays au nom si doux, dont plusieurs prospecteurs lui avaient tant vanté les charmes, ou encore si l'idéal n'était pas de suivre les prospecteurs jusqu'à Voldar, jusqu'aux nouvelles mines d'or où elle pourrait faire fortune avant d'emmener son fils dans des contrées plus civilisées.

Elle opta enfin pour cette dernière possibilité, car il s'y rattachait dans ses souvenirs le visage doux et les yeux tristes et moqueurs d'Anatole de la Tour Magnanime.

Elle partit donc. Tramore, qui connaissait sa fille, n'osa pas s'opposer à son projet, se contentant de marmonner les admonestations que les pères prodiguent dans ces circonstances-là. Estrelle pleura beaucoup.

Seule Marie-Clarina encouragea vraiment la jeune fille dans son projet.

— Elle a raison, disait-elle à Tramore. Moi aussi, j'aurais dû partir courir le monde quand j'étais encore jeune.

— Et ton père, il avait tort de fuir les hommes et les rivières ?

183

— Mon père, il est mort. Mais s'il vivait, peut-être serait-il le premier à dire à Désirée de partir. Peut-être même partirait-il avec elle !

Tramore réfléchit. Oui, en effet, comment savoir ce que penserait Agénor s'il vivait encore ? C'est alors qu'il eut une idée.

— Pourquoi ne pars-tu pas avec elle ? Tu n'as plus de maison. Plus rien ne te retient ici. Si tu partais avec Désirée, je serais plus tranquille.

Marie-Clarina y pensa toute une nuit. Le lendemain, elle alla trouver Désirée et Agénor.

— Si vous voulez de moi, je pars avec vous, dit-elle.

Ravie, Désirée lui sauta au cou. Et Agénor sourit de son plus beau sourire.

* * *

Le jour prévu pour leur départ, Marie-Clarina et Désirée se levèrent très tôt pour mettre la dernière main à leurs bagages. Possédant peu de choses, elles apportaient peu de choses : quelques vêtements (les moins usés), un peu de nourriture, quelques piastres, un peu de vaisselle.

Elles avaient pour la dernière fois étalé tous ces biens sur la grande table chez Tramore, et Estrelle les aidait à trier, à plier, à ranger tout ça dans deux grands sacs à dos, lorsque quelqu'un frappa à la porte.

Jacob alla ouvrir.

Sur le pas de la porte se tenait un jeune homme aux yeux sombres et ardents, aux longs cils, au visage mince et imberbe. Il portait sur son dos la sempiternelle panoplie du prospecteur, pyramide branlante de casseroles et d'outils.

— Je m'appelle Dominique, fit-il doucement en regardant Marie-Clarina.

Leurs regards se croisèrent. Celui de Marie-Clarina essaya de soutenir celui du jeune homme, mais renonça devant son insistance.

— Entrez, dit-elle enfin pour cacher son trouble.

Le jeune homme laissa son sac près de la porte, entra, enleva son chapeau, s'assit à la table en réponse à l'invitation que

Marie-Clarina lui fit du geste. Il accepta un bout de pain, mais attendit longuement avant d'y mettre la dent. Et pourtant on sentait qu'il avait faim. Peut-être savourait-il sa faim comme d'autres savourent leurs désirs ?

Il commença enfin à manger, regardant les femmes aux mains agiles continuer à remplir les sacs.

— Je vais à Voldar, dit-il.

— Nous aussi, dit Désirée. Nous pourrions voyager ensemble ?

— Pourquoi pas ? fit le jeune homme en regardant encore Marie-Clarina avec insistance.

Une heure plus tard, les quatre voyageurs étaient prêts. Tramore embrassa sa fille puis Marie-Clarina. Estrelle, en pleurant, fit de même. Agénor, gravement, serra la main de tous.

Ils se mirent en marche, et presque tous les habitants de Sainte-Robille les accompagnèrent pendant une lieue environ.

Le sentier qu'il fallait suivre pour se rendre à Voldar avait été emprunté par tellement de prospecteurs depuis un an qu'il était extrêmement agréable et facile d'y marcher — plus encore que dans le sentier de Sinéglou.

Finalement, il fut près de midi lorsque les quatre voyageurs se séparèrent des autres au milieu d'une clairière. On versa encore quelques larmes. On s'embrassa encore. On se serra à nouveau la main. On se dit au revoir.

Dominique réorganisa son barda de façon à pouvoir y asseoir Agénor sans danger, et le petit groupe continua à marcher d'un bon pas dans le frais après-midi de printemps.

Dominique s'avéra un compagnon de voyage extrêmement agréable. En général peu bavard, il savait pourtant deviner le moment où le silence commençait à devenir lourd pour ses compagnes. Et il se lançait alors dans une histoire drôle, dont il cherchait désespérément à tirer une leçon sérieuse.

— Je connais, disait-il par exemple, une belle histoire d'amitié.

— Oui ? demandait Désirée dont la curiosité était presque sans limite.

— Il y avait une fois deux hommes, dans les Régions du Sud, qui travaillaient à la construction d'un chemin de fer. Il y avait avec eux beaucoup d'autres ouvriers. Mais seul Jacques comptait

185

pour Jean, et seul Jean comptait pour Jacques.

— Jacques et Jean, ce n'est pas des noms du Sud, protesta Marie-Clarina pour la forme.

— Peut-être, mais ça facilite mon récit, rétorquait Dominique. Donc, Jacques et Jean étaient amis, inséparables. Ils travaillaient depuis plusieurs jours à plus de dix lieues de la ville la plus proche. Jacques s'était approché de la pile de traverses de chemin de fer, pour y pisser un coup. Il disait que l'odeur de ces traverses neutralisait celle de l'urine. Tout à coup, alors justement qu'il était en train de pisser, il ressentit à la pointe de son pénis une douleur insoutenable. Baissant les yeux, il vit un crotale disparaître entre les traverses. Hurlant de douleur, il attira l'attention de Jean et des autres ouvriers.

— Qu'est-ce que c'est un crotale ? demanda Désirée.

— Tu ne sais jamais rien, dit Marie-Clarina qui ne le savait pas non plus.

— Un crotale, fit Dominique d'un ton savant, c'est un serpent dont la piqûre peut être mortelle si elle n'est pas traitée avant quelques heures. Donc, tous les ouvriers se rassemblèrent autour de Jacques et hochèrent la tête avec résignation. Aucun d'eux ne savait comment soigner les piqûres de crotale. Mais chacun d'eux savait qu'on en mourait. Seul Jean décida qu'il pouvait peut-être quelque chose pour son ami. « Je cours à la ville la plus proche, dit-il à Jacques. Ne meurs pas tant que je ne serai pas revenu. C'est tout ce que je te demande. » Jacques promit. Et, à force de volonté, il réussit en effet à ralentir la progression du poison dans ses veines. « Fais vite », avait-il demandé à Jean. Et celui-ci avait fait vite. Il avait couru au centre de la voie du chemin de fer, faisant un effort à chaque pas pour l'allonger de façon à courir plus vite en touchant du pied une traverse sur trois. Chaque fois qu'il avait eu envie de ralentir, il avait revu en pensée le pauvre sexe de son ami, enflé, avec une blessure bleue sanguinolente. Et, chaque fois, il avait encore plus hâté le pas. Il lui avait fallu trois heures pour rejoindre la ville la plus proche. Il avait demandé où était le médecin. Mais celui-ci avait décidé de prendre congé ce jour-là. Jean avait enfoncé sa porte d'un coup d'épaule, l'avait tiré de son lit, l'avait forcé à lui dire ce qu'il fallait faire contre une piqûre de crotale. Le médecin l'avait regardé par-dessus ses lunettes de corne.

« Pour une piqûre de crotale, tout ce qu'on peut faire, c'est tailler une petite incision dans la plaie avec un couteau et sucer longuement de façon à avaler tout le sang contaminé. » Jean ressortit en coup de vent, traversa la ville en sens inverse, se remit à courir sur le chemin de fer, s'efforçant de sauter de traverse en traverse en faisant les plus grands pas possibles, cherchant à oublier la douleur qui se faisait de plus en plus intense dans ses jambes, dans son ventre, dans ses poumons. Il devait absolument arriver avant que son ami ne meure. Et, malgré la fatigue et l'essoufflement, malgré la nuit qui tombait et le faisait trébucher sur les traverses de bois, il arriva enfin à Jacques avant que celui-ci n'ait rendu son dernier souffle. « Alors, demanda Jacques, as-tu vu un médecin ? » « Oui », répondit Jean. « Et qu'est-ce qu'il a dit ? » « Il a dit que tu allais mourir. » Et Jacques mourut quelques minutes plus tard, dans les bras de son ami.

— Ce n'est pas une histoire d'amitié, protesta Désirée.

— Mais si, c'est une histoire d'amitié, insista Dominique. La plus belle histoire d'amitié que je connaisse.

— Pourquoi n'a-t-il pas fait ce que disait le médecin et ainsi sauvé son ami ?

— Il y avait une foule de raisons et elles n'ont aucune importance. Peut-être n'en avait-il pas envie. Ou bien, peut-être avait-il honte de le faire devant les autres travailleurs du chemin de fer, qui lui auraient prêté des intentions qu'il n'avait pas. Mais il importe peu de savoir pourquoi il n'a pas sauvé son ami. Il n'y a d'ailleurs rien d'amical dans le fait de sauver une vie. Chaque jour, des gens sauvent la vie à de parfaits étrangers — même à des gens qu'ils détestent.

— Il aurait quand même pu sauver la vie de Jacques, s'obstina Désirée.

— Il a fait beaucoup plus que ça, une chose que peu d'amis feraient pour un ami. Imaginez Jean à sa sortie du cabinet du médecin. Il sait que son ami va mourir. En général, les gens n'aiment pas voir leurs amis mourir. D'autant plus que Jean avait demandé à son ami de ne pas mourir avant son retour. Il avait donc une excellente excuse pour prendre son temps et ainsi prolonger la vie de son ami. Mais il savait que son ami souffrait pendant ce temps. Donc, il fit de son mieux pour revenir auprès de lui au plus tôt. Ce qui eut pour effet de lui faire partager les derniers moments si pénibles de son ami, alors qu'il aurait pu se hâter moins, arriver trop tard et manquer cette scène désagréable sans avoir à se reprocher quoi que ce soit. Mais le plus grand exemple d'amitié de cette histoire, c'est le fait que Jean, dès qu'il fut de retour auprès de son ami, aurait pu lui masquer la vérité, lui dire n'importe quoi. Mais non, aussitôt, il lui dit la vérité.

— Non, il a menti, argua Marie-Clarina. Le médecin n'avait pas du tout dit que Jacques mourrait.

— Au contraire, le médecin avait été extrêmement clair à ce sujet. En disant à Jean que le seul remède consistait à sucer la plaie, il déclarait par le fait même que Jacques mourrait.

— Il aurait pu citer le médecin mot à mot et montrer à Jacques que c'était à cause de lui, Jean, qu'il mourait, suggéra Désirée.

— Mais non, cela aurait été détourner complètement la question. La vérité, à ce moment précis, ce n'était pas que Jean aurait pu sauver son camarade. C'était plutôt que Jacques allait mourir. Tout autre fait était simple distraction de la vérité centrale. Et je trouve admirable que Jean ait su garder une telle sincérité dans un moment aussi chargé d'émotion.

Peu convaincues, Marie-Clarina et Désirée se turent. Elles savaient déjà que Dominique était incapable d'avoir tort. Et peut-être avait-il raison, après tout.

Après une des histoires de Dominique, on marchait en général une bonne heure avant de rompre le silence. Puis, Dominique semblait sentir que le silence n'attendait plus que d'être rompu. Et il se mettait à raconter une histoire d'amour filial (celle du neveu de la maréchale qui avait tant aimé sa mère qu'il l'avait laissée épouser son oncle sans rien dire à sa tante). Ou une histoire de bonheur éternel (celle du fermier qui achetait constamment des terres pour pouvoir continuer d'abattre un arbre par jour, sans jamais songer qu'il aurait pu en planter, car il n'avait pas compris que l'éternité était la suite la plus longue possible des moments les plus longs possibles). Ou une histoire de dévouement (celle du sabre coupé en deux qui continuait à protéger son possesseur bien que celui-ci l'eût brisé de rage).

Pendant les trois semaines que dura le voyage vers Voldar, Dominique fut une source intarissable d'histoires bizarres, parfois claires mais souvent obscures, et donnant constamment à réfléchir aux deux femmes sans qu'elles parviennent jamais à en tirer une conclusion.

Le soir, lorsqu'on bivouaquait autour du feu, Dominique faisait semblant de s'endormir tôt. Il aurait préféré coucher avec Désirée ou Marie-Clarina. Mais il était torturé par l'esprit d'indécision. Non seulement il n'arrivait pas à décider pour de bon avec laquelle des deux femmes il ferait mieux de coucher — il avait une certaine préférence pour Marie-Clarina, par contre Désirée lui paraissait plus disponible — mais aussi il n'arrivait pas à trouver la formule qui lui semblerait la plus appropriée pour aborder le sujet. Il hésitait entre des extrêmes du genre « Marie-Clarina, tu veux que je te fourre ? » et « Désirée, tu portes bien ton nom et la personne pour laquelle tu le portes le mieux, c'est celle qui te parle en ce moment ».

On aura compris que Dominique était encore plus timide que volubile. Il avait été séminariste et avait quitté toute ambition de devenir prêtre lorsqu'il s'était mis à songer qu'il lui faudrait demander à des femmes de lui raconter leurs péchés.

Mais jamais il n'aurait avoué aux deux jeunes femmes qu'il avait déjà été séminariste. Il était convaincu qu'elles auraient ri de lui. Pourtant, il n'en aurait rien été.

* * *

Après trois semaines de marche relativement agréable car les moustiques étaient encore peu nombreux, Dominique, Marie-Clarina, Désirée et Agénor arrivèrent à Voldar.

Ils étaient exténués et affamés, ayant épuisé presque toutes leurs provisions, des baies et quelques poissons ayant mal compensé la dépense d'énergie que représentait la marche en forêt.

Mais ils oublièrent leur faim et leur fatigue en apercevant Voldar pour la première fois.

Tout ce que Dominique savait — et qu'il avait raconté aux deux femmes — c'est qu'on trouvait de l'or à Voldar, et que la ville devait son nom au fait que le premier prospecteur qui y avait trouvé de l'or avait, à prix fort, fait venir des tableaux de grands maîtres zitaliens et les avait suspendus aux parois de sa tente. Une nuit, pendant son sommeil, des voleurs audacieux avaient percé la toile à coups de couteau et s'étaient emparés des tableaux.

Le spectacle qui s'offrit aux yeux des nouveaux arrivants était désolant. Des tentes étaient plantées çà et là, dans le désordre le plus total. Mais cela n'était rien, à côté des deux ou trois douzaines de bâtisses en bois, elles aussi placées sans aucun ordre, les habitants de Voldar n'étant pas arrivés à s'entendre sur le tracé des rues. Le premier avait voulu que le tracé de la rue principale soit ouest-est. Son voisin, possesseur d'une boussole, avait rectifié le parcours. Un troisième, prétendant qu'une rue ouest-est avait le désavantage d'envoyer dans les yeux des promeneurs le soleil levant et le soleil couchant, construisit sa maison sur un axe nord-ouest-sud-est. Un quatrième, appelé comme arbitre de la querelle, crut plaire à tous en optant pour un axe nord-nord-ouest-sud-sud-est, mais ne contribua qu'à accroître la confusion. Finalement, après un conflit qui causa deux morts, on s'accorda à dire que c'était là le moins important des problèmes. Et on laissa chacun construire où il le voulait, comme il le voulait.

Dominique, suivi de ses compagnons de voyage, circulait dans ces enchevêtrements inextricables de rues qui ne faisaient que cinquante pieds de longueur, d'avenues qui ne faisaient que relier deux maisons construites presque face à face, et même de boulevards qui se contentaient de tourner interminablement en rond autour d'une seule et unique maison.

Désirée scrutait des yeux le visage des prospecteurs, cherchant Anatole de la Tour Magnanime. Elle reconnut plusieurs hommes qui lui avaient raconté leur histoire, mais qui ne semblaient pas se souvenir d'elle, emportés qu'ils étaient maintenant par la fièvre de l'or.

Cette fièvre de l'or n'était pas évidente, car on voyait peu de richesses et jamais le scintillement de l'or. Mais il y avait, dans les yeux des hommes et des quelques femmes qui se trouvaient là, une impression de désintéressement à l'égard de tout ce qu'ils voyaient. Par exemple, quand quelqu'un regardait en direction de Désirée, celle-ci avait l'impression qu'il regardait plus loin, comme à travers elle, comme s'il continuait à chercher des yeux, au-delà

190

d'elle, le scintillement d'une pépite d'or qui aurait miraculeuse-ment échappé aux regards des autres.

Après avoir marché quelques minutes dans cette ville impro-visée, on était pris d'un autre sentiment de malaise. En effet, la ville était beaucoup moins peuplée qu'on eût pu s'y attendre. Déjà, la ruée vers l'or s'était pratiquement terminée. À plus de cinq lieues à la ronde, la forêt était hérissée de piquets de concessions. L'or de surface, aux belles pépites lavées par la pluie, avait été ramassé depuis longtemps.

Seuls étaient restés à Voldar les gens qui, n'ayant pas encore fait fortune mais n'y ayant pas encore renoncé, s'étaient résolus à travailler dans la mine pour un salaire de famine ou à sasser le sable du fond des rivières à la recherche de la poussière d'or dont une livre avait une valeur considérable, proportionnelle au temps nécessaire à l'accumuler.

Plus de la moitié des tentes, donc, avaient été abandonnées. Leurs pans volaient au vent. Marie-Clarina remarqua qu'une mouffette s'était installée dans une d'elles et tournait le dos à tout intrus, prête à l'asperger de son liquide nauséabond.

Dominique avisa un vieil homme ridé qui, assis sur une bûche, fumait sa pipe devant sa tente. Le vieux prospecteur lui expliqua qu'il n'avait qu'à choisir la tente qui lui plaisait, à condition qu'elle ne soit pas déjà habitée.

Ils visitèrent donc plusieurs tentes. Certaines étaient percées et on voyait des coins de ciel bleu à travers le toit. D'autres étaient trop petites. Une était même occupée par une énorme pierre, qui avait peut-être servi de table ou de dossier à son propriétaire.

Marie-Clarina entra enfin dans une tente qui semblait parfai-tement convenable. Elle était vaste, faisant plus de douze pieds sur neuf. Dans un coin, un vieux poêle de tôle, transporté là par on ne sait quel moyen, avec on ne sait quelle patience et quelle obstina-tion, pourrait apporter quelque chaleur par les froides journées de l'automne. Le sol était légèrement incliné, mais cela permettrait sans doute l'écoulement de l'eau de pluie. Au toit, quelques trous seraient faciles à repriser. Il y avait même deux grands lits formés de piquets plantés dans le sol, joints par des branches de bois vert et garnis de corde grossièrement tressée. Ces lits étaient en assez mauvais état, mais il serait facile de les réparer.

Marie-Clarina appela les autres, qui convinrent que la tente présentait tous les avantages essentiels.

— Je construirai un lit pour Agénor et un pour moi, promit Dominique.

— Bah, on se débrouillera bien, fit Marie-Clarina que la pudeur du jeune homme commençait à agacer.

On s'installa donc. Marie-Clarina répara le toit de la tente et Dominique fixa solidement le bas des parois latérales avec de petits piquets et de grosses pierres. Il creusa un fossé tout autour de la tente, pour les eaux de pluie.

Se sentant peu utile, Désirée continua avec Agénor sa reconnaissance de Voldar.

Comme la nuit commençait à tomber, quelques hommes exténués rentraient de la mine, pioche et pelle sur l'épaule. Désirée les regarda défiler silencieusement, tête basse, la fatigue se lisant sur chaque visage.

Soudain, Désirée tressaillit. Oui, c'était lui : Anatole, un peu plus courbé que les autres, marchant un peu plus mécaniquement que les autres, les cheveux encore plus garnis de gris qu'au printemps de l'année précédente.

— Anatole ! cria-t-elle joyeusement.

Anatole leva les yeux vers elle, intrigué, ne reconnaissant pas cette voix et, pendant quelques instants, ne reconnaissant pas le visage de Désirée. Mais il reconnut Agénor, malgré qu'il ait vieilli d'un an. Et une image toute fraîche encore surgit à son esprit : celle d'un joli sein blanc, plus appétissant qu'un festin de roi.

— C'est moi, Désirée !

Elle se tenait devant lui en souriant, les bras ballants, ne sachant trop que faire, même si elle avait longuement songé à ce moment, rêvant de lui sauter au cou, ou encore de le découvrir au fond d'une crevasse, inconscient, et de le réveiller à force de baiser son front ensanglanté.

Mais la scène ne s'était pas produite comme elle en rêvait. Elle se retrouvait là, devant un homme brisé de fatigue, qui semblait la reconnaître à peine.

— C'est moi, Désirée, répéta-t-elle.

— Oui, bien sûr, ma belle Désirée, dit Anatole de son plus beau sourire triste.

Désirée prit son bras.

— Viens avec nous. Nous avons une tente. Nous sommes bien installés.

Anatole accepta et passa prendre ses affaires dans la tente qu'il partageait avec un autre mineur, et où régnait une odeur de pieds boueux que Désirée n'aurait pu supporter plus d'une minute.

Dominique avait préparé un feu. Et c'est à sa lueur que Désirée présenta Anatole à ses amis. On fit cercle autour du feu et Anatole raconta ce qu'était devenue Voldar, ville de mille rêves devenue ville de mille déceptions.

Il leur raconta les premiers jours, pendant lesquels on s'entretuait pour un rien. On arrachait les piquets de concession des autres, mais on se faisait arracher les siens aussitôt. Lui, Anatole, avait accumulé un grand sac de toile plein de belles pépites d'or — il devait y en avoir pour une fortune. Il osait à peine dormir la nuit, étendu sur son sac d'or. Mais il s'était éveillé un matin sur un sac vide. Des voleurs avaient coupé le sac de chaque côté et, patiemment, sans éveiller Anatole, l'avaient vidé de son contenu, pépite par pépite.

Anatole s'était remis à chercher de l'or, mais il était de plus en plus difficile d'en trouver. Et de plus en plus de prospecteurs avaient quitté Voldar, certains désabusés, résignés à regagner Ville-Dieu ou l'Ancien Continent ; d'autres, plus décidés que jamais, convaincus qu'il devait y avoir encore plus d'or, encore plus au nord.

Seuls quelques-uns avaient persisté à Voldar. La plupart en commençant par ratisser le fond de la rivière. Puis, de plus en plus affamés, ils s'étaient présentés les uns après les autres à la mine d'Isidore Généreux.

Isidore Généreux portait mal son nom. Dur, mesquin, ne prêtant jamais un centin sans être sûr qu'on lui rendrait une piastre, il s'était graduellement emparé de la plupart des concessions, les plus riches surtout. Entouré d'hommes de main impitoyables et brutaux, il s'était rendu propriétaire du Mont-Réal, dont les riches filons lui rapportaient une fortune. Il aurait pu aisément partager sa fortune avec les mineurs. Mais il avait plutôt décidé de les mener à coups de trique, embauchant et congédiant selon des critères connus de lui seul, réduisant le salaire des mineurs dès qu'il sentait qu'il y avait surplus de main-d'oeuvre, déduisant de leur paye des frais toujours croissants pour leur nourriture, leurs vêtements, même pour la location de l'emplacement de leur tente.

Au fur et à mesure qu'Anatole parlait d'Isidore Généreux, Désirée sentait naître et croître en elle une haine irrésistible.

— Mais j'y pense ! s'exclama soudain Anatole en se donnant un grand coup de poing sur le front.

Il plongea la main dans la poche de son pantalon, en ressortit une pépite d'or salie et peu attrayante, qu'il tendit à Agénor.

— Tiens, je t'avais promis une pépite d'or. Et je tiens toujours mes promesses.

— C'est ça, de l'or ? fit Désirée avec dépit.

En effet, la pépite, ayant passé des mois au fond de la poche crasseuse d'Anatole, n'avait pas très bonne mine. Mais Agénor l'accepta de bonne grâce et se mit à la frotter sur son chandail pour la faire briller.

Anatole n'osa pas dire qu'il s'agissait de la seule pépite qu'il lui restait, en somme de toute sa fortune. Il aurait aimé qu'on le lui demande. Mais il ne trouvait pas le moyen d'aborder le sujet avec un minimum de décence.

Il regarda donc le petit frotter la pépite qui retrouvait peu à peu la blonde couleur de l'or. Il haussa les épaules.

— Il est tard, fit Anatole d'un ton las. Il faut que je dorme, car je dois me lever à l'aube.

Il entra dans la tente. Les autres le suivirent, et Marie-Clarina alluma un bout de chandelle. Anatole regarda autour de lui.

— C'est parfait, dit-il. Je coucherai avec Désirée, et Dominique avec Marie-Clarina.

La lueur de la bougie était trop faible ou trop orangée pour qu'on pût voir Dominique rougir.

On fit un grand tas de vêtements sur le sol pour qu'Agénor dorme confortablement. Et on se mit au lit sans plus de retard.

Dominique oublia vite le moment d'envie qu'il avait eu à l'égard d'Anatole, capable de résoudre si aisément un problème que sa propre timidité avait rendu insoluble pendant les trois semaines du voyage. Dominique et Marie-Clarina firent donc l'amour sans d'autres complications. Dominique était nerveux, car

c'était la première fois. Il avait tendance, au début, à vouloir maîtriser ses instincts et cherchait à faire l'amour avec sa raison plus
qu'avec ses sens, se demandant constamment s'il était à la hauteur. Mais le corps de Marie-Clarina était si chaud et si invitant, et
si sensible au moindre geste, et si brûlant et si tendre que Dominique finit par oublier qu'il était puceau, qu'il avait été séminariste,
qu'il ne savait ni jouir ni faire jouir. Son corps prit les commandes
de son cerveau et tout se passa pour le mieux.

Dans l'autre lit, Anatole était béat d'admiration à l'égard du
corps qu'il tenait dans ses bras. Jamais il n'avait senti un corps si
ferme, si jeune, si insolemment beau même s'il ne pouvait vraiment
le voir dans l'obscurité. Longuement, il caressa de la langue et du
bout des dents le petit sein magnifique qu'il avait souvent vu dans
ses rêves. Puis, il caressa de la langue et du bout des dents l'autre
sein, tout aussi superbe que le premier. « Si j'étais peintre, pensait-il, je ferais des milliers de grands tableaux de ce corps et je les
vendrais pour que tous les hommes de la Terre sachent ce qu'ils
manquent et ce que j'ai. Et je ferais fortune par la même
occasion. »

Pour Désirée, l'expérience était saisissante, car jamais elle
n'avait été pénétrée par un sexe si gros. Et il faut reconnaître
qu'Anatole était un amant bien supérieur à ce qu'elle avait connu
en Agénor, le père de son fils. En effet, les Blanantais, et en particulier les Quantasques, n'ont jamais porté beaucoup d'attention
aux choses sexuelles — celles-ci ayant été pendant certains siècles
carrément interdites, alors qu'on les remettait parfois en vigueur
sous des prétextes d'hygiène mentale, mais sans jamais reconnaître qu'elles puissent être une source de plaisir justifiable en elle-
même. Passé le premier choc causé par l'importance relative du
sexe d'Anatole, Désirée trouva l'expérience fort agréable.

De son côté, Marie-Clarina retrouvait les élans qu'elle avait
connus jadis avec son bûcheron de Sinéglou. Elle jouissait sans
même y penser, sans effort, sans retenue.

Tout cela fit qu'à l'aube, lorsque le soleil commença à
percer à travers les trous de la tente, tout le monde se leva de fort
bonne humeur mais très fatigué.

Anatole déjeuna d'un grand bol de gruau, seules provisions

qui restaient, et se hâta de partir pour la mine, d'où les retardataires étaient impitoyablement congédiés.

* * *

Dans les semaines qui suivirent, Dominique et Anatole devinrent de grands amis. Leurs différences d'âge, d'origine, de caractère ne créèrent aucune barrière entre eux. Au contraire, ces divergences semblaient donner à chacun plus d'intérêt pour l'autre.

Chaque soir, une fois le souper rapidement avalé, Agénor et Dominique se lançaient dans d'interminables discussions, dont Marie-Clarina et Désirée apprirent vite à s'abstenir.

Dominique avait une formation qui favorisait l'expression d'idées abstraites, alors qu'Anatole parlait beaucoup plus aisément des expériences vécues, car il avait vécu beaucoup plus longtemps que son jeune ami.

Pourtant, leurs conversations portaient souvent plus au moins directement sur la mort. Anatole n'en avait évidemment aucune expérience directe, et Dominique n'arrivait d'aucune façon à expliquer pourquoi les gens mouraient. Ils en finissaient souvent par conclure que l'homme devrait être immortel, et qu'il y arriverait peut-être s'il s'en donnait la peine.

Les femmes leur avaient raconté l'histoire de l'autre Agénor, celui venu de Blanante, qui pouvait vivre des siècles à condition d'avoir une provision suffisante de piles neutroniques. Mais les hommes, sans oser contredire carrément les femmes, ne croyaient pas un mot de ce qu'elles disaient, attribuant ces histoires à des rêves ou des hallucinations.

Pendant ces soirées au coin du feu, à l'extérieur de la tente, tandis que les femmes faisaient le ménage, le petit Agénor grimpait sur les genoux d'Anatole et semblait écouter ces interminables conversations avec beaucoup d'attention. Mais, en réalité, il n'écoutait que la musique des mots — d'une part la voix douce et mélodieuse d'Anatole, d'autre part la voix nasillarde et monotone de Dominique. Et souvent Agénor s'endormait, les yeux ouverts, semblant continuer à tout écouter avec attention.

Dominique avait offert de descendre lui aussi à la mine. Mais Anatole s'y était opposé énergiquement, protestant que le maigre salaire qu'il y gagnait suffisait à nourrir cinq personnes et qu'il n'y avait à Voldar aucune chose qu'un second salaire aurait permis d'acheter. De plus, il fallait construire une maison avant l'hiver, et Dominique fut chargé d'aider les femmes dans ces travaux.

Mais Anatole cachait la véritable raison pour laquelle il s'opposait à ce que Dominique travaillât à la mine. Le filon d'or qu'on exploitait s'insinuait au plus profond de la montagne, au milieu de dépôts de charbon et d'une substance poussiéreuse et fibreuse qui avait déjà forcé plusieurs mineurs à quitter la mine en crachant un liquide sanguinolent et visqueux.

Dominique construisit la maison de rondins avec l'aide des deux femmes. Ou plutôt, ce furent elles qui eurent l'aide de Dominique, car elles savaient beaucoup mieux que lui comment s'y prendre pour construire une maison d'équerre, solide, suffisamment bien calfeutrée de mousse pour arrêter le vent d'hiver.

Anatole n'avait qu'une demi-journée de congé, le dimanche après-midi. Souvent, il passait cet après-midi couché, à dormir pour récupérer les heures de sommeil que lui avaient fait perdre ses longues discussions nocturnes avec Dominique et ses réveils avant l'aube.

Un dimanche après-midi, Dominique allait entrer dans la tente, lorsqu'il aperçut Anatole et Marie-Clarina ensemble dans un lit. Dominique laissa aussitôt retomber le pan de la tente qu'il avait soulevé. Mais Anatole eut le temps de voir sa main et de la reconnaître.

Dominique fut blessé profondément par l'incident. Il ne s'était jamais imaginé que Marie-Clarina lui appartenait en propriété exclusive. Mais il en avait eu le sentiment. De plus, lorsqu'il lui arrivait de voir Désirée nue dans la tente, il détournait les yeux par respect pour Anatole.

Le coeur serré, Dominique alla se promener dans la montagne.

Et il revint, à l'heure du souper, en s'efforçant de sourire. Mais il avait perdu l'appétit, et cela se vit.

Ce soir-là, près du feu, Anatole lui raconta l'histoire de deux amis ayant chacun une pomme miraculeuse qui redevenait entière après chaque bouchée. Chaque fois qu'on mordait dans une de ces pommes, on goûtait une chair délicieuse et au goût changeant, mais constamment savoureux. Aucun des deux n'avait vraiment besoin des deux pommes, car chacun en avait une qui avait aussi bon goût que l'autre.

Un jour un des amis goûta à la pomme de l'autre. Non pas pour la lui enlever. Mais pour lui faire sentir ainsi que l'autre pouvait disposer de sa pomme à lui et y mordre quand bon lui semblerait. L'autre ne comprit pas cela ainsi et se crut privé de quelque chose, même s'il ne perdait rien.

Anatole interrompit là son récit, même s'il avait pensé à plusieurs façons de le terminer. Mais aucune de ces fins ne le satisfaisait vraiment.

Dominique prit alors la parole. Et il expliqua qu'il était ridicule que quelqu'un pût reprocher à son ami de lui prendre quelque chose quand il ne lui enlevait rien. Et que, quand bien même il lui enlèverait quelque chose de précieux, un ami se devait de partager ce qu'il avait de plus précieux. Car partager des choses sans importance n'était pas à la hauteur de l'amitié.

Mais Dominique mentait. Il n'était pas heureux de partager Marie-Clarina avec Anatole. Et partager Désirée avec lui n'arriva pas à le consoler. Le moindre geste de tendresse d'Anatole envers Marie-Clarina lui faisait serrer le coeur.

Anatole le sentit. Et il se demanda s'il devait changer son comportement et se contenter de sa seule pomme. Mais Marie-Clarina était là, mûre, chaude, voluptueuse. Et Anatole se dit qu'il serait criminel de ne mordre qu'à une pomme quand on en a deux ; et que ce serait mépriser l'amitié que de la laisser affecter par ce genre d'égoïsme.

Sans se l'avouer, Anatole chercha toutefois à se cacher un peu chaque fois qu'il approchait Marie-Clarina. Et Dominique chercha à détourner les yeux chaque fois qu'il les voyait ensemble.

* * *

Lorsque le toit fut enfin posé sur la maison, on y déménagea à temps pour éviter les premières nuits froides de septembre. Comme il ne restait plus que des travaux simples d'aménagement intérieur, Dominique insista à nouveau pour descendre dans la mine. Mais Anatole s'y opposa plus fermement que jamais.

C'est quelques jours plus tard que Désirée remarqua qu'Ana-

tole se levait au beau milieu d'un repas et, le visage rouge et conges-
tionné, sortait sans dire un mot. Elle le suivit des yeux. Puis, après
quelques minutes, elle sortit elle aussi pour voir ce qu'il faisait.

Anatole s'était appuyé contre un gros chêne et, plié en deux, il
semblait cracher ou vomir. Désirée s'approcha, regarda par terre,
et vit de longs filets d'un liquide noir comme de l'encre, parsemé de
filets rouges.

— Oh non, pas toi, fit-elle à mi-voix.

Anatole se retourna vers elle, sourit de son sourire le plus
triste. Désirée lui sauta au cou, l'embrassa de toutes ses forces.

— Pas toi, pas toi, répétait-elle.

— Eh oui, moi, dit Anatole en souriant toujours et en haussant
les épaules.

* * *

Le lendemain, on força Anatole à garder le lit, et Dominique
le remplaça à la mine, malgré les protestations de Marie-Clarina.
Mais il fallait manger.

Anatole s'avéra incapable d'avaler autre chose que du bouillon
de castor et encore il le régurgitait presque toujours.

À la fin de la semaine, comme Anatole dépérissait à vue
d'oeil, Dominique résolut de se rendre à Palmolive, à une ving-
taine de lieues à l'ouest, où on lui disait qu'il y avait un médecin.

Il alla d'abord au chevet d'Anatole.

— Écoute, Anatole, je vais à Palmolive voir le médecin et
rapporter des médicaments. Marie-Clarina et Désirée prendront
soin de toi. J'en ai probablement pour une dizaine de jours. Il faut
que tu vives jusque-là.

— J'essaierai.

— Promets-le. Je n'ai pas envie de faire quarante lieues pour
rien.

— D'accord, c'est promis.

Dominique partit aussitôt en courant. Il avait dans le dos un
petit sac plein de boumikan et de viande fumée.

Le premier jour et en particulier la première heure lui furent
extrêmement pénibles. Ses jambes, peu habituées à courir, s'in-
ventaient constamment de nouvelles douleurs insupportables. Mais

Dominique s'efforçait de ne pas y prêter attention, car il croyait à juste titre que, s'il se laissait ennuyer par ses douleurs aux jambes, d'autres douleurs en profiteraient pour surgir aussitôt ailleurs.

Heureusement, Dominique était jeune, mince, robuste. Et il ne s'arrêta qu'à la nuit tombée. Il trouva une source, but des quantités incroyables d'eau, mangea un peu et s'endormit sous un arbre.

Le lendemain, il se leva dès les premières lueurs de l'aube. Il se remit à courir. Après quelques minutes, il eut l'impression qu'il ne serait plus capable de faire cent pas de plus. Mais il s'obstina, refusa d'obéir à ses jambes, et continua malgré la douleur.

Le troisième jour, il se mit à pleuvoir. Cela libéra Dominique de la chaleur insupportable de sa longue course. Mais l'eau s'infiltra rapidement partout. Et il lui fallut plusieurs fois s'arrêter parce qu'un de ses souliers s'était pris dans la boue.

Le quatrième jour, le beau temps revint et avec lui la chaleur. Une chaleur d'autant plus insupportable que, de tout l'avant-midi, il ne croisa pas un seul ruisseau, pas la moindre source. Même les flaques d'eau, si insupportablement nombreuses la veille, étaient disparues pendant la nuit.

Vers midi, pour la première fois, Dominique songea à renoncer. Il se dit qu'il avait vraiment tout fait pour son ami, et que tout ami pouvait se permettre d'abandonner dans ces circonstances.

Mais il reprit courage, rallongea sa foulée et continua. C'est alors qu'à un détour du sentier, il aperçut la pointe d'un clocher : il était rendu à Palmolive. Il poussa un cri de triomphe, fonça joyeusement jusqu'à l'entrée du village. Il n'eut aucun mal à trouver la maison du médecin. C'était une riche maison de brique rouge, en face de l'église.

Mais le médecin était sorti, lui apprit une vieille bonne peu accueillante. Il serait de retour dans une heure ou deux. Elle ne savait pas où il était.

Dominique s'assit donc sur les marches de l'escalier qui montait à la porte du médecin. Il s'endormit aussitôt après avoir bu le verre d'eau que la bonne avait, de mauvaise grâce, accepté de lui donner.

C'est un léger coup sur son pied gauche qui le réveilla. Il leva les yeux : devant lui se tenait un homme au visage rougeaud et jovial, une longue perche à la main, avec laquelle il était manifestement allé pêcher.

Dominique fut sur pied en un instant.

Il expliqua au docteur Bouchette que son ami était malade. Il décrivit les symptômes du mieux qu'il put.

Le médecin hocha la tête.

— Ton ami va mourir, dit-il. Il va mourir d'une maladie que j'ai déjà vue, chez d'autres mineurs. Mais je crois être le seul médecin à connaître cette maladie. Aucun livre de médecine n'en parle. Et elle n'a pas de nom. Pas de remède. Pas de traitement. C'est une maladie qui n'existe pas. Sauf que des gens en meurent.

Poli, le médecin souleva son chapeau et monta les marches de sa maison. Derrière lui, à une ficelle suspendue à un bâton pardessus son épaule, trois beaux dorés brillaient au soleil.

— Il n'y a vraiment rien à faire ? demanda Dominique, les larmes aux yeux.

— Vraiment rien, fit le médecin sans se retourner.

Dominique se remit aussitôt au pas de course. Mais il ne tarda pas à se rendre compte de sa grande lassitude. De plus, il avait déjà fait plus d'une lieue depuis le village lorsqu'il songea qu'il aurait dû acheter des provisions. Mais il était trop tard pour faire demi-tour. La seule perspective de faire un pas de trop le dégoûtait au plus haut point.

Il continua donc. À chaque pas, le martèlement sourd de son coeur se confondait avec le choc de son cerveau contre les parois de son crâne.

La nuit tomba. Et il eut l'impression que s'il s'arrêtait un instant seulement, il serait incapable de reprendre sa course, ou même de marcher.

Il continua donc. En titubant, en se heurtant parfois aux arbres. En arrachant par son seul mouvement ses vêtements dont les orties et les chardons essayaient de s'emparer.

Il devenait incapable de savoir quel jour c'était, car son cerveau avait pris un malin plaisir à songer à ce qu'il ferait le lendemain, à ce qu'il avait fait la veille, à mêler le temps et les lieux.

Mais Dominique continua et finit par sentir que ses jambes et ses bras qui balançaient contre son corps, alternativement, contribuaient au mouvement, que tous ses membres devenaient des machines comme celles qu'il avait vues, à Ville-Dieu, tisser de la toile plus rapidement que mille tisserands.

Confondant les jours et les nuits, portant maintenant une barbe de plusieurs jours, il arriva à Voldar, au moment où il s'y attendait le moins.

Il fila droit à la maison, reconnaissant au fur et à mesure qu'il s'en approchait chaque bille de bois qu'il avait transportée, chaque coup de hache qu'il avait donné.

Il ouvrit la porte et s'étala de tout son long sur le plancher de terre battue.

— Dominique ! s'exclama joyeusement Anatole.

Le ton était gai et clair. Un instant, Dominique se sentit furieux d'avoir tant couru pour son ami maintenant redevenu bien portant. Il leva la tête. Mais Anatole était au lit, plus maigre que jamais, les joues creuses, les yeux cernés, la peau mate et grise. Seul un vaste sourire ouvert sur ses dents blanches éclairait son visage.

— Tu as vu le médecin ? demanda Anatole en cherchant à masquer son anxiété.

— Oui.

— Et qu'est-ce qu'il a dit ?

Dominique hésita. Avoir fait tout ce chemin pour rien, pour dire à un mourant qu'il allait mourir ? Il songea à mentir, à inventer de toutes pièces un traitement qu'aurait pu lui recommander le médecin. Mais à quoi bon ?

— Il dit que tu vas mourir.

Désirée fondit en larmes.

— C'est pas vrai, c'est pas vrai, cria-t-elle.

Anatole, faiblement, lui fit signe d'approcher.

— Viens, Désirée. Ce n'est rien. Ce ne serait pas la première fois qu'un médecin se serait trompé.

Et il mit sa main sur la tête de Désirée qui venait de se poser sur sa cuisse. Il enfouit ses doigts dans l'épaisse chevelure rousse.

Soudain, Désirée se releva et se précipita, rageuse, sur Dominique.

— Tu mens, cria-t-elle. Tu mens, comme dans ton histoire de Jacques et Jean. Tu pourrais le sauver, mais tu ne veux pas.

— Mais non, je t'assure. Le médecin m'a dit qu'il n'y a rien à faire.

— Je vais le sucer, moi, si tu ne veux pas, s'écria Désirée.

— Moi aussi, seconda Marie-Clarina.

Et les deux femmes enlevèrent la couverture d'Anatole. Désirée souleva la chemise crasseuse et prit entre ses lèvres son pénis inerte.

Anatole sourit, stupéfait.

— Mais qu'est-ce que tu fais là ?

En temps normal, il n'aurait même pas posé de question. Mais il se sentait vraiment trop faible et se demandait à quel rite ou coutume pouvait bien correspondre le geste de Désirée.

C'est Marie-Clarina qui lui expliqua tout, en commençant par raconter l'histoire de Jean et de Jacques, qui fit bien rire Anatole.

— Ah... je comprends... vous pensez que Dominique m'a fait le même coup.

Il se mit à rire de plus belle.

— Allez, suce plus fort, fit Marie-Clarina à Désirée.

— Mais c'est absolument ridicule, protesta Dominique.

Anatole riait maintenant tellement que les larmes lui en venaient aux yeux.

— Mais vous savez bien que Dominique serait incapable d'un mensonge pareil. Regardez-le, tout de même.

Mais les femmes ne le regardèrent pas. Comme Désirée n'arrivait pas à stimuler la moindre érection chez Anatole, Marie-Clarina la poussa de côté.

— Laisse-moi faire, dit-elle.

— Mais regarde-les, Dominique, s'esclaffait Anatole. As-tu déjà vu une scène pareille ?

Il se mit à tousser tellement il riait, et essuya sur sa manche un filet de sang mêlé à un liquide noirâtre.

— Écoutez, les filles, je vais vous prouver que Dominique ne ment pas. Dominique, tu vas sucer, toi aussi.

— Mais...

— Bien oui, quoi, tu veux leur prouver que tu dis la vérité ? T'as qu'à sucer, et elles vont te croire.

Estomaqué, Dominique ne savait trop que dire ou que faire. Il fit un pas vers le lit d'Anatole, mais recula aussitôt. Marie-Clarina et Désirée levèrent vers lui des yeux implorants, baignés de larmes.

— Non, je ne le ferai pas. Ça ne servirait à rien, puisque tu vas mourir.

Dominique était prêt — et il l'avait prouvé — à courir des lieues et des lieues pour sauver son ami. Mais il n'était pas prêt à tout.

Désirée s'empara du couteau de cuisine planté au milieu de la table et en menaça Dominique.

— Tu suces, ou je te tue.

— Arrête, arrête, Désirée, tu vois bien que je voulais rire, dit Anatole en riant plus fort encore.

Il trouva la force de s'asseoir dans son lit, s'appuya sur un coude.

— Vous êtes folles, vous voyez bien que c'est pour rire que je disais ça.

Et il eut une nouvelle quinte de toux entremêlée de rires fous, roulant en cascade en même temps qu'il crachait du sang.

Soudain, il se rejeta vers l'arrière, banda et se tut.

— D'accord, fit Désirée à l'intention de Dominique. Je te crois.

Elle replanta le couteau dans la table et revint à Anatole.

Mais celui-ci ne riait plus, ne toussait plus, ne crachait plus, ne bougeait plus un cil. Étendu sur le dos, le sourire fendu jusqu'aux deux oreilles, quelques larmes perlant encore au coin de ses yeux, il avait toujours une expression d'hilarité totale.

Mais il était mort.

Marie-Clarina lui ferma les yeux.

— Au moins, dit-elle en regardant son grand sourire immobile, au moins il est mort de bonne humeur.

* * *

Ils enterrèrent Anatole l'après-midi même, dans une clairière, à quelques centaines de pas hors de Voldar. Dominique eut envie de dire des prières, mais il se tut car il n'y croyait plus.

Les femmes lui donnèrent ensuite à manger. Et il dormit deux jours et deux nuits.

Lorsqu'il s'éveilla, Désirée et Agénor étaient près de lui.

— Où est Marie-Clarina ? demanda-t-il.

— Elle est à la mine, fit Désirée gravement.

— Oh non, pas ça.

Dominique se leva d'un bond. Il courut aussitôt jusqu'à la mine. Isidore Généreux y était justement, à l'ouverture du puits principal, avec quatre de ses hommes armés de carabines.

— Depuis quand faites-vous travailler les femmes ? demanda Dominique d'un ton provocant.

— Je ne force personne, rétorqua Isidore Généreux en faisant signe à ses hommes de main de ne pas intervenir.

— Fais-la sortir, je reprends ma place.

— C'est à elle de décider. De toute façon, des mineurs comme toi, elle en vaut deux.

Dominique fit un pas vers la mine. Mais, sans qu'Isidore Généreux eût à faire un geste, deux de ses hommes lui barrèrent le chemin en croisant leur carabine sur leur poitrine.

— Quand j'aurai besoin de toi, je te ferai appeler, dit Isidore Généreux.

Furieux, incapable de trouver une réplique cinglante, Dominique rentra à la maison, où il expliqua la situation à Désirée.

— Ce n'est rien, fit celle-ci. Je suis sûre que Marie-Clarina sera capable de se débrouiller aussi bien que toi dans la mine. Tu n'as qu'à rester ici.

Dominique ravala son dépit. Il chercha à se rendre utile en faisant du ménage, en lavant le peu de vaisselle que le groupe possédait. Mais, à ce chapitre, Désirée se révéla intraitable et parfaitement incohérente : autant il lui semblait normal que Marie-Clarina travaille comme un homme, autant elle trouvait insupportable de voir Dominique manier comme une femme un chiffon ou un balai.

Elle laissa toutefois Dominique construire l'armature d'un très grand lit, où ils pourraient dormir ensemble tous les quatre en se gardant au chaud les uns les autres. Mais elle tint à tisser elle-même les ficelles qui feraient office de sommier. Chaque soir, Marie-Clarina rentrait à la maison d'excellente humeur. Désirée avait préparé le souper avec les maigres provisions qu'elle avait pu acheter ou qu'elle avait pu pêcher ou chasser avec Agénor (Dominique s'était révélé tout à fait incompétent et sous-doué pour la chasse et la pêche). On soupait, Désirée et Marie-Clarina entretenant le gros de la conversation avec Agénor qui commençait à parler. Puis on se couchait tôt dans le grand lit.

Le lecteur enviera peut-être Dominique d'avoir pour toute occupation sérieuse de faire l'amour à deux femmes, belles, chaudes, toutes deux capables de renouveler à l'infini ce plaisir.

Malheureusement, Dominique n'était pas un de nos lecteurs, et il s'ennuyait profondément de son inaction, au point de devenir ennuyeux au lit.

Il passait ses journées à rêvasser, à ressasser on ne savait quel souvenir, à remuer parfois les lèvres comme s'il participait à une discussion enflammée. Désirée devina avec justesse que Dominique discutait alors avec son ami Anatole. Mais elle n'osa pas lui demander si celui-ci répondait.

Marie-Clarina aussi se rendait compte que leur amant dépérissait, perdait l'appétit et tout plaisir de vivre, même si elle et Désirée cherchaient et trouvaient constamment de nouvelles caresses, multipliant les plaisirs d'un corps que le cerveau de Dominique semblait avoir abandonné à lui-même.

Quelques semaines plus tard, une violente tempête couvrit de plusieurs pieds de neige la terre encore boueuse des pluies de l'automne.

Les mineurs furent incapables de sortir de leur trou avant le lendemain. Et Marie-Clarina raconta en riant qu'un vieux mineur lui avait offert une livre d'or pour coucher avec elle. Elle avait refusé.

Marie-Clarina ajouta, dans l'espoir de rendre Dominique jaloux : « Peut-être que j'aurais accepté s'il me l'avait tout simplement demandé gentiment. »

Mais Dominique ne sourcilla pas.

*   *   *

Les années passèrent, si lentement qu'on n'en peut presque rien dire.

Dominique descendait parfois à la mine, lorsqu'Isidore Généreux manquait de main-d'oeuvre et était prêt à accepter deux bras supplémentaires sans se préoccuper de la qualité de leurs muscles. Le reste du temps, Dominique le passait à rêvasser et à donner au petit Agénor quelques notions de grammaire, de mathématiques ou de latin liturgique.

Marie-Clarina continuait à être un des employés les plus productifs d'Isidore Généreux, qui se gardait bien de le lui dire. Un jour, elle avait craché un peu de sang et de bile noire, mais cela n'avait pas duré, et elle ne s'en était plus inquiétée.

Désirée s'ennuyait parfois. Mais ses amis lui avaient interdit l'accès à la mine, car il était beaucoup plus important qu'elle s'occupe de l'éducation d'Agénor.

Quant à Agénor, il était devenu un beau grand garçon d'une dizaine d'années, doué pour les études mais peu intéressé par celles-ci. Il préférait courir les bois plutôt que de s'asseoir pour mémoriser les tables de multiplication que Dominique lui avait gravées dans la table de cuisine.

Il était le seul enfant à Voldar. Mais, même s'il y en avait eu beaucoup, il est certain qu'il aurait été le plus beau. Blond comme les blés, les yeux bleus, les dents régulières et éclatantes de blancheur, le sourire franc et généreux, il faisait la fierté de sa mère et de ses amis. Un jour, un des hommes de main d'Isidore Généreux avait fait mine de le gifler parce qu'il s'était amusé à placer une ficelle en travers d'un sentier pour le faire trébucher. Mais Marie-Clarina qui rentrait de la mine à ce moment-là avait saisi une pelle et était passée à quelques pouces seulement de décapiter l'homme de main. Jamais plus on n'avait inquiété Agénor ni touché à un seul de ses cheveux.

Désirée avait depuis longtemps renoncé à trouver chez son fils des signes de pouvoirs spéciaux. En effet, Agénor était parfaitement normal, rieur, gai, un peu sauvage parfois mais en aucun cas étrange.

Lorsqu'elle n'était pas trop fatiguée, Marie-Clarina donnait le dimanche après-midi des cours de piano à Agénor. Elle n'avait jamais entendu ni vu un piano. Mais, comme sa mère pour elle, elle avait pour Agénor peint les notes blanches et noires d'un piano le long d'un côté de la table de cuisine. Elle lui avait appris que les graves étaient à gauche et les aiguës à droite. Et elle lui avait appris tout ce que sa mère lui avait appris : un rondo de Zomart, délicat, à jouer du bout des doigts ; et une sonate dont elle avait oublié l'auteur, aux sonorités pleines et dramatiques.

Agénor aimait jouer ainsi, écoutant la musique dans sa tête. La sonate surtout lui plaisait car il la trouvait excessive et ridicule, donc amusante. Mais Agénor s'était fatigué de jouer toujours les deux mêmes pièces et il avait composé les siennes propres. Marie-Clarina, qui jugeait cela bien prétentieux de la part d'un si jeune enfant, le laissa tout de même faire à sa guise. Lorsqu'Agénor jouait la sonate ou le rondo, elle était capable d'entendre chaque note dans sa tête et de lui signaler la moindre fausse note. Mais lorsqu'il jouait une musique de sa composition, Marie-Clarina avait du mal à suivre les notes les plus rapides et trouvait que son pupille prenait bien des audaces avec les lois de la musique.

Désirée savait qu'elle ne ferait jamais fortune à Voldar. Jamais elle et ses amis n'avaient réussi à mettre de côté plus de quelques piastres — et encore, dès qu'Isidore Généreux sentait baisser la productivité de ses employés trop prospères, il augmentait les prix des denrées qu'il faisait venir de Sinéglou, et les économies ne tardaient pas à fondre de nouveau.

Désirée songeait parfois à rentrer à Sainte-Robille. Mais elle trouvait que ce serait trop humiliant et s'était juré de ne revoir sa famille qu'une fois qu'elle aurait fait fortune, à Voldar ou ailleurs.

Avec les années qui passaient, Désirée oubliait de plus en plus ses rêves et se laissait bercer par une réalité chaque jour évidente : son fils était heureux. Comment être sûre qu'il le serait plus à Sainte-Robille, à Ville-Dieu ou dans l'Ancien Continent ?

Elle serait sans doute restée encore longtemps à Voldar avec son fils et ses amis, si à plusieurs centaines de lieues plus au sud un brillant inventeur n'était pas arrivé à créer la première machine industrielle à rouler les cigarettes.

En effet, jusque-là les seules cigarettes qui existaient étaient celles qu'on roulait soi-même, avec une feuille de papier et du tabac.

L'humanité tout entière, ignorant qu'il pouvait y avoir un autre moyen d'obtenir des cigarettes, se serait probablement contentée pendant très longtemps encore de cette façon de faire les choses.

Mais l'inventeur était obstiné et croyait que le progrès n'est pas quelque chose qu'on demande, mais quelque chose qu'on reçoit. Passionné de mécanique, il s'était pendant des années penché sur une table à dessin, traçant des projets d'engrenages compliqués et de mécaniques délicates. Il arriva enfin au résultat qu'il souhaitait, du moins sur papier.

Il réussit à intéresser un financier qui ne croyait guère à la rentabilité du projet de vendre des cigarettes toutes roulées d'avance (« seuls les riches en voudront », croyait-il) mais qui avait fort envie de passer à l'histoire comme un audacieux précurseur, lui qui avait jusque-là fait sa fortune en fabriquant des fouets à chevaux, industrie dont la prospérité serait éternelle, mais qui ne deviendrait jamais un titre de gloire ou une raison d'avoir son nom dans les livres d'histoire.

Disposant de tout l'argent nécessaire, l'inventeur construisit donc sa première machine à vapeur pour rouler les cigarettes. La machine tournait rondement avec un tchuc-ou-tchuc-ou-tchuc très impressionnant, mais elle ne parvint qu'à produire des petits tas de papier et de tabac joliment déchiquetés.

L'inventeur retourna à sa table à dessin, apporta quelques modifications somme toute mineures mais extrêmement coûteuses. Et, cette fois, ô merveille, la machine produisit de jolis petits cylindres de papier remplis de tabac uniformément réparti.

L'inventeur et son financier fêtèrent cela autour d'une bonne bouteille de tord-boyau.

Il fallait maintenant commercialiser la cigarette industrielle.

Les trente-huit premières tentatives se soldèrent par des échecs retentissants et coûteux. Par exemple, le tout premier échec fut attribué au fait qu'on avait donné aux cigarettes le nom du financier, « Monsieur Chnoc ». Le treizième fut particulièrement cuisant, car on avait cru qu'en vendant des boîtes de cent cigarettes on s'assurerait dès le départ des ventes importantes — mais presque toutes les cigarettes étaient devenues sèches au moment de les fumer et explosaient presque sous le nez du fumeur. La vingt et unième tentative fut accompagnée d'un slogan (« Fumez-moi ») qui eut un grand succès dans les maisons closes de tout le pays, mais ne vendit pas de cigarettes. Après trente-huit tentatives, l'inventeur et le financier en vinrent à la conclusion que le monde n'était pas encore prêt à accepter la cigarette industrielle.

C'est alors que le financier eut un trait de génie : « Si les gens ne veulent pas de cigarettes, nous allons leur vendre autre chose avec des cigarettes dedans. »

Et il fit imprimer de petites boîtes de carton portant la vignette des principaux héros de la guerre Nord-Sud. Il fit envoyer dans le Nord les boîtes portant les vignettes des héros du Nord, et garda dans le Sud celles qui montraient les portraits des héros du Sud.

Le succès fut immédiat et retentissant. Fumer des cigarettes industrielles devint un signe de patriotisme. Et réunir la collection complète des portraits de héros devint l'ambition secrète de tout homme, femme ou enfant. Mais les habiles promoteurs imprimaient constamment de nouvelles vignettes.

Toutefois, les ventes finirent par se stabiliser. Et monsieur Chnoc se tourna vers de nouveaux marchés. Il songea d'abord aux Régions du Haut, qu'on pouvait depuis peu atteindre aisément grâce à la construction d'un canal. Il se contenta de changer les noms des héros de la guerre Nord-Sud sous les vignettes de ses boîtes de cigarettes en noms de héros des Grands Troubles. Il refusa de changer les vignettes, sous le prétexte que « les héros, c'est comme les cigarettes, ça se ressemble tous ».

La cigarette industrielle connut ainsi un grand succès dans les Régions du Haut.

Un an plus tard, la première caisse de cigarettes arrivait à Sinéglou, où le marchand de tabac les mit en vitrine, même s'il était convaincu qu'il devrait bientôt les retourner au fabricant.

Mais les nouvelles cigarettes reçurent à Sinéglou comme ailleurs un accueil phénoménal.

Il n'en restait plus qu'une boîte lorsque les hommes d'Isidore Généreux, venus à Sinéglou déposer l'or à la banque et acheter des provisions, passèrent devant la vitrine du marchand de tabac.

Monument Tahl, une brute épaisse à qui un physique imposant donnait beaucoup d'ascendant sur ses collègues, proposa qu'on achète cette boîte comme cadeau au patron toujours à l'affût de nouveautés.

On revint donc à Voldar avec la boîte de cigarettes qu'on remit à Isidore Généreux, qui les fuma avec grand plaisir.

Les cigarettes industrielles présentent toutefois, on le sait, un défaut majeur par rapport aux cigarettes qu'on roule soi-même : elles ne s'éteignent pas toutes seules lorsqu'on les jette.

Et cela eut des effets imprévisibles, un jour qu'Isidore Généreux remettait leur paye aux mineurs.

Pour la plupart des quelque trois cents mineurs, l'expression « remise de la paye » était un peu exagérée. En fait, Isidore Généreux, assis derrière une grande table, ses hommes de main derrière lui, ne remettait à ses mineurs que la différence entre le salaire gagné pour le mois et le coût des provisions, du loyer et des autres frais du mineur. Cette différence était toujours minime et parfois même négative. C'est-à-dire qu'à la fin du mois, quelques mineurs devaient parfois remettre de l'argent à Isidore Généreux.

Ce fut le cas, ce mois-là, d'Arsène Larsouille, un vieux mineur édenté qui n'était guère productif et qui avait eu le malheur de briser le manche d'une pioche.

— ...moins une piastre pour le manche de pioche, dit Généreux, tu me dois soixante centins.

— Soixante centins, fit le vieillard dont les yeux se mouillèrent aussitôt.

Il regarda autour de lui, cherchant quelqu'un pour l'appuyer.

— Il était déjà abîmé, le manche de pioche.

— C'est vrai, dit fermement Marie-Clarina qui n'en savait strictement rien.

— Tu n'avais qu'à ne pas t'en servir, dit Isidore Généreux en haussant les épaules.

— C'était la seule pioche, larmoya le vieillard.

— Ce n'est pas mon problème.

Et Isidore Généreux posa alors un geste qu'il posait souvent pour signifier que la discussion était close. Il prit entre son pouce et son majeur sa cigarette presque entièrement consumée et la lança en direction de son interlocuteur.

Personne ne remarqua alors que la cigarette tomba dans la poche du manteau d'Arsène Larsouille.

Les mineurs se dispersèrent, rentrèrent chez eux, dans leur tente ou leur maison.

Une demi-heure plus tard, des cris s'élevèrent d'un des coins les plus éloignés de Voldar.

— Au feu ! Au feu !

Une tente flamba quelques instants dans la nuit tombante. C'était la tente d'Arsène Larsouille. Les mineurs qui s'étaient aperçus de l'incendie n'eurent même pas le temps de remplir un seau. En quelques instants, tout avait brûlé, et seuls restaient, entourés d'un peu de fumée, l'armature de la tente, un poêle en tôle, une table noircie et le lit de cuivre dans lequel reposait le corps du vieux mineur. Celui-ci était mort asphyxié et ses vêtements, à moitié brûlés, découvraient quelques morceaux de peau roussie.

Marie-Clarina et d'autres mineurs regardaient ce spectacle sinistre, lorsqu'un des mineurs entra dans ce qu'il restait de la tente, se pencha sur le cadavre, puis regarda autour de lui.

— C'est une cigarette qui a causé ça, dit-il.

— Mais Arsène ne fumait pas, protesta un de ses voisins.

— Pourtant, c'est facile à voir. Il avait un mégot de cigarette dans la poche, qui a brûlé un trou à travers le manteau, là. Le feu s'est ensuite communiqué aux draps, puis à la lampe à pétrole et finalement à la tente. Venez voir.

Marie-Clarina et une douzaine de mineurs le suivirent dans la tente. Il leur montra un mégot presque entièrement brûlé qu'il avait pris dans la poche de ce qu'il restait du manteau du vieillard.

— Mais c'est une des nouvelles cigarettes, remarqua Marie-Clarina.

— Bien oui, c'est une des cigarettes de Généreux, fit un autre mineur.

— Ça doit être la cigarette qu'il a jetée tout à l'heure.

La colère grondait parmi les mineurs réunis autour de Marie-Clarina.

Pourtant, ils avaient tort. L'incendie avait débuté lorsqu'Arsène avait attisé le feu dans le poêle en tôle de sa tente. Quelques étincelles étaient tombées sur l'herbe sèche du sol et les flammes s'étaient propagées jusqu'aux parois de la tente.

Mais le lecteur remarquera tout de même que si la cigarette industrielle n'avait pas été inventée, personne n'aurait pu soupçonner Isidore Généreux d'être responsable de la mort d'Arsène Larsouille, car sa cigarette roulée à la main se serait éteinte toute seule et immédiatement dans la poche du vieillard.

— Je vas aller lui parler, moi, à l'Isidore Généreux, fit Marie-Clarina menaçante.

Les mineurs la suivirent jusqu'à l'autre bout de la ville. D'autres mineurs se joignirent au groupe en le voyant passer et se firent expliquer les événements.

Ils étaient plus d'une centaine lorsqu'ils arrivèrent devant la maison d'Isidore Généreux.

C'était, on s'en doutera, la plus grande et la plus opulente maison de Voldar. Une de ces maisons entourées d'un boulevard qui ne menait nulle part, avec des réverbères qui ne pouvaient rien éclairer faute de gaz. Isidore Généreux l'avait gagnée du premier propriétaire de la mine, en même temps que celle-ci, dans une partie de poker qui avait duré deux jours et trois nuits.

Ses hommes de main étaient assis sur le balcon, carabine bien calée au creux du bras, lorsque les mineurs arrivèrent devant la maison. L'un d'entre eux entra aussitôt dans la maison, tandis que les autres se contentaient de caresser ostensiblement la crosse de leur arme.

Les mineurs, Marie-Clarina en tête, s'arrêtèrent à quelques pas du balcon.

— On veut voir Isidore Généreux, dit-elle d'une voix ferme.

— Il dort.

— Laisse, je m'occupe d'eux, fit la voix d'Isidore Généreux.

Il poussa la porte-moustiquaire qui grinça péniblement et s'avança sur le balcon, une cigarette au bec.

— Qu'est-ce que vous voulez ? demanda-t-il.

Marie-Clarina le regarda droit dans les yeux. La colère faisait briller son regard noir, qui reflétait la lueur de la lampe à pétrole suspendue au-dessus du balcon.

— Tu as tué Arsène Larsouille, Isidore Généreux, et tu ne l'emporteras pas en paradis.

Enhardis par la détermination de Marie-Clarina, les mineurs firent, comme elle, un pas en direction de la maison. Plusieurs adoptèrent aussi une attitude décidée — bras croisés ou poings sur les hanches.

— Je savais même pas qu'il était mort, fit Isidore Généreux.

— Il est mort et c'est toi qui l'as tué, avec tes maudites cigarettes qui ne s'éteignent pas quand tu les lances dans la poche des autres et tu vas payer pour, fit Marie-Clarina tout d'un souffle.

— Oui, oui, firent des voix à côté d'elle.

Isidore Généreux ricana silencieusement, prit sa cigarette entre son pouce et son majeur et la projeta d'une pichenette jusqu'aux pieds des mineurs.

Marie-Clarina avança le pied, écrasa la cigarette.

— Pour commencer, tu vas cesser de fumer ces maudites cigarettes qui mettent le feu partout, sinon...

— Sinon quoi ? demanda Isidore Généreux en souriant.

— Sinon... sinon on travaille pas demain.

— Oui, oui, firent encore des voix derrière Marie-Clarina.

— Comme vous voudrez, dit le patron en haussant les épaules.

Il claqua la porte-moustiquaire derrière lui en rentrant.

Surexcités, les mineurs repartirent, suivant Marie-Clarina. D'autres mineurs encore se joignirent à eux, demandant ce qui s'était passé. Et ils étaient plus de deux cents lorsqu'ils arrivèrent à une espèce d'amphithéâtre naturel au centre de la ville, formé par un premier essai de creusage à la poursuite d'un filon qui s'était révélé inexploitable. Quelqu'un alla chercher une lampe à pétrole, et on prit place par terre, autour de Marie-Clarina, qui, debout, entreprit de haranguer la foule.

— Écoutez, dit-elle, nous ne pouvons pas nous laisser faire comme ça.

— Non, non, firent plusieurs voix.

— Demain, personne ne travaille. Et si personne ne travaille, Isidore Généreux ne fera pas d'or.

— Nous non plus, fit une voix.

Il y eut quelques rires nerveux.

— Qu'est-ce que ça peut faire ? Qu'est-ce qu'il nous en reste, une fois que nous avons payé le loyer et les provisions ? Rien ou presque. Hein, qu'est-ce que nous avons à perdre ?

— Rien, rien, firent des voix.

— Nous ne travaillerons pas, tant qu'il n'aura pas cessé de fumer ces maudites cigarettes, affirma Marie-Clarina en tendant la

214

main droite comme pour un serment.

— Oui, oui, bien parlé, firent des voix.

— Nous ne travaillerons pas tant qu'il ne cessera pas de changer les salaires comme ça lui plaît. Il faudra qu'il nous dise d'avance chaque mois combien il va nous payer. Et si nous ne sommes pas contents, nous cesserons encore de travailler.

— Oui, oui, bien parlé.

— Nous ne travaillerons pas tant qu'il voudra encore nous congédier et nous embaucher comme ça lui plaît. Il faudra qu'il nous engage pour l'année. Et s'il veut nous congédier, il nous paiera un mois de salaire.

— Oui, oui, bien parlé.

Un vieux leva la main. Marie-Clarina lui fit signe de parler.

— Qu'il nous donne tout le dimanche de congé, dit le vieux en tremblant parce qu'il parlait à beaucoup de gens à la fois et qu'il ne l'avait jamais fait.

— Oui, oui, bien parlé.

Longtemps dans la nuit, on continua à parler de ce qu'on voulait d'Isidore Généreux. Puis, on alla réveiller Dominique, qui mit tout cela par écrit et lui donna le titre des « 93 Exigences », qu'on irait porter à l'aube à Isidore Généreux.

Lorsque ces « 93 Exigences » eurent été écrites, lues et approuvées par tous, un robuste mineur d'une cinquantaine d'années, à l'accent chantant du Sud du Vieux-Pays, lança :

— Comme ça, on fait la plage ?

— La quoi ? demanda Dominique.

— La plage.

— La plage ?

— Bien oui, quoi, la plage. C'est comme ça que ça s'appelle quand on cesse de travailler pour obtenir quelque chose du patron. Ça se faisait souvent en Vieux-Pays.

— La plage...

— Il me semble bien que c'est comme ça que ça s'appelle. Ça fait si longtemps.

— D'accord, on fait la plage, si c'est comme ça que ça se dit, fit Marie-Clarina.

— Oui, oui, on fait la plage, répétèrent plusieurs voix.

* * *

215

Pendant le premier jour de plage, Marie-Clarina fut obsédée par la crainte que cette manoeuvre ne fasse ni chaud ni froid à Isidore Généreux. En effet, celui-ci n'avait en réalité aucune raison de s'inquiéter. Il avait d'amples provisions, des hommes armés, et il aurait pu attendre calmement que les mineurs crèvent de faim. L'or qui ne serait pas extrait pendant la plage le serait après la plage.

Mais Isidore Généreux n'était pas fait de cette pâte. D'abord, il aimait l'or de façon maladive. Et de n'en pas recueillir sa provision quotidienne le mettait dans un état de nervosité extrême, valant au moins celle d'un alcoolique qui n'a rien à boire. De plus, Isidore Généreux n'aimait pas qu'on lui résiste. Donner des ordres et se faire obéir était pour lui une autre forme d'intoxication.

La plage, donc, ne le laissa pas indifférent. Il avait déchiré les « 93 Exigences » sans les lire et avait passé la matinée à tourner dans son salon comme un ours en cage.

Puis, lorsqu'approcha l'heure du dîner, il donna ses ordres.

À Mitaines Dubuc, il ordonna de se rendre à Sinéglou à marches forcées, et de là télégraphier au gouvernement.

— Je ne sais pas, précisait Isidore Généreux, s'il y a des lois contre les plages. Mais il devrait y en avoir. Et s'il n'y en a pas, que Maxime Métivier en fasse passer au plus tôt et nous envoie des miliciens ou des policiers pour les faire respecter.

Maxime Métivier était une vieille connaissance d'Isidore Généreux. Une autre fripouille comme lui, mais qui avait réussi à se faire élire Premier ministre des Régions du Haut en faisant croire qu'il résisterait aux Zanglais, alors qu'il savait fort bien s'entendre avec eux et avait l'intention de continuer.

À Monument Tahl, il ordonna de s'occuper de Marie-Clarina, de la meilleure façon possible, mais sans préciser.

— La bougresse de femme, c'est encore elle qui mène le bal. Y a pas un autre mineur capable de sortir autant d'or qu'elle, jour après jour. Mais je suis prêt à m'en passer si c'est le prix à payer pour avoir la paix.

À tous ses hommes réunis, Isidore Généreux ordonna d'être vigilants, mais de ne pas s'en prendre inutilement aux autres mineurs. Si on réglait le cas de Marie-Clarina, cela suffirait sans doute.

Histoire de Louis-Napoléon Duquette

Pour bien comprendre la suite de ce récit, il faut que le lecteur se transporte à plusieurs années-lumières de notre planète, près d'une étoile qu'on voit à peine à l'oeil nu, et encore uniquement loin des villes et dans des conditions atmosphériques idéales.

De plus, le lecteur devra se transporter dans le temps, remonter des milliers d'années.

Le lecteur s'imaginera à la place de Louis-Napoléon Duquette, dans sa station orbitale où il était en poste depuis plus de soixante de nos années. Il comprendra l'ennui profond que ressentait au moment qui nous intéresse le dit Louis-Napoléon Duquette.

Il avait accepté de s'enrôler, quinze ans plus tôt du temps de sa planète Miramonde, pour un séjour de soixante-quinze ans dans cette station orbitale avancée, affectée à la destruction des météorites. Le travail était relativement simple, consistant essentiellement à s'éveiller dès que le gong d'alerte retentissait, puis à tourner quelques boutons et manettes pour dégager les lance-missiles automatiques. Et, enfin, lorsqu'arrivait la pluie de météorites, le plus difficile du travail consistait à détruire manuellement tout météorite qui échappait aux lance-missiles automatiques.

En quinze ans, Louis-Napoléon Duquette avait détruit manuellement une cinquantaine de météorites, et aucun n'avait échappé à sa vigilance, ce qui lui avait valu une augmentation de salaire automatiquement versée à sa femme, puisque lui n'aurait rien eu à faire avec cet argent.

Louis-Napoléon Duquette partageait son temps à peu près également entre dormir et regarder à la télévision les images de Miramonde.

Ces images ne cessaient de l'inquiéter et devenaient une source de préoccupations de plus en plus grande.

En effet, les dirigeants miramondais s'étaient imaginé qu'on pouvait placer comme ça un homme dans l'espace pendant soixante-quinze ans sans trop s'inquiéter de son évolution intellectuelle. « De toute façon, s'étaient-ils dit, en regardant la télévision, il verra ce qui se passe chez nous et pourra lui aussi participer à l'évolution générale. »

Mais c'est avec effarement que Louis-Napoléon Duquette avait assisté par la petite fenêtre de l'écran de son téléviseur à l'évolution des moeurs sur sa planète. Incapable d'y participer, il fut incapable de la comprendre.

Pendant les premières années de son séjour dans l'espace, il avait remarqué des changements importants dans les émissions de télévision qu'il captait sans friture, sans distorsion, sans ombre grâce à l'extraordinaire fluidité de l'espace dans cette région de l'Univers.

Au début, il crut remarquer une diminution du nombre d'émissions pour enfants, sans songer que c'étaient les émissions pour enfants qui changeaient.

Lorsqu'il était parti en mission, on ne voyait dans les émissions pour enfants que les yeux des gens. Puis, peu à peu, on commença à voir des visages d'enfants, puis des visages d'adultes. Et aussi des poitrines, des jambes, des mains.

Dans les émissions pour adultes, Louis-Napoléon Duquette remarqua un jour un sein, insolent, pointé au beau milieu d'une émission religieuse. Il crut d'abord que c'était un accident, une erreur de cadrage. Mais moins de deux ans plus tard, l'écran était littéralement envahi de seins et de glands.

De sa lointaine station spatiale, Louis-Napoléon Duquette ne pouvait comprendre le sens de cette évolution, due à la montée d'une nouvelle philosophie, qui proclamait que le corps est beau et qu'il faut le montrer.

Louis-Napoléon Duquette avait, au tout début, apprécié dans une certaine mesure ces dénudements. Mais ils étaient devenus si fréquents à l'écran qu'il s'en était lassé, puis dégoûté, puis scandalisé.

La philosophie populaire suivit son cours : une fois qu'on sait que le corps est beau et qu'on le montre, il devient de plus en plus tentant de s'en servir. Et il s'ensuit tout à fait logiquement que si le corps est beau, si on le montre et si on s'en sert, on finit par s'en servir en public.

Et les ondes furent finalement envahies d'images qui, sans aucune prétention de ce qu'on appellerait sur terre érotisme ou esthétisme, présentaient de beaux corps dont on se servait.

Il y eut d'abord de modestes scènes de masturbation solitaire, puis de masturbation collective, puis de copulation communautaire. Louis-Napoléon Duquette fut particulièrement impressionné par une émission qui dura plus de deux jours et qui montra des centaines de milliers de gens, sur la grande place de sa ville natale, faire l'amour inlassablement au rythme des dernières musiques philosophiques.

Atterré, Louis-Napoléon Duquette avait gardé les yeux rivés à l'écran, cherchant des yeux sa femme, se demandant si elle participait à cette orgie. Il ne vit que sa fille aînée, dans une pose qui hanta son sommeil pendant des semaines.

Il s'efforça de laisser son téléviseur fermé. Mais les images qu'il voyait dans sa tête étaient pires encore. Il se remit donc à regarder ces émissions.

Un jour, il regardait une émission pour enfants, dans laquelle l'aspect éducatif était souligné par l'utilisation de senseurs télévisuels fixés aux organes des participants et formant, en se pénétrant les uns les autres, des motifs amusants tout en accroissant fortement les connaissances anatomiques du spectateur.

Soudain, le gong retentit. Louis-Napoléon Duquette poussa distraitement les boutons et les manettes qui dégageaient les lance-missiles automatiques. Puis il prit place dans son siège de combat. Déjà, le radar permettait d'apercevoir les premiers météorites. Les lance-missiles se mirent à tirer et devant lui, par le hublot, Louis-Napoléon Duquette vit les premières explosions. Mais il ne pouvait s'empêcher de se retourner de temps à autre pour ne pas perdre le fil des images révoltantes du téléviseur.

Et soudain un détail attira son attention : un grain de beauté dont la couleur lui sembla familière. En effet, jamais il n'avait vu un grain de beauté d'un tel violet jaunâtre ailleurs que sur la cuisse charnue de sa femme.

Gardant un coin de l'oeil sur le hublot, il ne put s'empêcher d'observer la suite. Il vit un autre grain de beauté de même couleur. Puis, un plan plus éloigné lui fit voir les deux grains de beauté en relation l'un avec l'autre. Et, cette fois, il eut la certitude que c'étaient bien les grains de beauté de Gertrude Duquette née Panet.

Pendant ce temps, les missiles accomplissaient un travail admirable, à plusieurs centaines de mantes de la station orbitale.

Et le ciel était enflammé de magnifiques explosions que personne ne regardait.

La caméra recula encore, et Louis-Napoléon Duquette fut soulagé. Ce n'était pas la fesse de Gertrude qu'il voyait là, mais une fesse plus mince, plus longue, plus élégante.

Louis-Napoléon Duquette soupira, puis revint à son travail. Le radar montrait un groupe important de météorites, qui risquaient d'être trop nombreux pour les lance-missiles.

Louis-Napoléon Duquette prit fermement entre ses mains les commandes du canon manuel et se cala dans son fauteuil. Il jeta un dernier coup d'oeil à l'écran de télévision, par-dessus son épaule.

— La vache, s'écria-t-il, elle a maigri !

(On devinera qu'il utilisait un autre mot miramondais, désignant un autre animal, dont la placidité et le regard torve justifiaient le mépris qu'on lui portait.)

Cette belle fesse fine et mince, longue et élégante, c'était celle de Gertrude. Il n'y avait pas à s'y tromper, surtout en voyant l'organe adjacent, organe parfaitement identifiable par un conjoint, mais qu'il serait trop long de décrire ici.

Hébété, Louis-Napoléon Duquette garda les yeux collés à l'appareil.

Il fut tiré de sa torpeur par le gong du second niveau d'alerte. Et il eut tout juste le temps de voir un météorite relativement petit, qui faillit passer le réseau de défense sur la droite. Il appuya aussitôt sur les commandes, et un missile manuel partit instantanément.

Toutefois, le missile lancé trop tard éclata légèrement hors cible et ne parvint pas à désintégrer entièrement le météorite.

Deux morceaux de métal fondirent puis se refigèrent aussitôt et poursuivirent leur course dans l'espace.

Heureusement pour Louis-Napoléon Duquette, qui aurait pu être sévèrement blâmé s'il en avait été autrement, les deux morceaux du météorite disparurent dans des directions opposées, mais ni l'un ni l'autre dans la direction de Miramonde.

Celui de gauche ne nous intéresse pas. Il alla s'écraser bêtement quelques mois plus tard sur une étoile dont le nom nous échappe.

Mais celui de droite parcourut un trajet plus intéressant. Il fit un long arc de cercle, perdant à peine un peu de sa vitesse en parabole autour de Karoui (le soleil de Miramonde). Puis il zigzagua longuement entre d'autres étoiles, passa miraculeusement à travers un champ de météorites arrivant en sens inverse, fut presque happé par le champ gravitationnel d'une planète (mais celle-ci, trop petite, fut forcée de le laisser continuer sa course).

Le météorite continua donc son incroyable voyage dans l'espace, pendant des milliers d'années. À lui seul, ce voyage suffirait à remplir un roman. Relatons-en seulement les épisodes les plus spectaculaires.

Le météorite, par exemple, réussit, grâce à sa petite taille, à passer à travers les mailles d'un filet à météorites tendu entre Xarga et Zarga, et passa juste au centre entre les deux planètes, ce qui lui évita d'aller s'écraser sur l'une ou sur l'autre.

Mentionnons encore la chance inouïe de notre météorite, qui passa à portée d'un capteur de métal en orbite autour de Ploup III, le jour même d'une panne de ses piles lunaires.

En arrivant dans notre système solaire, le météorite sembla se diriger d'abord droit sur Jupiter. Mais il obliqua un peu, attiré par le Soleil. Il évita encore la gravité de Mars, puis se dirigea vers la Terre. La Lune l'attira un instant, mais la gravité de la Terre étant plus forte, le météorite entra enfin dans notre atmosphère à un angle qu'on aurait juré judicieusement choisi, tellement cet angle contribua à éviter sa désagrégation immédiate. Et le météorite poursuivit sa course vers le sol.

Mais juste avant de toucher le sol, il fracassa le crâne de Monument Tahl qui était à ce moment-là très loin de croire que le ciel allait lui tomber sur la tête.

XV

Lorsque Monument Tahl tomba raide mort aux pieds de Marie-Clarina, celle-ci était en bien fâcheuse posture.

Elle avait alors passé toute la journée à remonter le moral des plagistes, expliquant à l'un qu'il n'avait de toute façon rien à perdre, assurant à l'autre que le moment était bien choisi puisqu'on avait eu les provisions la veille, calmant un autre encore qui voulait tuer Isidore Généreux.

Le soir, elle avait fait une dernière fois le tour des tentes et des maisons, satisfaite enfin de voir dans les yeux des mineurs une lueur de calme détermination.

Puis, avant de rentrer à la maison, elle était allée se promener un peu dans la forêt, respirer l'air frais de la nuit. Elle voulait surtout réfléchir, car elle n'était pas aussi sûre d'elle-même qu'elle le semblait.

Elle était assise au milieu d'une clairière, sur un tronc d'arbre renversé, lorsqu'elle entendit un bruissement de feuilles derrière elle. Inquiète, elle se releva.

— Qui est-ce ?

Elle eut tout juste le temps de reconnaître Monument Tahl. Celui-ci se jetait sur elle, l'enserrait à la taille, déchirant de ses mains énormes sa robe et son corsage.

Monument la jeta par terre, se rua sur elle et réussit, en la maintenant d'une main, à soulever sa jupe et arracher sa culotte décorée de dentelle, sa préférée.

— Salaud, hurla-t-elle.

Lorsqu'elle se sentit pénétrée, elle eut envie de se laisser faire. Mais non, ce n'était pas le temps. Elle réussit à flanquer dans les testicules de Monument Tahl un monumental coup de genou. Monument hurla de douleur, roula sur le côté. Marie-Clarina fut sur pied aussitôt.

Monument se releva en se frottant là où il avait mal.

— Ma maudite, je vas te tuer de toute manière. Pourquoi tu te laisses pas faire avant ? Je te jure que tu vas aimer ça.

Le souffle court, Marie-Clarina serra les dents, tenta en vain de ramener sur sa poitrine les pans de son corsage.

— Essaye, pour voir.

Monument Tahl fit deux pas en avant, puis s'écroula.

Marie-Clarina vit la pierre encore fumante, tombée du ciel, rouler sur l'herbe.

Elle leva les yeux, crut apercevoir une lueur qui s'éloignait dans le ciel, crut y reconnaître le vaisseau spatial d'Agénor.

— Merci, Agénor, dit-elle.

*   *   *

La plage dura cinq ans. Et lorsqu'Isidore Généreux en arriva enfin à une entente avec les mineurs, il ne restait plus qu'une trentaine de ceux-ci.

Plusieurs étaient morts lors de violents affrontements, d'abord contre les hommes de main de Généreux, puis contre les policiers dépêchés par Maxime Métivier supposément pour faire respecter l'ordre, rangés systématiquement du côté des briseurs de plage embauchés par Isidore Généreux au double du salaire qu'il avait versé jusque-là à ses mineurs.

Les plagistes eurent même l'honneur ou le déshonneur de se faire dénoncer du haut de la chaire un dimanche par l'archevêque de Ville-Dieu, qui les accusa d'être des antiarchistes et des partagistes. Ce qui laissa les plagistes tout à fait froids, car ces propos ne parvinrent jamais jusqu'à Voldar.

D'autres avaient tout simplement abandonné, à court de vivres, à court d'argent, à court de courage, se disant qu'il valait mieux aller crever ailleurs. L'hiver surtout, chaque semaine voyait

223

deux ou trois mineurs partir sans bruit, sans dire adieu aux autres, car ils avaient un peu honte d'abandonner la lutte.

Quatre seulement avaient accepté de retourner au travail, attirés par les offres d'Isidore Généreux, même si cela signifiait qu'ils devaient passer des semaines entières à travailler, manger, dormir dans la mine, sauf lorsque les policiers tentaient une sortie, après laquelle le retour au travail était encore plus difficile.

Marie-Clarina, Désirée, Dominique et Agénor étaient restés. Désirée et Dominique étaient allés travailler à tour de rôle à Sinéglou. Dominique avait d'abord tenté de devenir bûcheron, mais il avait abandonné, ses mains s'étant rapidement couvertes d'ampoules, qui une fois crevées s'étaient transformées en plaies béantes.

Son instruction avait toutefois permis à Dominique de se trouver du travail chez le curé de Sinéglou. Une fois par mois il se rendait au presbytère, où il transcrivait de sa plus belle écriture toutes les inscriptions du registre d'état civil dans d'interminables formulaires qu'on envoyait ensuite au gouvernement des Régions du Haut qui avait décidé d'établir avec précision le nombre de ses administrés car il venait de se joindre à une fédération des Pays d'en Haut, dans laquelle il était financièrement avantageux de compter le plus grand nombre d'habitants possible.

Pour ce travail, Dominique était payé au nom transcrit et il ne put résister à la tentation d'ajouter quelques naissances, ce qui valut au curé de Sinéglou les félicitations des autorités civiles et religieuses. « C'est la revanche du berceau » s'exclamait le curé, brave homme un peu naïf qui n'aurait jamais soupçonné que son secrétaire pût inventer des bébés autrement qu'en les concevant lui-même. « Mais non, pensait Dominique, c'est la revanche du cerveau. » Et, tandis que le curé continuait à se réjouir de la fécondité fictive de ses ouailles, Dominique se triturait la cervelle à inventer des noms qui lui sembleraient dignes de figurer dans la liste des citoyens de Sinéglou. Ce n'était pas une mince tâche, car les gens avaient à cette époque une imagination fertile au niveau des prénoms, et rares étaient les Jacques, les Jean ou les Louis : on préférait la sonorité de prénoms comme Euthrope, Elphège, Méronie, Bélona, Aloïsius, etc. Dominique inventa donc des Mécano, des Listherine, des Coque-à-Colas, des Bétonaile, des Chevette, prénoms qui semblaient parfaitement normaux aux fonctionnaires chargés de dresser les longues listes soumises au gouvernement central pour obtenir subventions et paiements partagés.

Désirée, elle, allait de temps à autre travailler une semaine ou deux comme serveuse à l'auberge de Sinéglou et revenait invariablement avec la même plainte : « Ils passent leur temps à me pincer les fesses, ces maudits bûcherons. Si au moins ils étaient capables de faire autre chose. »

La deuxième partie de sa remarque était peut-être justifiée, mais absolument fausse. Ayant à faire chaque printemps un enfant à leur femme, ces bûcherons savaient confusément qu'ils ne pouvaient se permettre d'aller disperser leur sperme à tout vent. L'avenir de la nation en dépendait. C'est pourquoi ils aimaient bien pincer les fesses des filles (ça ne faisait de mal à personne, pensaient-ils, sans songer que leurs doigts pouvaient être un peu durs pour l'arrière-train d'une fille honnête). Mais il ne leur serait jamais venu à l'esprit de faire autre chose avec elles : il y a des choses qu'on ne partage pas avec n'importe qui.

Après une ou deux semaines, les fesses meurtries, le portefeuille un peu gonflé, Désirée revenait à Voldar, retrouvait Agénor et jurait qu'on ne l'y reprendrait plus. Mais la faim — peut-être aussi le rêve de se faire pincer les fesses par une main un peu plus caressante que les autres — la faisait bientôt repartir pour Sinéglou.

Marie-Clarina aurait aimé elle aussi s'éloigner un peu du climat de misère et d'oppression de Voldar pendant la plage. Mais chaque fois qu'elle en parlait, les mineurs protestaient, grattaient le fond de leurs poches pour lui donner quelques centins ou un bout de pain sec, sans penser qu'elle pût vouloir aller à Sinéglou pour autre chose que pour faire de l'argent. Et Marie-Clarina se laissait attendrir et restait avec les plagistes, leur remontant le moral, leur disant comment agir, les soignant, les nourrissant, les caressant de la voix et du geste pour les encourager à résister.

Mais lorsque la plage fut réglée et que les trente-deux mineurs purent rentrer au travail la tête haute, défilant devant Isidore Généreux arborant un sourire cynique, Marie-Clarina se sentit vieille et laide.

— Si nous partions ? demanda-t-elle ce soir-là à ses amis rassemblés à table autour du plat de pommes de terre.

— Où ? demanda Désirée.

— À Ville-Dieu.

— Moi, je veux bien, dit Désirée.

— Moi aussi, fit Dominique.

— Moi aussi, dit encore Agénor.

* * *

C'est au cours du long voyage vers Ville-Dieu qu'on perdit Dominique. Il marchait en queue, portant comme toujours plus que sa part de bagages et de provisions, lorsqu'Agénor — qui avait alors quinze ans — se retourna soudain sur un long bout de chemin en ligne droite, entre Sinéglou et le premier village plus au sud, et remarqua que Dominique ne suivait plus.

— Il s'est peut-être cassé une jambe, fit Marie-Clarina.

Elle enleva son sac à dos et partit à la recherche de Dominique.

Après avoir marché un bon quart de lieue, ils virent, au beau milieu du chemin, le lourd sac à dos de Dominique, sans Dominique.

Marie-Clarina appela longuement, en vain. Elle examina les bords du chemin, dans l'espoir que des branches cassées ou des herbes piétinées lui révèlent par où Dominique avait pu passer.

Mais elle ne vit rien que des traces dans la boue du fossé, qui auraient aussi bien pu avoir été laissées par un chevreuil ou un renard.

Pendant une demi-heure, Marie-Clarina appela. Puis elle haussa les épaules.

— Je gage, se dit-elle, qu'il s'est trouvé une belle Indienne qui l'aura entraîné dans sa grotte.

Elle avait pensé cela en blaguant, bien sûr. Mais elle avait parfaitement raison.

Histoire de Dominique

Jusqu'ici, ces histoires qui interrompaient nos autres histoires se situaient dans le passé. Pas celle-ci — sauf pour les premières lignes. Nous avons cru utile de la placer ici dans le récit, car jamais plus Dominique — ni tout autre personnage apparaissant dans ce chapitre — ne rencontrera à nouveau d'autres personnages de nos histoires.

Le lecteur pressé peut donc, sans risque de perdre le fil ténu de ces histoires, sauter ce chapitre si cela lui plaît. Cela le regarde.

Aux autres lecteurs, qui ont du temps à perdre, nous allons commencer par demander d'imaginer quelque chose qu'ils n'ont probablement jamais vécu.

En effet, peu d'êtres humains ont eu l'occasion de voir leur vie changer du tout au tout, pour le mieux. Souvent, on a vu des gens heureux ou puissants ou riches connaître les plus grands malheurs, la défaite ou la pauvreté. Mais l'inverse est rare. Autant le malheur est capable de frapper avec la rapidité de l'éclair, autant le bonheur est en général lent. Si lent, en fait, que pour la plupart des gens la mort arrive bien avant.

Imaginer quelqu'un qui passe du malheur le plus profond au bonheur le plus total est donc un exercice difficile si on ne l'a pas vécu soi-même. Pourtant, c'est précisément ce qui arriva à Dominique.

Marchant en queue, traînant la patte, portant un sac dont les bretelles lui fendaient les épaules, il se sentait vraiment très malheureux. Il avait quitté Voldar où il avait été heureux quelques mois, à l'époque d'Anatole et des folles nuits d'amour avec

Marie-Clarina, mais où les autres mois lui avaient constamment rappelé à quel point il était incapable de vivre simplement, de vivre pour vivre.

Puis, on avait décidé de partir pour Ville-Dieu. La perspective de quitter Voldar était en quelque sorte une bonne nouvelle. Mais celle de vivre à Ville-Dieu, où des gens risquaient de reconnaître en lui l'ancien séminariste ridicule, lui déplaisait foncièrement.

Il s'était même, depuis quelques minutes, mis dans la tête de recenser à chaque pas qu'il faisait un de ses malheurs ou de ses défauts.

« Pauvre type », se disait-il, et il faisait un pas du pied gauche. « Malingre », pensait-il et il faisait un pas du pied droit. « Affreux », se disait-il en faisant un pas du pied gauche. « Imbécile », pensait-il en faisant un pas du pied droit. Tout y passait : « assoiffé », « impuissant », « menteur », « envieux », « méprisable », « intellectuel raté », « séminariste athée », « voleur », « paresseux »...

Il venait de faire un premier pas sans mot dire après sa cinquantième épithète du genre, lorsqu'il pensa à ajouter « ampoulé aux pieds ». Et c'est alors que passa devant lui, traversant le chemin, la plus jolie créature qu'il lui ait jamais été donné de voir.

Le lecteur qui a le sens de l'observation a sûrement lui aussi déjà remarqué que l'on a beau se dire qu'on a vu la plus belle femme du monde, il finit toujours par s'en trouver une encore plus belle sur son chemin.

Et c'est ce qui arriva à Dominique. Il avait déjà cru que sa tante Ursule était la plus belle femme du monde. Puis il avait donné ce titre à sa cousine Piéronie, fille de sa tante Ursule. Puis il l'avait accordé à une religieuse dont il ne sut jamais le nom mais qui stimula son amour de Dieu et le convainquit involontairement d'embrasser les ordres. Puis il avait dû reconnaître que Marie-Clarina était la plus belle créature qu'il ait jamais connue. Puis que Désirée devenait encore plus belle en vieillissant.

Mais il oublia toutes les femmes qu'il avait jamais vues en voyant passer Mamia devant lui.

Mamia était dénudée jusqu'à la taille et ses seins étaient arrivés à cet instant précis où ils auraient été trop jeunes une minute plus tôt, et juste un peu sur la voie du déclin une minute plus tard.

Mais Mamia avait d'autres attraits, que les yeux de Dominique inventorièrent les uns après les autres, promenant ses yeux des pieds à la tête, de la tête aux pieds. Si le lecteur n'a jamais vu la plus belle femme du monde, qu'il se l'imagine, mais les défauts en moins.

Des cheveux noirs comme les plumes du bout de la queue d'un corbeau, mais légers comme du duvet d'oie, flottant sur des épaules d'une couleur mélangeant l'or et le cuivre, l'argent et le mercure. Un visage noble, avec un nez droit et volontaire. Des lèvres bien en chair, traçant à la fois une moue et un sourire, comme si tout ce qui existait était à la fois méprisable et rempli de plaisir. Des fossettes qu'on ne remarquait pas, mais qui donnaient au visage une douce sérénité, une tendre ironie.

La taille était fine, ceinte d'une jupe en toile brune grossière, qui en s'ouvrant à chaque pas soulignait la finesse de la cuisse, la légèreté du mollet, le potelé du pied nu.

Pendant quelques secondes, l'apparition eut l'air de vouloir durer une éternité.

Puis, Mamia se tourna vers Dominique qu'elle n'avait pas encore vu, planté là au beau milieu du chemin. Cela donna à Dominique l'occasion de voir les plus beaux yeux qui aient jamais existé. Des yeux noirs comme du charbon, mais avec un reflet bleuté, enchâssés dans des cils longs et noirs aussi. Un regard qui ne s'étonnait de rien, qui semblait capable de saisir et comprendre en une seconde toute la réalité de l'univers. Un regard qui sembla à Dominique bon et généreux et doux et intelligent et capable d'aimer.

Dominique sentit ses jambes tenter de se dérober sous lui. Mais il fit un effort, se contenta de déposer son sac par terre, au milieu du chemin.

Mamia sourit, comme si le trouble de Dominique était tout à fait naturel et ne valait pas un battement de cils. Elle s'arrêta au milieu du chemin et se tourna vers lui, comme si l'endroit où elle allait avait cessé d'exister, comme s'il ne pouvait plus y avoir que cet homme sur son chemin.

« Elle est amoureuse de moi », ne put s'empêcher de penser Dominique.

— Je t'aime, dit-il en même temps qu'elle disait « Je t'aime ».

Il lui prit la main — ou est-ce elle qui prit la sienne ?

Et ils coururent vers la forêt, traversant en deux pas le fossé boueux. Ils coururent main dans la main jusqu'à un endroit de la forêt où se dressaient deux huttes relativement confortables, recouvertes d'écorce. Devant une des huttes, un vieillard souriant faisait cuire quelque chose dans une grande casserole.

— C'est mon père, dit Mamia dans une langue que Dominique ne connaissait pas mais qu'il comprenait lorsque Mamia la parlait.

* * *

Dominique et Mamia passèrent une semaine dans la hutte sans en sortir une seule minute.

Une ou deux fois par jour, la main du vieil homme passait à l'intérieur de la hutte quelque nourriture bizarrement épicée et un peu grasse mais que Dominique ne pouvait trouver que délicieuse dans l'état où il était.

Le lecteur, espérons-le, nous pardonnera de ne pouvoir décrire la semaine que Dominique et Mamia passèrent dans la hutte. Les mots et l'expérience nous manquent.

Disons simplement que ni Tristan et Iseult, ni Daphnis et Chloé, ni Roméo et Juliette, ni Richard Burton et Elizabeth Taylor n'ont passé une semaine comme celle-là.

Jamais Dominique n'avait été si heureux. Jamais il n'avait même pensé qu'il pourrait un jour — et encore moins une semaine — connaître un tel bonheur.

Il n'eut même pas la bêtise de croire que ce bonheur pourrait durer toujours ou, au contraire, se terminer un jour, tellement ce bonheur était plein, total, intemporel.

C'est pourquoi l'arrivée de Jean-Baptiste Dupont ne fut pas pour lui une déception aussi grande qu'on aurait pu s'y attendre.

L'Indien entra dans la hutte où Dominique et Mamia étaient étendus. Il souleva la peau d'ours et donna une claque retentissante sur la cuisse de la jeune femme.

— Salut, toi, fit-il à l'endroit de Dominique.

Il se déshabilla et se glissa tout nu comme les autres sous la peau d'ours.

Dominique vit du coin de l'oeil Mamia poser tendrement la tête sur l'épaule de l'Indien.

Il attendit que le souffle régulier de Mamia et de Jean-Baptiste révélât qu'ils dormaient tous les deux, puis se glissa hors du lit. Il remit ses vêtements, qu'il avait laissés dans un coin de la hutte sept jours plus tôt. Puis il sortit.

Le vieil Indien était affairé à allumer le feu, soufflant sur des brindilles, et il ne vit pas Dominique passer devant lui et prendre une corde qui traînait par terre.

Dominique noua solidement la corde à une branche, puis passa un noeud coulant à son cou.

Entre le moment où il fit basculer la bûche sur laquelle il était grimpé et celui où il cessa de vivre, il eut le temps de revoir une bonne partie de sa vie.

Il se revit enfant malingre, risée des enfants de son âge parce qu'il était laid et ne s'intéressait pas à leurs jeux. Il se revit adolescent, secrètement amoureux d'une fille mais incapable de le lui dire, puis assistant le coeur brisé à son mariage à un officier de la milice. Il se revit entrant au séminaire, parcouru de frissons à la vue du Christ en croix. Il se revit sortant du séminaire, rouge de honte parce qu'il avait échoué là aussi. Il se revit à Voldar, au lit, entre Désirée et Marie-Clarina. Et il revit surtout chaque moment des sept jours qu'il venait de passer avec Mamia. Il se dit qu'il avait enfin vécu et qu'il pouvait mourir heureux.

Ne s'étant jamais pendu, Dominique mourut par une lente strangulation, car il n'avait pas sauté de suffisamment haut pour se briser la colonne vertébrale. Son corps donc mourut d'une mort affreusement lente et cruelle. Mais son esprit, comme s'il s'était déjà détaché de son corps, mourut dans la joie.

Jean-Baptiste et Mamia furent éveillés par les cris du vieillard qui, levant les yeux, avait enfin aperçu Dominique se balançant au vent, la langue tordue et violacée déformant son visage.

Nus, Jean-Baptiste et Mamia s'approchèrent du corps de Dominique. Jean-Baptiste prit des mains du vieillard un vieux couteau ébréché pour trancher la corde. Le corps de Dominique retomba au sol.

Mamia l'enlaça dans ses bras, serrant contre son sein la chevelure bouclée de Dominique.

— Qu'est-ce qui lui a pris ? demanda Jean-Baptiste.

Mamia ne répondit pas.

— Tu ne lui avais pas dit que tu avais un frère ? demanda encore Jean-Baptiste.

Mamia ne répondit pas. Elle caressa une dernière fois le front de Dominique, avant de laisser retomber au sol le corps inerte.

— Il est mort heureux, dit-elle sur un ton apparemment insouciant.

Sceptique, Jean-Baptiste regarda le cadavre, sa langue gonflée, son teint violacé. Mais il remarqua aussi une douceur dans le regard, une étonnante absence de tristesse, presque un reflet de bonheur dans le coin des yeux.

— C'est vrai, dit-il en regardant l'ébauche de sourire qui entourait la langue tordue, on dirait qu'il est mort de bonne humeur.

XVII

Marie-Clarina entreprit de vider le sac de Dominique de tout ce qui lui semblait inutile et en fit un tas le long de la route.

Elle ne conserva que les provisions et un livre noir en latin, intitulé *Bréviaire,* se disant qu'il pourrait lui être agréable d'avoir quelque chose à lire tous les jours, même si elle n'en comprenait pas un mot. Elle mit donc ce livre noir dans son sac à elle.

Elle eut tôt fait de rejoindre Agénor et Désirée, qui avaient profité de cette pause imprévue pour se baigner les pieds dans le fossé au bord du chemin.

Marie-Clarina expliqua à Désirée que Dominique avait disparu. Désirée manifesta un peu d'inquiétude, mais fut rassurée lorsque Marie-Clarina lui déclara en riant que Dominique avait sans doute rencontré sur son chemin une belle Indienne.

Il fallut trois jours pour atteindre Sainte-Bouteille, et c'est là que se produisit un des événements les plus étonnants de ce récit.

Sainte-Bouteille n'était pas à proprement parler un village. Sainte-Bouteille, c'était une auberge. Pas d'église, pas de presbytère, pas de maisons, pas de fermes : une auberge, un point c'est tout. Mais son premier propriétaire, qui était un peu mégalomane et qui adorait la bouteille, **avait décidé que si sainte** Bouteille ne faisait pas partie des saints et saintes du paradis, c'était un oubli historiquement inacceptable. Il avait donc baptisé son auberge et la forêt qui l'entourait du nom de Sainte-Bouteille. Et lorsque Maxime Métivier, qui avait le sens de l'humour et de la politique, prit le pouvoir, il autorisa les cartographes officiels à inscrire ce nom de lieu-dit sur les cartes les plus récentes des Régions du Haut. Cela avait mis en rogne l'archevêque de Ville-Dieu, qui n'avait pas daigné s'arrêter à cette auberge du diable lorsqu'il s'était rendu à Sinéglou une quinzaine d'années plus tôt, alors qu'il n'était que simple évêque. Maxime Métivier était resté sourd à ses protestations, sachant fort bien que faire rayer Sainte-Bouteille de la carte pourrait être une excellente récompense à offrir la prochaine fois qu'il aurait un service à demander aux autorités ecclésiastiques. « Donnant, donnant », disait-il, tout en sachant fort bien que c'était toujours celui qui demandait le deuxième qui pouvait se permettre de donner le moins.

L'auberge de Sainte-Bouteille était une des plus fréquentées des Régions du Haut. Après avoir marché près d'un mois depuis Voldar, Marie-Clarina rêvait d'un bon lit de plumes. Mais elle prétexta l'envie de prendre un bain pour convaincre ses amis de passer la nuit à l'auberge plutôt que de coucher sous la tente.

On loua donc une chambre. Et, comme on avait encore un peu d'argent et beaucoup d'appétit, on décida d'aller à la salle à manger plutôt que de se contenter des provisions de boumikan, savoureuses mais quand même plutôt sèches.

La salle à manger d'une auberge à cet endroit et à cette époque était un spectacle peu édifiant. Et celle de l'auberge de Sainte-Bouteille dépassait de loin tout ce qui s'était fait auparavant et tout ce qui se ferait par la suite. Passons rapidement sur la saleté des lieux. Les murs n'avaient jamais été lavés. Le plancher, pas depuis un an au moins. Les tables étaient de temps à autre vaguement essuyées d'un coup de torchon sale. Les chaises de bois étaient si collantes qu'on les gardait aux fesses une fraction de seconde chaque fois qu'on se levait.

La salle était remplie de fumée et des douzaines de bûcherons s'y entassaient, mangeant pour la plupart avec leurs doigts, peut-être parce qu'ils leur semblaient plus propres que les fourchettes entre les dents desquelles des reliefs des repas des années précédentes étaient restés collés.

Pour tout ce monde, une seule serveuse, laide, boiteuse, mais d'une habileté déconcertante. Elle vous lançait, d'une distance de cinq pas au moins, une assiette qui s'arrêtait droit devant vous sans rien perdre de son contenu, comme si elle avait su elle-même où était votre place. Elle avait aussi une méthode bien spéciale de transporter les verres : elle plongeait un doigt dans chacun des cinq verres qu'elle prenait dans chaque main et, en serrant bien fort les doigts, elle vous déposait votre verre devant vous, puis se suçait les doigts à la première occasion. Ainsi, même lorsqu'elle ne buvait rien, elle était à moitié saoule à la fin de la journée.

Nos trois voyageurs se frayèrent un chemin dans tout ce brouhaha. Désirée se fit pincer les fesses à plusieurs reprises, et Marie-Clarina presque aussi souvent. Ils trouvèrent place à une table, dans un coin. Comme il manquait une chaise, Agénor prit place sur un petit tabouret rond.

Désirée commanda à la serveuse de la bière et du ragoût de mouton.

En attendant d'être servi, Agénor regarda un meuble derrière lui.

— Qu'est-ce que c'est ? demanda-t-il.

Les deux femmes haussèrent les épaules. Ni l'une ni l'autre n'avait jamais vu meuble pareil, presque aussi haut qu'une armoire, presque aussi large que haut, et taillé dans le même bois blond que le tabouret sur lequel Agénor était assis. Au centre, à peu près à la hauteur de la ceinture d'un homme, il y avait une tablette arrondie, peu commode pour y déposer quoi que ce soit.

Agénor continua d'examiner le meuble, puis souleva le dessus de la tablette, qui bascula, révélant un clavier de piano.

— C'est un piano, s'écria Agénor.

Les autres regardèrent et conclurent que ce devait en effet être un piano. Agénor avait imaginé qu'un vrai piano serait plus volumineux et plutôt horizontal que vertical. Il n'avait vu que le clavier que Marie-Clarina avait peint pour lui sur la table, à Voldar. Il allongea un doigt, ne put résister à la tentation d'enfoncer une des touches blanches. « Ping », fit le piano d'une voix claire et retentissante qui attira l'attention de quelques bûcherons à la table voisine.

— Je peux jouer ? leur demanda Agénor.

Ils haussèrent les épaules, se remirent à mâcher avec indifférence leur tourtière d'orignal.

— Je peux ? demanda Agénor à sa mère.

— Mais tu n'as jamais joué.

— Pas d'un vrai, mais je gage que je suis capable.

— Comme tu veux.

Agénor approcha du piano son tabouret, écarta les doigts pour les dégourdir, puis toucha une note et une autre et d'autres encore, lançant dans la salle enfumée la musique du rondo de Zomart. Le rondo eut du mal, au début, à se faufiler entre les tables bondées, d'autant plus que les doigts d'Agénor frappaient les touches avec timidité. Mais ils prirent de l'assurance et se mirent à danser sur les touches de plus en plus rapidement. Et le rondo prit son envol, s'infiltra d'oreille en oreille, forçant l'attention, faisant tourner les têtes.

La plupart des bûcherons n'avaient jamais entendu jouer du piano. Plusieurs avaient touché les notes de ce piano-là, sans savoir comment cet instrument fonctionnait. Quelques-uns avaient entendu des chansons grivoises accompagnées par un mauvais pianiste dans un bouge de Ville-Dieu. Mais personne n'avait jamais entendu de Zomart, ni surtout de Zomart joué comme Agénor le jouait.

Les conversations cessèrent les unes après les autres, ceux qui parlaient se rendant compte que ceux à qui ils s'adressaient ne les écoutaient plus. Ceux qui marchaient s'arrêtèrent, figés, fascinés par la musique. Même la serveuse boiteuse déposa ses dix verres sur une table et ne bougea plus.

Agénor ne se rendit pas compte qu'on l'écoutait avec tant d'attention. Étonné de l'étrange similitude entre la musique qu'il avait toujours entendue dans sa tête et celle qui sortait maintenant du piano, il jouait sans hésiter, ravi de sentir avec quelle douceur les touches réagissaient sous ses doigts plus habitués à la surface rude, dure et immobile de la table de la cuisine à Voldar.

Le rondo tournoyait dans toute l'auberge, montant les escaliers, se glissant sous les portes, passant à travers les murs, enjambant les meubles, sautant par-dessus les paillasses, s'envoyant follement en l'air par les fenêtres.

Même un chevreuil et une famille de mouffettes, à l'orée du bois, s'arrêtèrent et tendirent l'oreille à ces sons nouveaux.

Lorsque le rondo s'acheva sur une dernière cascade de notes rapides, il n'y eut pas d'applaudissements, pas un mot, pas un bruit. Même la serveuse boiteuse resta debout où elle était, bouche bée, espérant qu'il y aurait une suite. Elle essuya sur sa manche une larme qui perlait au coin d'un oeil.

Et la musique reprit. Celle de la sonate d'on ne savait trop qui. Plus sombre, plus grave, plus sérieuse, plus pompeuse, mais aussi plus dramatique que le rondo, Agénor frappant souvent le clavier de ses dix doigts à la fois.

Cette fois, la serveuse boiteuse pleura pour de bon, laissant ses larmes rouler sur ses joues, n'osant pas renifler de crainte de faire du bruit. Jamais elle n'avait vu un si beau garçon, ni entendu de si beaux sons.

Quelques bûcherons eurent aussi des larmes au coin des yeux, qu'ils essuyèrent du bout du doigt sans faire de bruit, plutôt que de se moucher dans leurs manches.

La sonate prit de l'ampleur encore, comme si deux pianos s'étaient mis à jouer en même temps. Les mains d'Agénor coururent de long en large sur le clavier, sautant des blanches aux noires et des noires aux blanches. Ses pieds venaient de découvrir les pédales, et Agénor en comprit rapidement le fonctionnement, les utilisant pour souligner les passages forts de la sonate.

La sonate en arrivait à son point culminant, faisant feu de toutes ses notes, de toutes ses émotions, lorsqu'Aristote Psoriasis, le propriétaire actuel de l'auberge, entra dans la pièce.

Le spectacle de ces bûcherons immobiles, regardant tous dans la même direction, sans lever leur verre à leurs lèvres, ne fut pas sans l'étonner.

Lui aussi tourna les yeux dans la direction de leurs regards et vit le garçon assis au piano. Mais Aristote Psoriasis était sourd comme un pot et il n'entendit pas le moindre son. Son regard rencontra celui de la serveuse, qui lui fit signe de se taire en croisant son index sur sa bouche.

Aristote Psoriasis fronça les sourcils, se demandant si le calme qui se présentait à ses yeux ne risquait pas d'être suivi d'une tempête. Perplexe, indécis, il s'appuya de la main contre le mur.

Aussitôt, les vibrations du piano se transmirent à lui, par la paroi, par ses doigts puis par ses nerfs, jusqu'à son cerveau. Et des images anciennes surgirent en lui.

Il se revit et s'entendit, enfant aux cheveux bouclés, dans son pays natal, entre des murs blancs, assis devant un piano près d'une fenêtre ouverte par laquelle soufflait un vent doux et parfumé. Sur son épaule, battant la mesure, la main de sa mère. Et de ses doigts s'échappait une musique qu'il entendait maintenant, jouée par un autre enfant, après trente ans de surdité.

Au grand étonnement de la serveuse qui l'épiait du coin de l'oeil, Aristote Psoriasis éclata en sanglots.

Personne ne l'entendit pleurer, car la sonate était devenue coups de canons et appels de clairons, sonnant une dernière charge contre le monde du silence.

Puis Agénor, tremblant, le front plein de perles de sueur, laissa retomber ses bras de chaque côté de lui.

Quelques nouveaux arrivants profitèrent de la pause pour aller prendre place à une table, de préférence la plus proche d'Agénor.

Sans applaudir, toute la salle attendait la suite.

Agénor hésita avant de jouer une de ses propres compositions.

Il avait peur d'être ridicule, surtout après avoir joué cette sonate d'il ne savait qui, mille fois plus belle encore en vraie musique qu'en musique dans sa tête.

Mais il s'enhardit et son index lança timidement la première note de sa composition préférée, *J'ai dix doigts*. Puis les autres doigts de la main droite sautèrent sur les touches, bientôt suivis de ceux de la main gauche. Il n'y avait aucune commune mesure entre la musique qui avait précédé et cette composition d'Agénor. Autant la sonate était prétentieuse et brillante, autant celle-ci était gaie, simple, rythmée.

Les visages s'éclairèrent, les larmes séchèrent, les images dramatiques qui avaient envahi l'imagination des auditeurs pendant la sonate furent remplacées aussitôt par des images heureuses et gaies.

Un bûcheron, dans un coin, revoyait en fermant les yeux le jour où il avait épousé une jeune vierge de son village et où il était sorti de l'église, à son bras, fier et heureux comme il ne l'avait plus jamais été depuis, ayant été obligé par la misère de quitter sa bien-aimée presque toute l'année pour travailler dans les chantiers.

Un autre bûcheron ne pouvait s'empêcher de se souvenir de son premier enfant, de la première minute de son existence, lorsqu'il l'avait enlevé des mains de la sage-femme et avait tendu le nouveau-né vers le soleil qui perçait par la fenêtre, comme un défi, comme une prise de possession. Où était-elle maintenant, que faisait-elle, cette fille qu'il n'avait pas vue depuis près d'un an ?

La serveuse ferma les yeux et revit le fils qu'elle avait eu un jour, tétant à son sein, en mordillant, lui donnant partout la chair de poule. Comme elle l'avait aimé, ce bébé, que la typhoïde avait emporté quelques années plus tard.

Appuyé maintenant de tout son dos et de ses deux mains contre le mur pour ne pas perdre une note, Aristote Psoriasis n'avait pas à fermer les yeux pour revoir, au même rythme que la musique du piano, son père qui dansait habillé de blanc, sur la place du village, ses pieds soudain si légers qu'on avait peine à croire que cet homme était aussi capable de lever des pierres pesant plusieurs fois le poids d'un homme. Et sa mère, debout avec les autres femmes, semblait si fière d'être la femme d'un tel homme. Et lui, le petit Aristote, avait envie de crier à tous : « Et c'est moi leur fils, c'est moi, Aristote. »

J'ai dix doigts d'Agénor entremêlait les notes et les rythmes, faisait danser les doigts de pieds dans les souliers, chantait la joie de vivre quand on a quinze ans et qu'on est heureux, joie qu'on peut partager quand on a trente ou cinquante ou soixante ans, même si on n'est plus aussi heureux.

Agénor reprit une dernière fois la mélodie principale, douce, chantante, presque un baume pour l'esprit. Les notes défilaient rapidement, mais sans se hâter, comme une cascade qui roule son chemin dans le lit d'un ruisseau.

Puis la musique s'arrêta brusquement, sans avertissement.

Agénor referma le couvercle sur les touches, se retourna sans faire attention aux regards fixés sur lui, approcha son tabouret de la table et baissa les yeux.

Les bûcherons se remirent à manger et à boire, ragaillardis par la musique, mais trop intimidés par les dons d'Agénor pour oser l'applaudir ou le féliciter.

— C'était beau, dit tout simplement Marie-Clarina.

— Oui, je le sais, fit Agénor sans fausse humilité.

Aristote Psoriasis s'approcha de leur table et passa la main dans les cheveux d'Agénor.

— Je peux m'asseoir avec vous ? demanda-t-il.

Il approcha une chaise et s'assit sans attendre la réponse qu'il n'aurait pu entendre de toute façon.

— Je m'appelle Aristote Psoriasis. Puis-je vous demander où vous allez avec ce jeune homme ?

Désirée et Marie-Clarina lui expliquèrent où elles allaient, d'où elles venaient, qu'elles espéraient trouver du travail à Ville-Dieu où Agénor aurait une meilleure éducation.

Aristote Psoriasis, qui n'avait rien entendu de leur histoire, fit signe à la serveuse d'apporter encore du ragoût de mouton. Il avait compris que les voyageurs se rendaient à Ville-Dieu pour trouver du travail, car depuis deux ans c'était le but d'une bonne part des voyageurs qui arrêtaient chez lui, déterminés à remplacer la misère des campagnes par la misère des villes.

— Si vous allez à Ville-Dieu, il vous faudra de l'argent, fit-il en déposant sur la table dix grosses pièces de deux piastres chacune.

Marie-Clarina et Désirée protestèrent, mais Aristote Psoriasis ne voulut ni ne put rien entendre.

— C'est la crise à Ville-Dieu, dit-il. C'est la crise partout. Vous aurez besoin d'argent. Avec ça, vous aurez au moins de quoi tenir un mois ou deux. Et soignez bien le petit, il a beaucoup de talent.

Il se leva, salua pompeusement et s'éloigna.

Comparées à la salle à manger, les chambres étaient propres. Le papier peint des murs était vieux et crasseux. Mais le plancher avait été lavé depuis moins d'un an. Et — ô merveille — il y avait de l'eau chaude dans un des deux robinets au-dessus de la baignoire.

Ni Marie-Clarina ni Désirée n'avaient jamais vu de robinet d'eau froide et à plus forte raison d'eau chaude, ni de baignoire. Mais une femme comprend rapidement ces choses-là, et bientôt Désirée s'étendait dans l'eau chaude, se frottant voluptueusement avec un morceau de savon jaune et odorant. Et Agénor fut à son tour tenté à la vue de l'eau chaude qui coulait en abondance. Marie-Clarina l'aida à se déshabiller, lui montra où étaient les serviettes, attendit qu'il se glisse précautionneusement dans la baignoire.

— Tiens, je vais te laver le dos, fit-elle.

Et elle prit le savon, frotta doucement le dos d'Agénor. « C'est vrai qu'il devient plus fort, pensa-t-elle. On dirait presque un homme. » Elle demanda à Agénor de pencher la tête en arrière, pour le mouiller. Et c'est lorsque le garçon fut étendu devant elle, entièrement plongé dans l'eau, que Marie-Clarina se sentit soudain troublée. Elle avait toujours considéré Agénor comme son fils, mais elle ressentait pour la première fois qu'il ne l'était pas. Elle se hâta de lui savonner les cheveux. Elle se releva et allait s'éloigner...

— Dis donc, Marie-Clarina, demanda Agénor en se frottant les yeux pleins de savon, est-ce qu'on peut gagner sa vie en jouant du piano ou en composant de la musique ?

— Voyons, ne dis pas de bêtises, fit Marie-Clarina.

C'est ainsi que se termina la carrière musicale d'Agénor.

*　*　*

Le lendemain matin, Aristote Psoriasis refusa de laisser les femmes payer les chambres. Il leur offrit le petit déjeuner — du café fort avec du fromage et du pain grillé. Il leur remit même des provisions pour le voyage et leur souhaita bonne chance.

Une fois les voyageurs partis, Aristote Psoriasis retourna à la salle à manger maintenant déserte, s'approcha du piano, s'assit sur le tabouret, ouvrit le couvercle du piano, hésita longuement en regardant les touches blanches et noires.

Puis il leva les mains, écarta les doigts et attaqua le clavier avec violence.

Pendant une minute, deux peut-être, ses doigts frappèrent les touches de toutes leurs forces, courant d'un bout à l'autre du clavier. Pendant une minute, deux peut-être, le vieillard encore robuste chercha à extraire des sons de l'instrument. Mais pendant une minute, deux peut-être, il n'entendit pas le moindre son, il ne sentit pas la moindre vibration.

Il abandonna et rabattit rageusement le couvercle sur le clavier.

*　*　*

241

Quand Désirée devint-elle une prostituée ?

Elle n'aurait pu le dire elle-même.

Le soir de l'arrivée à Ville-Dieu on avait loué une grande chambre dans le plus vieux quartier. Et Désirée était allée se promener seule, car ses amis étaient trop fatigués pour faire un pas de plus après la longue journée de marche suivant d'autres longues journées de marche. Désirée n'avait pu résister à l'attrait des lumières et des rues et des maisons à étages que tant de prospecteurs lui avaient décrites.

Elle regardait dans la vitrine d'un boulanger-pâtissier, n'osant croire ses yeux et ses narines qu'il pouvait exister des choses si belles et sentant si bon et qui pouvaient aussi se manger, lorsqu'une main toucha son bras.

Elle se retourna et vit un beau grand jeune homme, qui souriait.

— Tu veux une brioche ? demanda-t-il.

— Oui, répondit-elle sans gêne.

Et ils entrèrent dans la pâtisserie. Le jeune homme lui acheta deux brioches, tellement elle semblait affamée ou gourmande.

Il l'invita ensuite chez lui et elle accepta, ne voyant là rien d'inconvenant.

Il la fit asseoir, dans son appartement élégamment meublé, sur un fauteuil délicieusement confortable, recouvert d'un tissu plus doux que tous ceux qu'elle avait touchés de toute sa vie. Le jeune homme ne perdit pas beaucoup de temps à la séduire, et Désirée ne demandait qu'à le laisser faire.

Et il fit l'amour d'une manière qui fit souvent sourire Désirée, car il semblait confondre amour et gymnastique, cherchant à connaître sa partenaire sous tous les angles, sous tous les axes.

Désirée finit par s'endormir dans les bras de son partenaire, malgré la faim qui recommençait à la tenailler.

Mais, quelques minutes plus tard, elle entendit frapper sans ménagement à la porte.

— C'est moi, Alexandre, faisait une voix.

— Lève-toi, fit le jeune homme à Désirée, quelqu'un d'autre a besoin de la place.

Désirée s'habilla rapidement.

Puis le jeune homme ouvrit la porte à un autre jeune homme

portant la même redingote, le même chapeau, la même écharpe, la même canne à pommeau d'ivoire, et prêtant son bras à une femme affreusement fardée (ce fut du moins le jugement de Désirée).

— Nous sommes quatre à partager cet appartement, expliqua le jeune homme en descendant l'escalier étroit avec Désirée. C'est pratique et peu coûteux, mais ce n'est pas tout à fait sans inconvénients.

Le jeune homme parlait d'une voix précieuse, avec une élégance affectée que Désirée trouvait particulièrement ridicule.

Ils arrivèrent dans la rue et Désirée allait s'éloigner de son côté, lorsque le jeune homme lui retint le bras.

— La prochaine fois, dit-il, ce n'est pas seulement deux brioches que je te donne. Mais tout un repas. Et à l'Arlequin.

Désirée sentit dans ces propos quelque chose de confusément flatteur. Elle haussa les épaules et hâta le pas.

Elle eut du mal à retrouver la rue où ils avaient loué leur chambre et fut accostée une fois de plus par un jeune homme, qu'elle n'écouta pas.

Elle entra enfin dans la chambre, sans faire de bruit, et parvint à trouver les allumettes et la bougie.

Mais dès que la lueur de la bougie éclaira les murs de la pièce, cela créa une grande agitation parmi les cafards, coquerelles, blattes, cloportes, punaises, cancrelats et autres parasites qui en étaient les premiers occupants. Dégoûtée, Désirée souffla aussitôt la bougie et se coucha sur la paillasse. Elle s'endormit, mais rêva beaucoup et mal.

*   *   *

La vie à Ville-Dieu fut, cet automne-là, particulièrement difficile. La misère qui régnait dans les campagnes environnantes, partiellement causée par un manque de terres cultivables et un nombre trop grand d'enfants qui depuis plusieurs générations se partageaient et se sous-partageaient les meilleures terres, la misère donc avait chassé vers les villes et vers Ville-Dieu en particulier un contingent de plus en plus important de miséreux affamés qui ne trouvaient là qu'encore plus de faim.

243

Marie-Clarina se trouva un emploi mal payé, à essuyer les verres au fond d'un café.

Désirée ne trouva pas de travail. Elle aussi aurait essuyé les verres au fond d'un café, mais ces emplois étaient rares.

Agénor réclama le droit d'aller travailler. Mais on le lui refusa. Le fait qu'il ne travaillait pas à seize ans maintenant était pour Marie-Clarina et Désirée leur seul motif d'orgueil. L'envoyer travailler comme les autres garçons de son âge les aurait humiliées profondément.

Marie-Clarina s'était contentée de lui peindre, sur le bord de la fenêtre car il n'y avait pas de table, des touches noires et blanches, en lui disant : « Tiens, ça te passera le temps. »

Mais Agénor n'avait plus envie de jouer sur de faux pianos ou de s'écouter dans sa tête.

Marie-Clarina et Désirée, chacune de son côté, rêvaient de faire assez d'argent pour lui acheter un vrai piano qui joue de la musique. Mais c'était un rêve lointain, qu'elles caressaient sans vraiment y croire.

*　*　*

Désirée était sûrement la femme la plus désirable de tout Ville-Dieu. Il y en avait sans doute de plus jolies qu'elle, mais à cinq, dix ou vingt pas, aucune silhouette n'était aussi immédiatement, aussi impérieusement attirante que la sienne.

À trente ans, ses hanches s'étaient élargies, ses seins s'étaient épanouis et sa taille était restée presque aussi fine qu'avant la naissance d'Agénor.

Elle n'avait qu'à paraître sur le trottoir pour que les regards d'hommes se tournent vers elle, comme des insectes attirés par une lampe.

Un second jeune homme lui offrit un repas qu'elle avala avec appétit, mais en regrettant de ne pouvoir le partager avec ses amis. Lorsqu'elle dit « La prochaine fois, il faudra qu'on amène aussi Agénor, c'est mon fils ; et aussi Marie-Clarina, c'est mon amie », le jeune homme s'était contenté de rire sans conviction.

Elle fit l'amour avec lui toute la nuit, dans un appartement presque aussi élégant que le premier où elle était allée.

C'est la fois suivante qu'un homme, plus âgé celui-là, l'emmena au restaurant, que Désirée comprit le rapport entre ces repas et la nuit qui suivit.

Pour la première fois, elle avait bu du vin et, la tête un peu lourde, elle s'était endormie une seconde peut-être sur la banquette. Se réveillant en sursaut, elle avait déclaré qu'elle ferait mieux d'aller dormir dans son lit. L'homme avait répondu d'un ton impatient et cassant, insistant qu'on devait aller dans un appartement qu'il partageait avec des amis.

L'appartement (celui où Désirée était allée avec le premier jeune homme) était déjà occupé, et il fallut attendre qu'il soit libéré. Mais, tout le temps qu'ils attendirent, l'homme lui maintint fermement le poignet dans sa main, repliée comme un fer sur la cheville d'un prisonnier. Et Désirée comprit qu'elle avait sans le savoir accepté un contrat : un repas contre les plaisirs du lit.

Elle ne connaissait pas les mots prostituée ou putain et ne savait pas non plus qu'il était peu moral de vendre ses charmes.

Mais, le lendemain, elle fut accostée presque simultanément par deux hommes. Le premier lui offrit de l'emmener à l'Arlequin. Le second lui offrit « dix piastres et pas de temps perdu au restaurant ». Le premier renchérit à quinze piastres. Le second monta à vingt. Le premier protesta que c'était beaucoup trop pour une fille qu'on n'a jamais essayée. Le second riposta que c'était son argent et que de toute façon il avait l'oeil pour reconnaître la bonne marchandise.

Au petit jour, il remit à Désirée vingt-cinq piastres, en lui disant qu'elle devrait s'acheter des vêtements, de jolis dessous tout au moins.

Mais Désirée n'en fit rien. Elle rentra aussitôt raconter à ses amis qu'elle avait vingt-cinq piastres. C'était plus de deux semaines de salaire pour Marie-Clarina, qui demanda à Désirée où elle avait eu cet argent.

Désirée ne fut aucunement gênée d'expliquer, en présence d'Agénor, comment elle l'avait gagné.

Marie-Clarina se demanda si c'était bien honnête de gagner de l'argent ainsi, mais n'en dit pas un mot. Elle enviait son amie. Car elle-même n'aurait pas demandé mieux que faire l'amour avec un homme qui lui aurait plu, et sans faire un sou. Mais sa silhouette à elle s'était épaissie, son visage s'était ridé et elle n'attirait plus que l'attention des hommes qui n'attiraient pas la sienne.

*   *   *

En quelques semaines, Désirée devint la prostituée la plus recherchée de Ville-Dieu. Elle avait appris avec Anatole de la Tour Magnanime à faire l'amour généreusement, sans compter, sans retenue. Et cela, ses clients le sentaient et l'appréciaient. Ils repartaient convaincus de s'être surpassés. Et certains, mariés, s'étonnaient quelques heures ou quelques jours plus tard d'être incapables d'en faire autant avec leur légitime épouse — et c'est celle-ci bien entendu qu'ils accusaient, oubliant que leur incapacité vaincue pour quelques minutes par Désirée n'en demeurait pas moins réelle.

Désirée mit plusieurs mois avant de s'acheter le moindre vêtement neuf.

Elle fit d'abord sortir son fils et Marie-Clarina de leur taudis, pour les amener dans un logement sans luxe, mais plus vaste et plus confortable. Un immense poêle à deux ponts trônait au milieu de la cuisine, ronflant de bois bien sec en ce début d'hiver, et Désirée n'en était pas peu fière.

Puis, le jour des dix-sept ans d'Agénor, une voiture tirée par des chevaux s'arrêta devant la porte, et trois énormes déménageurs en sortirent un piano (d'occasion, mais impressionnant tout de même). Il fallut enlever les portes de leurs gonds pour faire entrer l'instrument. On le posa enfin dans la pièce mal meublée qui faisait office de salon, et Agénor se mit à jouer. Il joua pendant près de deux jours sans interruption, sauf pour un court somme de trois heures au milieu de la seconde nuit. Les voisins, d'abord charmés par cette musique, ne tardèrent pas à en être exaspérés. Mais Marie-Clarina enguirlanda avec tant de conviction le premier plaignard venu frapper à la porte qu'on n'en entendit plus parler.

Toutefois, Agénor se lassa vite du piano.

* * *

Désirée profita aussi de sa prospérité nouvelle pour exiger que Marie-Clarina cessât de travailler.

Et Marie-Clarina se laissa convaincre. Elle pouvait ainsi mieux s'occuper de la maison et d'Agénor, apprendre à faire la cuisine (Désirée lui avait acheté un grand livre de recettes, compliquées mais aux noms pleins de poésie, depuis les oeufs Mimosa jusqu'au poulet Florentine), et peut-être parfois se reposer un peu, car elle commençait à se sentir vieillir.

Désirée étant toujours en forte demande, elle put enfin s'acheter des vêtements. Mais elle ne le fit que lorsqu'elle put aussi habiller de neuf Marie-Clarina et Agénor.

En sortant du magasin où ils avaient à eux trois dépensé en deux heures les revenus de seize nuits de travail, ils n'avaient plus rien en commun avec les Désirée, Marie-Clarina et Agénor de Voldar ou de Sainte-Robille.

Marie-Clarina, malgré son embonpoint, avait retrouvé fière allure, dans un manteau de soie rouge moirée qui devait lui valoir le surnom de « la cardinalice » dans Ville-Dieu.

Agénor, avec son haut-de-forme en peau de castor, sa canne à pommeau d'ivoire, sa redingote bien serrée à la taille, était beau comme un dieu qui aurait décidé de participer à une soirée de gala.

Quant à Désirée, dans un manteau noir au col de renard blanc, elle passait beaucoup plus facilement pour la femme ou la soeur de son fils que pour sa mère. Et souvent il lui fallut expliquer que non, Agénor était bel et bien son fils.

Devenue aussi élégante que séduisante, Désirée s'étonna qu'il ait suffi de s'acheter quelques robes pour recevoir autant d'invitations au mariage que d'invitations à la fornication.

Elle les repoussa toutes sans hésiter, à l'exception d'une seule à laquelle elle ne répondit pas « non », mais plutôt « pas maintenant ».

Pourtant, Hilare Hyon n'était pas beau. À moitié chauve, un peu ventru, bien installé dans la quarantaine, il n'avait rien de séduisant.

Mais beaucoup de femmes s'étaient données à lui, car il était l'homme le plus puissant de Ville-Dieu, et cela se sentait à sa façon de parler, de marcher, de sourire, de regarder les gens le regarder.

Et si le lecteur a envie d'un bon conseil, qu'il suive celui-ci et il ne le regrettera pas : « Si vous n'êtes pas beau, soyez puissant. »

Né de parents inconnus, Hilare Hyon s'était engagé à onze ans comme moussaillon. À vingt et un ans, il achetait à crédit son premier navire après que son capitaine se fut noyé par une nuit sans lune et sans tempête. À trente et un ans, il était devenu le plus important armateur de Ville-Dieu, possédant une flotte de quarante-trois navires dont vingt-six à vapeur, et décidait que la fortune trop facile à accumuler ne valait rien si on n'avait pas aussi la puissance politique. Il avait donc chargé Maxime Métivier, jusque-là humble avocat, de représenter ses intérêts en fondant un parti qui ferait semblant de représenter les intérêts de tous.

Maxime Métivier élu, Hilare Hyon diversifia ses activités : il construisit des routes et des ponts, fabriqua du papier, acheta une fonderie, se mit à construire ses propres navires et même ceux de ses concurrents, fit tant et si bien qu'il devint impossible, dans toutes les Régions du Haut, de boire une bière ou de manger du pain, de voir une pièce de théâtre ou de prendre le train sans que quelques centins ou quelques piastres s'ajoutassent à la fortune d'Hilare Hyon.

À quarante et un ans, Hilare Hyon s'était dit que la fortune et la puissance maintenant acquises, il était temps de s'attaquer au plus difficile des objectifs qu'il s'était fixés : le bonheur.

Il chercha d'abord à se marier, mais oublia aussitôt pourquoi il se mariait. Oubliant de chercher la femme qui le rendrait le plus heureux, il épousa celle qui renforcerait le mieux sa puissance et sa fortune.

Mélodie D'Amour était la fille aînée d'une des plus vieilles et des plus respectables familles de Ville-Dieu. La dot de la fille du roi des cornichons n'était pas à négliger. Mais, en épousant Mélodie, Hilare Hyon neutralisait surtout son principal concurrent dans les travaux publics, la famille D'Amour parvenant toujours à obtenir de nombreux contrats car ils avaient plus d'équipement et plus d'expérience dans ce domaine.

Le lecteur s'imagine sans doute que Mélodie était laide. Il ne saurait être plus loin de la vérité.

Mélodie D'Amour était aussi belle que son nom. Grande, mince, élégante, d'une grâce à la fois discrète et évidente, elle était myope et avait ce regard un peu flou qui donne aux yeux qui ne savent ce qu'ils voient un mystère bien spécial.

Elle était de ce genre de femme qui, au bras d'un homme, suffit à donner à celui-ci l'image d'un homme de qualité.

Dès qu'il l'avait rencontrée, Hilare Hyon l'avait voulue. Et il l'eut, après avoir menacé son concurrent Louis-Philippe D'Amour de faire exiger par la Banque Hyon le remboursement immédiat de toutes ses créances.

En sortant de l'église au bras de sa jeune épouse, sous un resplendissant soleil de mai, Hilare Hyon crut qu'il avait trouvé le bonheur, à quarante et un ans, à force de travail, d'intelligence et de volonté.

Il se rendit vite compte de sa méprise. Bien sûr, il avait renforcé et sa fortune et sa puissance. On le saluait plus bas que jamais lorsqu'on les croisait, lui et sa femme. On était convaincu qu'Hilare Hyon était le plus riche, le plus puissant, le plus heureux des hommes.

Mais Hilare Hyon dut s'avouer qu'il avait eu tort d'épouser la femme qu'il voulait au lieu de la femme qu'il aimait. Non pas qu'il en eût aimé une autre. Il avait tout simplement oublié de se poser la question, croyant que s'il la voulait, il fallait nécessairement qu'il l'aimât.

Toutefois, Mélodie ne provoquait chez lui aucun élan plus fort que le désir le plus primaire. Un peu froide, un peu distante, un peu fragile, elle finit par donner à Hilare Hyon l'impression d'être trop faible pour l'amour, car elle n'avait rien de la vigueur vulgaire mais invitante et vivante des femmes qui l'avaient toujours séduit. « J'ai épousé une femme à encadrer », se disait Hilare Hyon qui jugea cette excuse suffisante pour retourner courir les filles du port et des mauvais quartiers, filles qu'il ne payait jamais car il avait trop d'orgueil. Mais ces filles se donnaient à lui parce qu'elles le savaient riche et puissant, et cela est peut-être encore plus humiliant.

Désirée fut la seule femme qu'il ait jamais payée. D'une part, Désirée avait pour principe de ne jamais faire l'amour pour rien, car ce serait priver Marie-Clarina, Agénor et elle-même de l'argent dont ils avaient besoin. D'autre part, Hilare Hyon ne l'avait aucunement impressionnée, car ni l'argent ni la puissance ne l'impressionnaient.

Hilare Hyon lui versa donc ses vingt-cinq piastres, car il aurait été incapable de se priver plus longtemps d'une des deux belles femmes de Ville-Dieu (l'autre étant la sienne), d'autant plus que les racontars qui couraient les beaux quartiers comme les ruelles lui promettaient une nuit comme il n'en avait jamais vécu.

Il emmena donc Désirée à l'hôtel Hyon qui, lui appartenant, lui garantissait un personnel des plus discrets.

Une heure plus tard, Hilare Hyon reconnut qu'il n'avait jamais si bien dépensé vingt-cinq piastres.

Il offrit aussitôt le mariage à Désirée. Celle-ci répondit « pas maintenant », sans aucunement vouloir dire « peut-être plus tard ». Et Hilare Hyon en fut soulagé, car il se voyait mal divorcer, avec les complications financières que cela lui vaudrait, sans compter la perte de ses appuis à l'évêché.

Lorsqu'ils sortirent de l'hôtel au petit jour, Hilare Hyon tira de sa poche droite, celle dans laquelle il gardait ses cartes de visite personnelles, un bristol à son nom et à son adresse.

— Viens chez moi samedi soir, je donne une réception, dit-il en lui tendant la carte.

Désirée prit la carte, la regarda, la glissa dans son sac à main.

— Bien sûr, tu peux venir avec un homme, ajouta Hilare Hyon.

*   *   *

Lorsque Désirée entra au bras d'Agénor dans le hall couronné d'un immense candélabre où brillaient mille bougies, tous les regards se tournèrent vers eux.

Tous les regards d'hommes se figèrent d'abord sur le visage de Désirée, descendirent le long de son corps, remontèrent au visage, puis se tournèrent vers Agénor.

Les regards des femmes se figèrent d'abord sur le visage

d'Agénor, descendirent le long de son corps, remontèrent au visage, puis se tournèrent vers Désirée.

Il y eut un long moment de silence, pour ne pas dire de stupéfaction.

Désirée connaissait intimement la moitié des hommes qui étaient là. Mais la plupart d'entre eux ne l'avaient connue qu'avant qu'elle se soit acheté des vêtements neufs. Et s'il eût été possible d'écouter leurs pensées, on aurait entendu un choeur s'écrier : « Mais elle est devenue encore plus désirable habillée que nue ! »

Quant à Agénor, personne ne l'avait encore vu. Il était habillé comme un jeune dandy zanglais, mais il était évident qu'il n'en était pas un. Il était trop resplendissant de santé pour avoir toujours vécu en ville. Et on sentait que son aisance et sa confiance lui venaient non de son costume, mais de ce qu'il était lui-même vis-à-vis de lui-même.

Tous les hommes présents ressentirent envers lui un irrépressible mouvement de jalousie, de cette jalousie violente que cause la vue d'un être en apparence parfait.

La vue d'Agénor stimula les zones érogènes de plusieurs des femmes. Les autres femmes, plus lentes à s'éveiller, se contentèrent d'admirer le jeune homme et d'envier la femme qui lui tenait le bras.

Hilare Hyon brisa enfin le silence et s'avança, la main tendue. Il baisa la main de Désirée, serra celle d'Agénor et fit les présentations.

— Mes amis, il me fait plaisir de vous présenter mes amis Désirée... euh...

— O'Brien, souffla Désirée.

— Désirée O'Brien et... euh...

— Agénor, souffla encore Désirée.

— Et Agénor... euh...

— O'Brien, souffla Désirée une troisième fois.

— Et Agénor O'Brien. Désirée et Agénor O'Brien.

Ainsi, Agénor passa pour le mari de Désirée. Cela détendit l'atmosphère. Les personnes qui sont belles cessent de devenir menaçantes lorsqu'elles sont mariées à des personnes aussi belles qu'elles.

Une seule personne continua à examiner Agénor avec curiosité. En effet, Mélodie Hyon reconnaissait en Agénor un ange qui avait hanté ses rêves, depuis bien avant son mariage à Hilare Hyon. Dans ces rêves, un homme laid et méchant lui faisait un mauvais parti. Ce mauvais parti variait d'un rêve à l'autre. Parfois, l'homme laid tentait de la pousser du haut d'une falaise. Ou de la couper en deux dans le sens de la longueur avec une énorme scie mécanique. Parfois il l'attachait sur des rails de chemin de fer, alors qu'on entendait au loin le tchuc-tchuc-tchuc de la locomotive. D'autres fois encore, il la lançait vers des chutes vertigineuses dans un petit canot d'écorce. Ou il la jetait dans une fosse emplie de serpents venimeux.

Mais toujours, au tout dernier moment, son ange se précipitait vers elle du haut du ciel et la saisissait par la taille à la dernière seconde, coupant ses liens s'il y avait lieu, et l'enlevait avec lui vers le firmament. Et le cauchemar se transformait en songe merveilleux.

En réalité, le visage d'Agénor n'avait rien de commun avec celui du jeune éphèbe aux joues pâles que Mélodie avait imaginé jusque-là. Mais sa myopie retarda cette constatation et sa mémoire eut le temps de corriger ses souvenirs de sorte que l'ange et Agénor ne firent bientôt plus qu'un.

Pendant toute la soirée, Désirée et Agénor demeurèrent les vedettes de la réception.

Les uns après les autres, les hommes firent danser Désirée, qui n'avait jamais dansé de sa vie mais était ravie de se laisser entraîner dans les vastes tourbillons de la valse.

Beaucoup de femmes demandèrent à Agénor s'il dansait. Mais il secouait la tête et restait debout près d'Hilare Hyon et de sa femme, flairant les odeurs, regardant les acteurs de ces rites étranges.

Hilare Hyon le fit parler, mais ce fut Mélodie surtout qui écouta avec attention Agénor raconter en quelques phrases son enfance à Sainte-Robille (dont il avait gardé quelques souvenirs et inventé les autres détails), puis à Voldar. Lorsqu'il raconta qu'il avait joué du piano, mais sans jamais avoir vraiment appris, Mélodie supplia du regard son mari de convaincre Agénor de montrer son savoir-faire. Et Hilare insista, sûr de pouvoir rire à bon compte de ce si beau rustaud.

Lorsque l'orchestre fit une pause, Hilare Hyon poussa Agénor jusqu'au grand piano à queue. Mélodie s'assit près de lui sur la grande banquette rectangulaire. À Agénor qui la regardait avec étonnement, elle expliqua :

— Je vais tourner les pages pour vous.

Elle s'était attendue à ce qu'Agénor sorte de sa poche ou de la banquette du piano quelque feuille de musique.

— Je ne sais pas lire la musique, dit Agénor confus.

Mais Mélodie resta près de lui. Et beaucoup de gens ne purent s'empêcher de penser qu'ils avaient l'air de deux amoureux du même âge, tout juste sortis de l'adolescence.

Agénor se mit à jouer *Blonde et Froide,* une oeuvre de deux minutes à peine qu'il avait composée au sujet de sa tête. Une oeuvre jolie et simple, et facile à comprendre.

Il y eut des applaudissements polis. Agénor se leva aussitôt. Il ne se sentait pas à l'aise, ne parvenait pas à communiquer avec ces gens qui, à l'encontre des bûcherons de Sainte-Bouteille, ne sentaient pas les choses simples avec simplicité.

En effet, sa musique fut jugée primaire par beaucoup, plus habitués aux grandes oeuvres de Pestfuy et Kleinemann, compositeurs à la mode.

Seule Mélodie aurait aimé rester là, assise près d'Agénor, à écouter cette musique étrange, rythmée, discrète, doucement triste et délicatement froide.

Mais elle se leva elle aussi lorsqu'elle vit qu'Agénor ne se rassoyait pas.

* * *

Hilare Hyon invita souvent Désirée et Agénor à sortir avec lui et Mélodie.

C'étaient parfois d'autres grandes soirées dans d'autres grands salons de la grande bourgeoisie de Ville-Dieu.

Mais c'étaient la plupart du temps des soupers dans les trois ou quatre bons restaurants de la ville. Soirées paisibles, à manger lentement, à se griser doucement d'un peu de vin.

Souvent, Agénor sentait contre sa cuisse la cuisse chaude de Mélodie et il baissait les yeux, s'éloignait juste assez pour que sa cuisse ne perde pas le contact avec celle de Mélodie, mais sans rester aussi tendrement serrée contre elle. Il n'osait alors regarder Hilare Hyon en face, bien qu'il fût au courant des relations de celui-ci et de sa mère.

Puis, à la fin de la soirée, on rentrait, parfois en fiacre, mais souvent à pied s'il faisait beau et bon. Hilare et Désirée marchaient devant, en devisant gaiement, tandis qu'Agénor et Mélodie traînaient un peu la patte, sans dire un mot.

Parfois, le sol était un peu glissant, et Mélodie pour éviter de tomber se retenait tout à coup au bras d'Agénor. Et tous deux en concevaient beaucoup de plaisir.

Arrivé devant la grande maison des Hyon, on s'embrassait amicalement sur la joue, Agénor serrait la main d'Hilare, et on se quittait.

Toutefois, quelques minutes plus tard un promeneur attardé aurait pu voir un homme ressortir de la grande maison maintenant obscure. C'était Hilare allant rejoindre Désirée, qui s'était plainte à lui que ces soirées les privaient, elle, Marie-Clarina et Agénor, de précieux revenus.

Agénor laissait sa mère à la porte de l'hôtel Hyon et marchait jusque chez lui, où la plupart du temps Marie-Clarina l'attendait patiemment, lisant à haute voix les paroles incompréhensibles du bréviaire de Dominique.

Marie-Clarina avait refusé de les accompagner dans leurs sorties, sachant bien qu'elle était trop vieille et trop laide pour fréquenter le beau monde. Sans l'avoir jamais compté avec précision, elle se disait qu'elle aurait bientôt cinquante ans, si ce n'était déjà fait, et qu'il était bien triste qu'à cinquante ans on puisse se sentir déjà si vieux. Elle fermait le bréviaire, elle cherchait à se souvenir, de Robille, de ce mari dont elle avait oublié le nom, de son père Agénor, et de l'autre Agénor, et d'Anatole et de Dominique. Et elle se disait qu'elle avait dû bien vivre pour avoir tant de bons souvenirs.

Puis, quand Agénor entrait, elle lui préparait une tasse de chocolat chaud. Elle se faisait du souci pour lui, car il n'apprenait pas un métier, il buvait trop parfois, et elle se disait qu'il était trop beau pour ne pas mal tourner.

Le plus étonnant, dans les rapports entre Désirée, Hilare, Mélodie et Agénor, c'est que chacun d'entre eux s'imaginait avoir trouvé l'amour de sa vie, alors que c'était faux dans chaque cas.

Désirée était flattée de l'attention que lui portait Hilare et se disait qu'il était bon qu'un homme si riche et si puissant s'intéressât à Agénor. De plus, Hilare faisait l'amour avec une fougue étonnante pour un homme de son âge. Et Désirée, qui n'avait pas encore ressenti pour un homme un amour profond, était prête à confondre tous ces besoins avec l'amour, car elle croyait que l'amour était un besoin et non un luxe.

Hilare, lui, s'était encore laissé prendre au piège. Avoir Désirée comme maîtresse (et presque tout Ville-Dieu était au courant de cette liaison flatteuse qu'il ne s'efforçait pas de dissimuler) avait accru son prestige et par conséquent sa puissance. Lorsqu'on disait de lui « Il en a de collé », on ne parlait plus seulement de son argent. On parlait aussi de ses femmes. Et qu'il disposât des deux plus belles femmes de la ville fit de lui un homme suprêmement envié, jusqu'à l'évêché, où l'on se jurait de se venger le jour où il viendrait demander l'annulation de son mariage. En effet, Hilare y songeait, à cette annulation. Il se disait que Désirée était la femme qu'il aurait dû épouser, femme pleine de feu, de vie, de sensualité, femme auprès de laquelle il ne s'ennuyait jamais, mais que, sans le savoir, il n'aimait pas véritablement ; il aurait pourtant pu le découvrir, s'il s'était demandé : « Est-ce que je quitterais tout pour elle ? » Mais il est fréquent qu'un homme évite de se poser les questions qui comptent vraiment, pour ne retenir que les réponses qui lui plaisent.

Quant à Mélodie, elle présentait tous les symptômes de l'amour le plus profond. Dans ses rêves, Agénor la sauvait de périls constamment renouvelés. De plus, elle languissait chaque jour où il n'était pas question de rencontrer Agénor. Quand elle l'apercevait, elle était envahie de frissons troublants. Et rien ne lui plaisait plus que sentir, sur la banquette d'un restaurant ou d'un fiacre, la cuisse d'Agénor reposant contre la sienne, puis la sentir se dérober un peu, ce qui lui donnait à elle l'audace de la poursuivre à nouveau. Mais, à bien y penser, Mélodie n'aimait qu'elle-même. Agénor était un prétexte à sentir de nouvelles émotions. Elle n'aimait pas plus Agénor qu'une abeille ne souhaite le bonheur de sa fleur préférée.

Et comment Agénor aurait-il pu aimer ? Nos jeunes lecteurs protesteront qu'on peut aimer à dix-sept ans et ils citeront à l'appui bon nombre de cas historiques ou littéraires. Aimer à dix-sept ans ? Nous préférons laisser les lecteurs plus âgés en juger. Agénor, sans doute, était attiré par Mélodie Hyon. Le peu de femmes qu'il avait connues lui avaient suffi à deviner les plaisirs et les joies qu'on pouvait en tirer. Mais il était le premier à mesurer la distance qui le séparait de Mélodie : l'éducation, le caractère, le passé et le présent, le mode de vie, et dans une certaine mesure la présence même d'un mari riche et puissant. Et Agénor, malgré son apparence forte et robuste de garçon de la campagne, se sentait faible, vulnérable et fragile, et il n'avait pas envie de souffrir.

Du moins, pas envie de souffrir à cause de l'amour.

Histoire d'une partie de religions

— Si tu veux, avait répondu Dieu sans enthousiasme.

Déjà, accepter de s'incarner en Terrien ne l'avait guère enchanté, mais le Fils y avait tenu, se plaignant de la longueur abusive de l'éternité.

— Pourquoi ne vas-tu pas faire un tour sur une planète quelconque ? Ce n'est pas le choix qui manque... avait suggéré Dieu.

— Pour me laisser mijoter à petit feu par des cannibales comme la dernière fois ? Non merci ! avait protesté le Fils.

« C'est bien le Fils, ça, se dit Dieu. Il se plaint de s'ennuyer parce que l'éternité passe trop lentement, mais dès qu'il va s'incarner sur une planète, il se met dans un tel pétrin à force de prêcher des causes impopulaires qu'il lui arrive toutes sortes de malheurs. Il n'y a pas si longtemps, il s'est fait crucifier. Puis, il a fallu qu'il aille dire à des erthropophages sur Erthrox qu'ils devaient s'aimer les uns les autres. Il n'apprendra donc jamais ? »

Pendant ce temps, le Fils avait placé sur le plancher de terre battue le grand damier de douze cases sur douze et avait commencé à y disposer les pièces rouges du jeu de religions.

« Si au moins, pensait encore Dieu, il acceptait qu'on s'incarne dans un cadre agréable. Mais non, il faut qu'on ait l'air de vrais pauvres. C'est pour notre image, qu'il dit. Comme si quelqu'un pouvait nous voir. »

Dieu était d'une humeur massacrante ce matin-là. Il avait accepté de s'incarner sous le visage qu'un peintre zitalien, nommé

Michel-Ange, avait tracé de lui dans une vieille chapelle. Mais il n'aimait pas cette espèce de tunique bleue trop ample qui trahissait son embonpoint. Il l'avait donc remplacée par une combinaison plus moderne et s'était coincé la barbe dans la fermeture éclair.

— Christ ! s'était-il écrié.

— Oui, papa ?

— Je ne t'ai pas parlé.

— Ce n'est pas parce qu'on est Terrien qu'on doit nécessairement blasphémer.

— Et l'authenticité, alors ?

Le Fils avait haussé les épaules devant la mauvaise foi évidente de son père. La prochaine fois, il suggérerait plutôt de s'incarner en autre chose que ces habitants des Régions du Haut de la planète Terre, dont le langage coloré causait parfois des malentendus.

Dieu se mit en devoir de disposer ses pièces. Au tirage au sort, il avait hérité des verts.

Aux extrémités, il avait placé les mormons, pièces qui voyagent en L (un à droite puis un tout droit pour celle de gauche, un à gauche puis un tout droit pour celle de droite).

Plus à l'intérieur, toujours sur la rangée inférieure, il plaça les musulmans, se déplaçant de deux cases à la fois en diagonale.

Plus à l'intérieur toujours, il disposa ses quatre chrétiens : un catholique et un zanglican à gauche, un luthérien et un orthodoxe à droite. Tous ceux-là avaient droit à deux mouvements droit devant ou un sur place.

Vinrent ensuite les bouddhistes (un de chaque côté) qui avaient droit d'avancer de trois cases, pourvu que ce ne soit pas dans une seule direction.

Au centre, dans les cases F-1 et G-1 : le Père et le Fils, dépassant d'une bonne tête toutes les autres pièces et tous deux capables de se mouvoir d'une case à la fois, dans n'importe quelle direction.

Dieu disposa ensuite dans la colonne de droite, en commençant par le haut, ses instruments de conversion : le livre, le lion, le bûcher, le cimeterre, le tabernacle, le cilice, le goupillon, le moulin à prières, l'amulette et le minaret.

Il serait trop long d'expliquer le fonctionnement de toutes ces pièces. Disons simplement que certaines d'entre elles pouvaient détruire certaines pièces de l'adversaire, restaient impuissantes devant d'autres pièces et se faisaient détruire par d'autres encore.

Par exemple, le lion pouvait manger le livre, l'amulette et le tabernacle. Il ne pouvait s'attaquer au minaret, au moulin à prières et au goupillon. Mais il pouvait se faire anéantir par le cilice, le cimeterre et le bûcher.

Le bûcher, par contre, pouvait brûler le lion, le livre et le minaret. Il ne pouvait rien contre le goupillon, le moulin à prières et le cilice. Mais il se faisait éteindre par l'amulette, le tabernacle et le cimeterre.

Toutes ces pièces pouvaient avancer ou reculer d'une ou deux pièces par coup, sur le plan horizontal seulement.

Le Fils aussi avait terminé de placer toutes ses pièces. Il ne resta plus qu'à placer les infidèles bleus dans les seize cases du centre.

L'objectif du jeu était simple : s'emparer du plus grand nombre possible d'infidèles, sans se faire manger son Père ou son Fils.

Le Fils fit le premier mouvement, car les rouges faisaient toujours le premier mouvement. Il hésita longuement, ce qui fit grincer Dieu des dents, et il finit par se contenter du mouvement classique de son zanglican en D-11.

Dieu répliqua aussitôt par le plus audacieux musulman en J-2, ce qui bouchait la voie temporairement à son orthodoxe, mais le lançait directement à l'attaque de l'infidèle en H-5.

À nouveau, le Fils réfléchit longuement, hésitant entre un autre mouvement classique (le luthérien en I-2) et un mouvement peu usité à ce moment de la partie, le Fils en H-2. Il pesa le pour et le contre, puis opta pour le premier mouvement.

Déjà, Dieu commençait à manifester des signes d'impatience. Il regrettait de ne pas avoir utilisé l'horloge, ce qui aurait forcé le Fils à jouer plus rapidement, sous peine de manquer de temps en fin de partie. Mais il était trop tard pour en faire la demande. Il joua donc, un peu hâtivement il est vrai, son catholique en C-3.

La partie se poursuivit lentement, le Fils prenant un malin plaisir à prendre son temps, Dieu jouant trop rapidement et oubliant tout système (quoique son seizième mouvement, le musulman prenant le catholique opposé en D-6 au lieu de l'infidèle en E-5, méritât d'être considéré comme un trait de génie).

Mais le Fils avait de plus en plus l'avantage, renforçant sa position au centre et s'étant déjà emparé de quatre infidèles, alors que Dieu n'en avait que deux.

Dieu avait de plus en plus de .mal à cacher sa mauvaise humeur. Il était de ceux qui, même s'ils perdent souvent, sont incapables d'en prendre l'habitude. Et le jeu extrêmement lent du Fils ne cessait d'accroître son impatience. Plus le Fils jouait lentement, plus il jouait rapidement lui-même, même s'il savait qu'en jouant plus rapidement, il jouait plus mal.

« Le petit con », pensa-t-il du Fils lorsque celui-ci prit un infidèle de plus par ce qui semblait être un adroit mouvement du musulman en E-7. Dieu lui réservait une surprise, en avançant son cilice en H-6, faisant peser une menace à la fois sur un minaret et sur un livre de l'adversaire. Mais Dieu avait été distrait et il n'avait pas remarqué qu'en H-6 son cilice se trouvait à la merci du cimeterre en J-8.

Et, pour une fois, triomphant, le Fils s'empara sans hésiter du cilice de Dieu.

— Calvaire, marmonna Dieu.

Il examina le damier avec attention. Il ne lui restait plus grand-chose à faire. Tout au plus, à force de patience, pourrait-il arracher un match nul.

— Tu as mis le Saint-Esprit au pigeonnier, j'espère ? demanda-t-il distraitement.

Le Fils rougit, puis blêmit.

— Je vérifie, dit-il.

Il sortit de la maisonnette, revint l'air penaud.

— Non, j'ai oublié.

— C'est pas possible, gronda Dieu. Tu te rends compte de ce que tu as fait ?

Le Fils haussa les épaules. Il était trop tard pour y changer quoi que ce soit.

Hors de son pigeonnier, le Saint-Esprit avait nécessairement traduit sur la Terre les mouvements des pièces. Et, même s'il ne s'était encore produit que des massacres mineurs, une aggravation de la situation des verts sur le damier pourrait entraîner sur Terre un bain de sang réel et monstrueux.

Le Fils se rassit devant le damier, pendant que Dieu continuait à fulminer.

— Non, mais c'est vrai, on rit pas avec ces conneries-là. S'ils savaient que c'est nous qui causons leurs catastrophes par nos étourderies, je me demande s'il resterait une seule religion sur Terre.

— Tu pourrais quand même faire un effort pour mieux jouer, rétorqua le Fils. Ton dernier mouvement, par exemple.

— Je joue comme je veux, tonna Dieu.

Et il continua à jouer comme il voulait, la nervosité faisant perler la sueur sur son front. La dernière fois qu'il avait perdu une partie, ç'avait été la guerre de Cent Ans. Qu'est-ce que ce serait cette fois-ci ?

De son côté, le Fils cherchait à rétablir l'équilibre, en commettant volontairement bourde sur bourde.

« Le vieux con, pensait le Fils, il pourrait au moins faire attention. »

En effet, bien malgré lui, le Fils était parfois obligé, selon les règles du jeu, de prendre un infidèle de plus. Mais l'équilibre commençait à se rétablir, malgré tout. Et Dieu commençait à souffler un peu. Il avait maintenant la quasi-certitude d'en arriver à une nulle. Il devint plus agressif, et le Fils recula volontairement, lui laissant la place nécessaire pour s'emparer des quelques infidèles qui restaient.

Le Fils avait pris huit infidèles, et Dieu sept.

Dieu s'empara en souriant du seizième infidèle.

— Et voilà, c'est la nulle.

— Non, dit le Fils atterré.

— Comment, non ?

— Et ton Père ?

— Qu'est-ce qu'il a mon Père ?

— Il fallait le bouger au lieu de prendre l'infidèle.

Dieu baissa les yeux sur le damier. C'était pourtant vrai. Ne pensant qu'à l'attaque, il avait laissé son Père sans protection. Le Fils, qui n'avait aucunement l'intention de l'attaquer, avait tout de même commencé un repli de ses musulmans très avancés, car il se méfiait de Dieu et se disait que celui-ci, une fois la nulle acquise, tenterait peut-être d'arracher la victoire. Mais, juste au moment où un de ses musulmans passait à distance d'attaque du Père, Dieu avait négligé cet aspect du jeu et s'était contenté de s'emparer du dernier infidèle. Toutefois, le règlement était on ne peut plus clair : si, en faisant la nulle, on était vulnérable à une prise du Père ou du Fils, on perdait la partie.

— On pourrait faire comme si on n'avait rien vu ? suggéra le Fils.

— On ne triche pas dans la famille de Dieu, affirma Dieu en colère.

Le Fils fut donc obligé de lui prendre son Père.

Et les conséquences furent terribles.

* * *

En effet, comme le Saint-Esprit n'était pas dans son pigeonnier, la partie n'était pas neutralisée et elle se jouait pour de bon.

Ce qui veut dire que, depuis plusieurs mois déjà (chaque mouvement, du Fils surtout, prenait plusieurs semaines de temps terrestre), ce qui se jouait sur le damier se répercutait sur Terre.

Ainsi, l'agitation politique et religieuse s'était considérablement accrue. Et, comme l'agitation politique et l'agitation religieuse se confondaient à cette époque, c'est l'agitation politique (la plus avouable) qui prévalait surtout.

Attentats, enlèvements, prises de possession de nouveaux territoires, exécutions de terroristes, affrontements frontaliers s'étaient succédé sans relâche.

L'Occident, depuis des siècles incapable de s'unir, s'était finalement rallié à la bannière verte percée d'un trou rond. En face, l'Orient plus faible sentit aussi le besoin de s'unir et adopta la bannière rouge percée d'un trou carré.

La guerre s'annonçait par des escarmouches de plus en plus fréquentes. On brûla l'ambassade polskienne en Placidie et on rétorqua en Zanglemanie par le sac du consulat placidien. Mais l'Orient marquait des points, se trouvant de nouveaux alliés. Et de nombreux observateurs croyaient qu'on en arrivait à un équilibre des forces qui rendrait toute guerre impossible.

Malheureusement, l'Orient fit une erreur grossière. Organisant un plébiscite dans une province limitrophe, l'Orient remporta une victoire qui semblait enfin assurer l'équilibre des forces. L'état-major d'Occident, qui avait jusque-là cherché à temporiser, s'aperçut que les armées orientales, massées à la frontière de leur nouvelle province, avaient négligé de mettre à l'abri leur capitale, Sardouk. Et l'Occident avait une armée puissante tout près, à quelques heures de marche.

L'état-major occidental aurait, dans une certaine mesure, préféré maintenir l'équilibre des forces. Mais Sardouk, offerte comme sur un plateau d'argent, était une tentation trop forte.

— On n'a pas le droit de ne pas la prendre, dit sèchement le maréchal Point Final.

« Le vieux con », pensa le Fils en pensant non au maréchal, mais à Dieu.

La Plus Grande Guerre venait de commencer.

Le Fils rangea les pièces et le damier. Le sort de la Terre n'était plus entre leurs mains, à lui et à Dieu.

XIX

La nouvelle du conflit parvint rapidement à Ville-Dieu, car on y avait maintenant le télégraphe. Mais il fallut plus d'un an avant que cette guerre lointaine (presque aussitôt appelée la Plus Grande Guerre) commence à passionner l'opinion publique.

La plupart des gens de Ville-Dieu étaient d'origine occidentale et tenaient les Orientaux pour de sombres barbares. Mais, de là à aller se faire tailler en pièces pour la civilisation, il y avait un fossé difficile à franchir.

Le gouvernement central, lui, était prêt à envoyer des troupes à la rescousse de l'Occident. Mais l'opposition farouche des gens du Haut l'en empêchait. On se contenta donc d'envoyer quelques régiments de miliciens volontaires zanglophones et des bateaux remplis de munitions, de matériel militaire et de nourriture.

La fortune d'Hilare Hyon ne fit que s'accroître encore, comme si elle en avait eu besoin. Le chômage diminua un peu, parce qu'il fallait bien accélérer le rendement des fabriques de munitions, de vêtements, d'armes, de tout ce que les armées de l'Occident se hâtaient de détruire sur réception en l'envoyant aux endroits les plus exposés du front. Et il fallait réclamer à la fédération encore plus de munitions, de vêtements et d'armes.

Agénor résista aisément à la tentation d'aller travailler en usine. Et il ne songea même pas, au début de la guerre, à aller s'enrôler.

Il avait pourtant dix-huit ans et une carrure à faire baver d'envie les officiers recruteurs qui le croisaient dans la rue.

Mais Agénor avait pris goût à la vie oisive, douce, luxueuse et agréable que lui assurait l'entourage d'Hilare, de Désirée, de Mélodie et de Marie-Clarina.

De temps à autre, par acquit de conscience plus que par goût, il s'assoyait au piano et jouait quelques notes pour se donner l'impression qu'il était bon à quelque chose.

Presque chaque soir, maintenant, Hilare Hyon l'emmenait dîner avec Désirée et Mélodie. Les deux hommes prenaient de plus en plus plaisir à converser ensemble, pendant que les femmes les écoutaient avec admiration, osant à peine les interrompre pour demander un verre de vin ou une allumette.

Hilare Hyon était bien entendu conservateur, un des principaux bâilleurs de fonds du parti progressiste (parti éminemment conservateur mais qui avait appris à jouer sur les mots).

Pour Hilare Hyon, l'argent n'existait que pour se multiplier et il ne pouvait se multiplier que dans la poche de gens comme lui, qui ne se faisaient pas de souci pour la santé ou le bien-être des ouvriers, ou pour toute autre considération susceptible de ralentir la multiplication de l'argent.

Avec la générosité de la jeunesse, qui n'a rien à partager, Agénor voulait tout partager avec les plus démunis : le pouvoir, l'argent, la gestion, les bons restaurants.

— C'est absurde, protestait Hilare. Je serais d'accord avec toi s'il y avait un seul pauvre pour mille riches. Mais c'est le contraire : il y a un seul riche pour mille pauvres. En partageant, on n'aurait pas de quoi faire mille et un riches : on ferait tout simplement un pauvre de plus. Et, comme il n'y aurait plus de riches, les pauvres ne sauraient même plus qu'ils sont pauvres. Et ils perdraient la seule consolation qu'ils ont dans la vie : celle d'être pauvres mais honnêtes.

Agénor, même s'il parlait peu et était loin d'être passionné par la politique, aimait toutefois ces affrontements avec Hilare Hyon. Peut-être cherchait-il ainsi à garder, aux yeux de sa mère et de Mélodie Hyon, son indépendance face à ce Hilare Hyon qui payait tout ?

— Les riches, ce sont tous des Zanglais, déclarait-il péremptoirement, conscient de la part d'exagération de son affirmation pourtant bien fondée.

265

— Parlons-en, des Zanglais, rétorquait Hilare Hyon. Eux, au moins, ils savent voter.

— Parce qu'ils votent progressiste ? ricanait Agénor.

— Non : parce qu'ils votent toujours pour eux-mêmes. Nous nous demandons toujours comment nous devons voter individuellement. Nous écoutons les porte-parole de chaque parti, nous étudions les promesses électorales, et quand vient le jour de l'élection, même s'il ne s'agit que d'élire un commissaire scolaire, nous votons pour n'importe qui et nos votes sont dispersés aux quatre vents. Le Zanglais, lui, ne se demande jamais pour qui il devrait voter. Il se demande pour qui les Zanglais vont voter. Et une fois qu'il sait pour qui les autres vont voter, il vote comme eux. C'est pour cela que les Zanglais gagnent toujours les élections : il ne leur viendrait jamais à l'esprit de voter pour le parti des autres.

— Cela changera un jour, promettait Agénor. Un jour, nous voterons pour nous-mêmes, et ce sera notre tour de gagner.

— Peut-être, soupira Hilare Hyon. Mais j'ai bien peur que ce ne soit pas pour bientôt.

Hilare Hyon souriait de la naïveté de son protégé. Et il enviait cet idéalisme qu'il n'avait jamais eu même lorsqu'il était jeune. Et il remplissait la coupe de champagne d'Agénor.

Sous la nappe, la cuisse de Mélodie se serrait contre celle d'Agénor. Et Agénor en venait parfois à douter de sa propre honnêteté.

* * *

Désiré, qui n'avait plus qu'Hilare comme client, attendit que celui-ci lui proposât à nouveau de l'épouser.

Mais Hilare trouvait la situation idéale et n'osait plus la modifier. Il avait une maîtresse que lui enviaient tous les mâles de Ville-Dieu. Il avait une femme qui ne voyait rien ou faisait semblant de ne rien voir, mais qui lui apportait le prestige de sa famille et de son excellente éducation. Il avait même un quasi-fils, jeune homme qui lui rappelait parfois le jeune homme qu'il avait déjà été, car Hilare devinait sous l'apparent idéalisme d'Agénor le goût du luxe, de la richesse, des plaisirs. « Un jour, il sera comme moi », pensait-il, et il lui arrivait de rêver d'en faire son associé ou son successeur.

Donc, Hilare Hyon avait tout. Et il n'était pas homme à lâcher la moindre parcelle de son bien, ce que nécessiterait le divorce d'avec Mélodie et le mariage avec Désirée.

Mélodie finit-elle par sentir qu'elle était délaissée ? On ne saurait vraiment l'affirmer. Elle traînait autour d'elle un regard de myope qui ne semblait pas s'intéresser à ce qu'il voyait.

Mais un soir qu'à l'Arlequin elle était restée seule assise avec Agénor tandis qu'Hilare et Désirée dansaient au son d'un orchestre en livrée, Mélodie approcha sa tête de celle d'Agénor.

— La vie est trop courte, lui souffla-t-elle.

Agénor, qui n'avait vraiment pas eu l'occasion de réfléchir à ce sujet, hocha vaguement la tête.

— La vie est trop courte, répéta Mélodie en soupirant.

Encore une fois, Agénor hocha la tête, tandis que la main de Mélodie lui caressait le bras.

— La vie est trop courte, répéta encore Mélodie... trop courte pour ne pas la passer avec toi.

Distrait par l'autre main de Mélodie qui, s'insinuant sous la nappe, lui caressait la cuisse, Agénor ne vit pas immédiatement le rapport qu'il pouvait y avoir entre la longueur de la vie et le désir de la passer avec lui.

— Est-ce qu'on n'est pas ensemble ? demanda-t-il en faisant celui qui ne veut pas comprendre.

— Tu sais ce que je veux dire, protesta Mélodie.

Agénor ne demanda pas de précisions.

L'orchestre avait cessé de jouer, et Désirée revenait vers eux avec Hilare.

— Viens me rejoindre demain, à 3 heures, à l'hôtel Hyon, chambre 303, chuchota Mélodie. Tu viendras ?

— Oui, souffla Agénor.

* * *

Lorsqu'Agénor poussa la porte de la chambre 303 de l'hôtel Hyon, il reconnut aussitôt le parfum de Mélodie, presque aussi enivrant que le champagne.

Elle était au lit, la peau brune de son torse contrastant avec le blanc éclatant des draps. Ses longs cheveux sombres roulaient sur ses épaules.

Elle cligna des yeux pour bien regarder Agénor qui refermait la porte derrière lui.

— Oh non, tu n'as pas fait ça ! s'écria-t-elle.

Agénor fit quelques pas en avant. Il portait l'uniforme bleu et or du troisième régiment de volontaires de Ville-Dieu. Sur son coeur, brillait une plaque portant la devise : « Pour ma Ville et pour mon Dieu ». Agénor s'arrêta au pied du lit, claqua les talons, salua en souriant, enleva son képi orné d'une superbe plume blanche.

— Soldat O'Brien, à votre service.

Mélodie faillit défaillir. Elle comprit qu'elle allait perdre ce jeune homme qu'elle croyait sur le point d'être à elle.

— Nous partons ce soir, dit joyeusement Agénor.

Mélodie tendit les bras vers lui. Agénor s'approcha encore, mais au lieu de se jeter dans les bras tendus il s'assit sur le lit et prit une des mains de Mélodie entre ses gants blancs.

— Pourquoi as-tu fait ça ? dit Mélodie d'une voix blanche. À cause de moi ? Tu ne vas pas aller te faire tuer à cause de moi ?

— Mais non, dit Agénor toujours en souriant. J'y pensais depuis longtemps.

Mélodie ne le crut pas. Et elle avait raison.

— Tu n'as pas le droit, tu es trop jeune.

— Ils en prennent qui n'ont que seize ans.

Mélodie attira Agénor contre elle, posa ses lèvres partout sur son visage. Elle l'aimerait tant qu'elle le forcerait à changer d'idée.

— Ça ne sert à rien, dit Agénor comme s'il lisait dans ses pensées. Je ne changerai pas d'idée.

— Pourquoi as-tu fait ça ?

— Oh, c'est compliqué.

Agénor hésita, cherchant ses mots. Il avait pourtant répété la scène mentalement, plusieurs fois. Il avait décidé de ce qu'il dirait, mais les mots tout à coup semblaient fuir comme s'ils n'avaient plus envie de mentir.

— Je vais t'expliquer, mais ce n'est pas facile, dit-il après un instant tandis que Mélodie le regardait de tout près, au fond des yeux, pour mieux comprendre.

Et Agénor, longuement, lentement, patiemment, péniblement, entreprit de lui expliquer que la seule femme qu'il aimait, c'était sa mère, Désirée. Et qu'il ne l'aimait pas vraiment comme un fils aime une mère. Non, il l'aimait et la désirait et la trouvait plus aimable et plus désirable que toute autre femme au monde. Même Mélodie. Que parfois il ne pouvait s'empêcher de regarder par le trou de la serrure quand elle se déshabillait. Que ses plus beaux souvenirs, c'étaient ceux de sa tendre enfance, lorsqu'il suçait le beau sein blanc de sa mère. Qu'il faisait parfois des rêves dans lesquels Hilare cherchait à torturer sa mère, l'attachant par exemple aux rails d'un chemin de fer, alors qu'on entendait au loin le chuintement d'un train. Et lui, Agénor, arrivait alors au dernier moment, et sauvait sa mère, et tuait le traître. Et sa mère lui donnait alors un baiser comme les mères n'en donnent jamais à leurs enfants, un vrai baiser d'amante.

La voix brisée, Agénor racontait tout cela à Mélodie, n'épargnant aucune horreur. Il expliquait que parfois, s'il semblait éloigner sa cuisse de celle de Mélodie lorsqu'ils étaient assis côte à côte sur la banquette de l'Arlequin, c'était tout simplement parce qu'il voulait se rapprocher de la chaude cuisse de sa mère, de l'autre côté.

Mélodie écoutait cela les yeux baignés de larmes, en secouant la tête.

— Agénor, je te jure que je te ferai passer l'amour de ta mère.

— Mais non, j'aime ma mère plus que tout au monde. Et il vaut mieux que je parte avant de tuer Hilare ou de violer Désirée.

— Avant, fais-moi tout de même un enfant, supplia Mélodie en commençant à déboutonner la tunique bleue d'Agénor.

Agénor se laissa faire. Mélodie crut que c'était la première fois qu'il faisait l'amour, car Agénor était suffisamment inexpérimenté pour qu'on s'imagine qu'il n'avait jamais connu une femme. Et Mélodie, qui n'avait connu d'autre homme que son mari, trouva touchante et suprêmement agréable cette manière naïve et douce de faire les gestes de l'amour.

Agénor se releva et se rhabilla aussitôt après.

— Il faut que je parte, dit-il. Mais j'aimerais que ce soit toi qui dises à ma mère que je suis parti à la guerre. Je ne pourrais pas lui dire moi-même, cela lui ferait trop de peine. Mais ne lui dis pas pourquoi je pars. Dis-lui n'importe quoi. Dis-lui que je suis parti parce que je cherche l'aventure.

Mélodie promit.

C'était d'ailleurs la véritable raison de l'engagement d'Agénor.

Naïvement, il avait cru qu'en inventant des choses odieuses à son propre endroit, Mélodie cesserait de l'aimer. Mais elle ne l'aima que plus. Et, tout le temps qu'elle porta son enfant, elle prit soin de ne pas boire de vin et de traverser les rues prudemment.

Agénor partit rejoindre son régiment ce soir-là, excité à la perspective d'aller se couvrir de gloire au lieu de se laisser mollir par l'amour d'une femme.

* * *

La traversée de l'océan se fit sur un vénérable voilier converti à la vapeur. Deux régiments entiers étaient entassés sur les ponts et dans les cales du navire préalablement affecté au transport du charbon. Et, de jour en jour, on pouvait voir les brillantes tenues bleu et or des soldats se transformer en noir sale et salissant.

Couchant sur le pont, Agénor apprécia l'air marin les jours de beau temps, alors que les hommes confinés à la cale se plaignaient du manque d'air frais. Par contre, lorsqu'il se mit à pleuvoir, les hommes de la cale cessèrent d'insister pour avoir une place sur le pont. Et les choses se gâtèrent encore plus lorsque le capitaine reçut un message de T.S.F. le prévenant de la présence de sous-marins ennemis. Il insista pour que jour et nuit les soldats sur le pont fassent le guet, regardant dans toutes les directions, à l'affût de la moindre vague suspecte.

Agénor ne dormit donc pas beaucoup du reste du voyage. Mais le capitaine n'avait pas eu tort, et sa technique permit d'éviter à deux reprises le sillage de torpilles lancées par d'invisibles sous-marins.

Ce fut d'ailleurs Agénor qui, le premier, aperçut le sillage blanc d'une torpille et lança le cri d'alerte.

Il crut d'abord que c'était la nageoire dorsale d'un thon ou d'un autre gros poisson.

Mais il cligna des yeux sous le soleil brûlant et constata qu'il n'y avait pas d'erreur possible.

— Une torpille, là ! cria-t-il en pointant du doigt.

Un marin, sur la passerelle au-dessus de lui, eut la présence d'esprit de traduire aussitôt pour le capitaine par « Torpille à bâbord », avant même de vérifier dans ses jumelles.

Presque immédiatement, le navire commença à tourner. Agénor vit la torpille s'approcher de la coque, puis obliquer progressivement. En réalité, c'était le bateau qui changeait de direction. Mais on aurait juré que la torpille, au fur et à mesure qu'elle s'approchait du bateau, hésitait, se ravisait, puis décidait d'aller faire ses ravages ailleurs.

Penchés sur le bastingage, des douzaines de soldats virent la torpille parcourir une hyperbole parfaite et retinrent leur souffle alors que l'engin qui pouvait les envoyer à des milliers de brasse de fond frôlait de quelques pouces seulement la paroi pansue du navire.

— Bravo, fit une voix à la gauche d'Agénor, je parie que tu vas vivre aussi vieux que moi.

C'est ainsi qu'Agénor fit la connaissance de Mercure Parisé.

Mercure Parisé était vieux. Du moins l'était-il en comparaison des soldats quasi imberbes qui encombraient le pont. Il avait peut-être cinquante ou soixante ans. Et le colonel l'avait accepté dans son régiment parce qu'il avait été le tout premier à se présenter le jour même de la déclaration de la guerre ; et le colonel n'était pas sûr du tout de recruter d'autres volontaires. De plus, Mercure Parisé avait fait grand état de son expérience, ayant combattu dans la guerre Nord-Sud, dans les Grands Troubles et dans deux ou trois conflits mineurs en Occident et en Orient, comme en faisaient foi les médailles aux rubans crasseux qu'il tira de ses poches.

— Oui, jeune homme, fit Mercure Parisé à Agénor. Le secret, à la guerre, c'est de garder l'oeil ouvert. Comme ça, on sait quand se pencher. C'est un bon soldat qui m'a dit ça jadis, dans la guerre Nord-Sud. Un nommé Vittorio. Un type large comme ça et encore plus grand que toi. Un brave type, ce Vittorio...

Mercure Parisé parlait beaucoup. Beaucoup trop, disaient les soldats, qui le fuyaient. Mais Agénor aima aussitôt l'écouter. Car Agénor, à la recherche de nouvelles expériences, s'était rendu compte tôt dans la vie — dès qu'il avait entendu Anatole de la Tour Magnanime lui raconter ses histoires — qu'il était beaucoup plus simple, plus rapide, moins coûteux et moins dangereux de profiter de l'expérience des autres que d'essayer de tout vivre soi-même.

Agénor laissa donc parler Mercure. Et celui-ci fut ravi de trouver un auditeur de qualité, qui faisait semblant de le croire et qui ne cherchait jamais à le mettre en contradiction avec ses propos de la semaine précédente, ou de la veille, ou de sa dernière phrase.

Non pas que Mercure Parisé fût incohérent dans ses propos. Il aimait tout simplement inventer des histoires et il savait les raconter. Son seul défaut était d'utiliser constamment la première personne du singulier, que l'histoire ait été vécue par lui ou par un autre, ou inventée de toutes pièces.

Mais jamais il ne mentait. Toutes ces aventures incroyables (entre autres, ses rencontres avec des gens d'autres planètes), il y croyait, car il les avait vécues en imagination. Et certaines étaient devenues beaucoup plus une partie réelle et vécue de son passé que nombre d'événements de son passé véritable.

C'est ainsi qu'à dix-huit ans Agénor eut, pendant les deux mois que dura la traversée, la chance de vivre par personne interposée des histoires folles, valant amplement celles des romans les plus farfelus.

Mercure Parisé resta collé aux flancs d'Agénor avec la fidélité d'une sangsue.

Le colonel du troisième régiment, officier de carrière ventripotent qui avait passé vingt ans dans l'ennui le plus total, avait réussi à convaincre le capitaine (en lui promettant deux mois de solde) de laisser embarquer son régiment en même temps que le premier régiment des Régions du Haut, car il tenait à être le premier à montrer aux barbares orientaux de quel bois se chauffaient les gens de Ville-Dieu, fiers de leur civilisation et de leurs muscles.

Mais cela n'avait pas laissé à ses recrues le temps de s'entraîner. Il fallut donc remédier à cette déficience pendant la traversée. Les soldats du premier régiment, que leur colonel avait, lui, pris la peine de former aux passionnantes merveilles de la marche au pas levé et du salut tête-à-droite-yeux-devant, se divertissaient donc à regarder le colonel Denfert qui faisait défiler ses troupes sur le pont en les admonestant de la plus verte manière sur la façon correcte de lever le coude ou de traîner la patte.

Les quolibets des soldats du premier régiment mettaient en rogne le colonel Denfert, qui avait bien du mal à rester imperturbable lorsque ses soldats inexpérimentés oubliaient le sens pourtant évident d'un ordre comme « à gauche, droite devant » ou « genou dressé, corps droit, salut au chef ». Ordres qui leur devenaient d'autant plus obscurs qu'il était interdit, depuis les Grands Troubles, d'utiliser une autre langue que le zanglais dans l'armée, ailleurs que dans les latrines.

Le spectacle du troisième régiment de Ville-Dieu était donc un spectacle de choix pour les soldats du premier régiment des Régions du Haut, même s'ils étaient parfaitement conscients d'avoir donné le même quelques mois plus tôt. Mercure Parisé était particulièrement réjouissant. Capable du meilleur — yeux droit devant, menton tendu, jambe bien dressée — il était tout aussi capable du pire, et était doué d'un sens exceptionnel du loufoque. Une de ses blagues favorites consistait à démontrer le maximum de bonne volonté, comme s'il voulait donner le bon exemple aux jeunots qui l'entouraient.

Pendant quelques instants, le sergent qui dirigeait l'exercice sur le pont du navire se laissait prendre à l'orgueil légitime de compter parmi ses hommes un soldat si rompu à toutes les disciplines de la discipline.

Torse bombé, Mercure Parisé marchait comme s'il avait défilé pendant le mois de Marie en plein Ville-Dieu sous l'oeil admirateur de toutes les femmes qu'il avait aimées pendant sa vie. Nez en l'air, il allongeait la jambe au maximum, la rabattait à la dernière seconde, donnant l'impression qu'il faisait de chaque pas une oeuvre d'art dramatique.

Mais, arrivé à quelques pas du bastingage, il restait sourd et aveugle à la manoeuvre de quart de tour à droite des autres soldats et il continuait droit devant.

Sa marche était interrompue par le bastingage, qui le frappait en pleine poitrine. Feignant la surprise, Mercure Parisé passait alors par-dessus bord avec armes et paquetage, se précipitant vers les flots. Et un officier de marine qui surveillait la manoeuvre d'un oeil distrait, du haut du pont, s'apprêtait à crier « un homme à la mer » lorsque, à la toute dernière fraction de seconde, la main de Mercure Parisé s'allongeait au-dessus de lui pour attraper in extremis un des tuyaux du bastingage.

Les soldats des autres compagnies qui assistaient à l'exercice éclataient alors d'un grand rire gras. Et le sergent, furieux, venait se placer devant Mercure Parisé qui remettait pied sur le pont et prenait son air le plus penaud.

— S'cusez-moi, mon bon sergent, disait invariablement Mercure Parisé en remettant son fusil sur l'épaule, mais je me suis laissé emporter. Vous comprendrez quand vous aurez été, comme moi, de toutes les guerres et de toutes les batailles. C'est des choses qui vous montent à la tête des fois...

Et Mercure Parisé prenait un malin plaisir à étirer ses explications et ses excuses, à souligner son statut de vieux soldat ou à prétexter une vue faiblissante.

Le sergent finissait par aboyer un ordre et Mercure Parisé se précipitait à la poursuite des autres hommes de troupe dont l'exercice avait dégénéré en désordre total.

D'autres fois, il prétextait une oreille un peu dure pour exécuter les ordres tout de travers. Quand le sergent scandait « droite, gauche », il marchait en «gauche, droite ». Et ses jambes, capables en d'autres occasions de donner l'exemple des effets indélébiles de l'entraînement militaire, se faisaient tout à coup molles et hésitantes. Le soldat derrière lui trébuchait dans ses pieds, ce qui lançait Mercure dans les pieds du soldat de devant. Rebondissant ensuite sur le soldat de gauche ou celui de droite, il avait tôt fait de bouleverser les rangs et de transformer la cohésion pourtant croissante de la troupe en exemple de ce que doivent faire des quilles lorsque la boule les frappe.

— S'cusez-moi, mon bon sergent, pleurnichait Mercure affalé au milieu de quatre ou cinq soldats, mais ils suivent pas le même pas que moi parce qu'ils ont pas la chance d'être sourds. S'ils étaient durs d'oreille comme moi, ils entendraient eux aussi les pas dans leur tête au lieu de les entendre par les oreilles. Mais ils ont pas encore assez entendu tonner le canon... ça viendra bien assez vite, allez...

Le sergent, qui s'était fait dire par le colonel que les volontaires de Ville-Dieu étaient trop peu nombreux pour qu'on pût se permettre d'en perdre un seul, rongeait son frein.

Et les exercices de sa compagnie étaient de plus en plus appréciés par l'équipage et les autres soldats avides de distraction, qui se massaient sur le pont et les passerelles.

L'amitié entre Mercure et Agénor ne cessait de se renforcer au fur et à mesure que leurs différences devenaient évidentes.

Mercure parlait deux fois trop et Agénor presque jamais, ce qui faisait une moyenne fort acceptable. Mercure était vieux, laid, chétif. Agénor était jeune, beau, fort. Et là encore la moyenne était fort acceptable.

Par contre, chacun était doué d'une intelligence supérieure à la moyenne — ou du moins plus efficace que la moyenne — et là, la moyenne leur était très favorable.

Ils sentaient tous les deux confusément que mieux valait avoir un seul ami intelligent qu'une bande d'amis idiots.

Et cette partie de l'association portait ses fruits.

Si Agénor était pris en défaut par le sergent, Mercure intervenait et trouvait des excuses si complexes au comportement de son jeune et inexpérimenté ami, que le sergent, abasourdi par ce torrent de paroles, retraitait.

— Bon, ça ira pour cette fois-ci. Mais attention : la prochaine fois, c'est les arrêts.

— Merci, mon bon sergent.

Si c'était Mercure qui se faisait engueuler pour avoir, par exemple, recousu à l'envers un bouton de son uniforme, Agénor intervenait, de façon plus laconique mais tout aussi efficace.

— Il faut le comprendre, mon bon sergent, protestait-il en s'approchant pour bien montrer qu'il dépassait son supérieur d'une bonne tête et de plusieurs pouces sur chaque épaule.

Le sergent, intimidé, protestait pour la forme qu'il ne pouvait comprendre comment on pouvait coudre un bouton à l'envers sans avoir la tête en bas.

— Si vous aviez reçu comme lui un coup de crosse sur la tête pendant les Grands Troubles, précisait Agénor. Tenez, là, touchez.

Et il posait les doigts dans les cheveux gras et crasseux de Mercure qui prenait son air le plus idiot. Dégoûté, le sergent préférait le croire sur parole.

— Bon, ça ira cette fois-ci, marmonnait-il. Mais attention : la prochaine fois, c'est les arrêts.

* * *

Les exercices de tir étaient une autre diversion amusante pendant la traversée.

Des soldats s'installaient à l'avant du bateau et jetaient par-dessus bord, le plus loin possible, des bouteilles vides ou d'autres objets flottants.

D'autres soldats, sur le pont arrière, s'efforçaient de tirer tant bien que mal sur les cibles improvisées. Mais le roulis et le tangage ne leur facilitaient pas la tâche.

Mercure, dès le début, s'était avéré un as au tir. Et cela le fit remonter dans l'estime du colonel — mais pas du sergent qui était pris à longueur de jour avec ce drôle de numéro. On l'avait même délégué aux concours de tir interrégimentaux, où il battait si régulièrement le représentant du premier régiment que le colonel de celui-ci avait fini par refuser sa participation à ces concours. Et Mercure s'était mis en tête de faire d'Agénor un aussi bon tireur que lui.

— Tu vois, à la guerre, il ne suffit pas de se pencher pour vivre longtemps. Il faut aussi réduire le nombre de ceux qui te tirent dessus. Moins ils seront nombreux en face, moins il y aura de balles tirées dans ta direction, moins tu devras te pencher souvent, moins tu risqueras d'oublier de te pencher quand tu devrais.

Agénor s'était donc mis au tir avec application. Et, après un mois de traversée, il était devenu le deuxième tireur de son régiment, dépassé de justesse par Mercure.

Lorsque le colonel Denfert les regardait du haut du pont tirer côte à côte, l'un après l'autre, sans gaspiller une balle, faisant mouche à tout coup, il pensait : « Ça vient, ça vient, on va les avoir, les Orientaux. »

* * *

On n'était plus qu'à deux ou trois jours des côtes du Vieux-Pays. Les hommes sur le pont levèrent tout à coup la tête vers les nuages.

Le temps était pluvieux, les nuages étaient bas, et ils entendirent un étrange grondement qui se rapprochait d'eux et surpassait aisément le ronronnement du moteur du navire.

Ils suivirent des yeux, sans la voir, la source de ce bruit, qui passa droit au-dessus d'eux, disparut presque à l'horizon, puis revint vers le navire.

— À vos postes ! cria le capitaine au canonnier.

— Aux armes ! crièrent d'un seul souffle le colonel Denfert et le colonel Rochechouart.

Les soldats se levèrent, prirent leurs fusils entre leurs mains engourdies par le froid, y glissèrent une balle, armèrent, mirent en joue le grondement qui continuait à approcher dans les nuages.

Soudain, les nuages s'ouvrirent sur une machine volante. Seuls les membres de l'équipage en avaient déjà vu. Les soldats restèrent bouche bée face à ce monstre d'acier et de toile qui descendait du ciel vers eux.

C'était un des plus récents Berknoch à ailes battantes. Et, n'eût été le grondement et les deux mitrailleurs parfaitement visibles sur les ailes, on aurait cru voir un grand goéland gris et blanc, s'approchant pour quêter quelque morceau de poisson.

Mais presque aussitôt, les deux mitrailleuses se mirent à crépiter, et le plancher de bois du pont fut transpercé comme une passoire. Plusieurs soldats tombèrent.

Mercure, sans s'énerver, ferma un oeil, visa soigneusement au beau milieu du bonnet de cuir noir du mitrailleur de droite, bloqua son souffle et appuya sur la gâchette.

Le mitrailleur mourut sur le coup. Il s'affala comme un pantin, retenu à l'aile de l'aéroplane par des cordes.

À son tour, Agénor visa le mitrailleur de gauche. Mais il le rata, car l'avion était déjà rendu sur eux.

Derrière le pilote, une main tenait un objet noir, oblong, qu'elle lâcha lorsque l'aéroplane passa au-dessus du navire.

La bombe traversa le pont, explosa dans la cale avec un bruit de tonnerre.

Déjà, Mercure avait éjecté sa douille, replacé une balle dans la chambre, réarmé. Il tira sur le mitrailleur de gauche qui, en s'éloignant, était maintenant à droite. Il l'atteignit à la jonction de l'épaule, et la balle lui arracha le bras. Le mitrailleur s'écrasa sur le côté, tandis que son bras se retint encore un instant à la mitrailleuse, avant de lâcher prise et de tomber à la mer.

— Hourra ! crièrent quelques soldats.

— Attention, il va revenir, dit Mercure à Agénor.

En effet, l'aéroplane fit demi-tour et revint. À nouveau, on pouvait voir la main gantée tenir par-dessus bord un noir objet de mort.

Cette fois, Agénor ne rata pas son coup. Il visa la main et celle-ci lâcha la bombe à plus de cinquante pieds du navire, soulevant une gerbe d'eau.

Mercure visa la tête du pilote. Il n'eut pas le temps de voir s'il avait fait mouche. L'aéroplane était rendu sur eux et, au lieu de se redresser à l'approche du navire, fonça droit sur Mercure comme s'il le visait personnellement.

— Penche-toi ! cria Mercure.

Agénor et lui se laissèrent tomber au sol. Les roues de l'aéroplane les frôlèrent, puis frappèrent le bastingage. L'aéroplane sembla s'arrêter un instant, en équilibre, puis bascula lentement dans la mer, battant encore quelques fois des ailes comme un oiseau touché à mort et qui refuse de mourir.

* * *

Ce soir-là, assis l'un à côté de l'autre sur ce qu'il restait du pont, les jambes ballantes dans le grand trou noir percé par la bombe et dont s'échappait encore un peu de fumée, Mercure et Agénor conversaient. C'est-à-dire que Mercure parlait et Agénor hochait parfois la tête, ou émettait un grognement ou même ajoutait un commentaire laconique.

— Tu vois, expliqua Mercure, la mort n'a pas à exister. Elle est là, autour de nous, mais elle est faible. Nous avons tué à nous deux tous les hommes de l'aéroplane. Et une douzaine d'hommes autour de nous sont morts, eux. Pourquoi les morts sont-ils morts et les vivants sont-ils vivants ? Pas parce que Dieu le voulait. Dieu, il a autre chose à faire que faire mourir l'un ou l'autre. Et puis comment déciderait-il qu'un doit mourir plutôt que l'autre ? Les hommes s'entretuent déjà assez comme ça. Dieu n'a pas besoin de les aider. Il n'a qu'à rester dans son ciel à jouer aux dames avec son fils. Ce que je veux dire, c'est que dans des pays lointains d'Orient il y a des hommes qui vivent jusqu'à cent cinquante ans passés. Pourquoi ? Parce qu'ils mangent des choses que nous ne mangeons pas ? C'est de la crotte de bique, ces histoires-là. Moi, à mon avis, si ces hommes-là vivent si longtemps, c'est qu'ils ne savent pas qu'on est supposé mourir à quatre-vingts ans. Ils ont cent ans, et puis ils se croient encore jeunes, alors ils continuent à vivre, comme ça, parce que c'est la chose à faire et qu'ils ne sauraient pas faire autrement. La preuve : c'est qu'ils ne meurent pas. Alors nous, toi et moi en tout cas, nous n'avons qu'à refuser de croire que nous sommes supposés mourir. Et regarde ce qui s'est passé aujourd'hui. Nous sommes encore vivants. Et c'est les autres avec leurs bombes et leur aéroplane et leurs mitrailleuses qui sont morts. Tu vois, tu es comme moi. Des milliers de balles ont été tirées sur moi pendant des douzaines de batailles. Et je suis toujours vivant. Pas seulement parce que je sais que je ne mourrai pas. Je ne suis pas si fou : je me penche devant les balles. Et je tire sur ceux qui veulent me tirer dessus. Toi aussi. Nous n'avons qu'à rester ensemble et nous pencher ensemble et tirer ensemble sur ceux qui veulent tirer sur nous. Et tu verras, nous vivrons longtemps... au moins aussi longtemps que ces vieux d'Orient... peut-être même toujours.

Mercure hésita, se tourna vers Agénor dont il distinguait à peine les traits dans l'obscurité et lui tendit la main.

— Ça te va ? demanda-t-il.

— Ça me va, répondit Agénor en serrant la main tendue.

Et Agénor était d'accord avec Mercure. L'argumentation lui avait semblé boiteuse parfois, mais la conclusion était logique. Il sentait que quelque part en lui les forces de l'immortalité étaient en train de vaincre celles de la mort, et qu'il vivrait toujours. Et lorsqu'il lâcha la main de Mercure, une mélodie se mit à se former dans sa tête. S'il avait eu un piano, il se serait mis à jouer. Mais il n'en avait pas besoin.

Et, jusqu'à la fin de ses jours, cette mélodie allait hanter

Agénor comme un leitmotiv, lui rappelant constamment qu'il était l'homme qui pouvait faire mourir la mort.

Agénor passa son bras musclé autour des épaules de Mercure.

— Oui, ça me va. Nous vivrons, je te le jure. Toujours.

*   *   *

Le débarquement des deux régiments au port de Bonne-Espérance avait été marqué par une série de fêtes, de beuveries, de défilés, car ils étaient les tout premiers à arriver des nouveaux pays. Et, phénomène étrange, ils parlaient la langue du Vieux-Pays, même si c'était avec un accent risible.

La population s'était habituée à cet accent, renonçant tout simplement à le comprendre, sauf lorsque des nécessités commerciales rendaient le dialogue impérieux.

On était à Bonne-Espérance loin du front. Une fois par jour, un aéroplane ennemi passait haut dans le ciel, cherchant à repérer des mouvements de troupes. Mais il disparaissait avant que les aéroplanes occidentaux n'aient eu le temps de se lancer à sa poursuite.

Pourtant, la présence des militaires et par conséquent la proximité de la guerre étaient évidentes. Les uniformes chamarrés, de toutes les couleurs voyantes, car on considérait comme une infâme lâcheté de se camoufler devant le danger, étaient toujours présents, de quelque côté qu'on tournât les yeux.

Parfois, la grand-rue de Bonne-Espérance était bloquée plusieurs jours de suite par des convois de matériel montant vers le front. Des charrettes portaient les derniers instruments de guerre. Et les soldats qui les regardaient passer demandaient aux charretiers à quoi pouvait servir ce disque légèrement concave, surmonté d'une longue tige de métal souple. Ou ce long cylindre creux, muni à un bout d'une poignée qu'on imaginait mal dans la main d'un homme, même d'un colosse. Ou ces espèces de tombereaux à trois roues, tirés par des chevaux, et portant un cube blindé percé d'une seule meurtrière.

Les charretiers se contentaient de hausser les épaules. Les inventeurs s'en donnaient à coeur joie, à l'arrière, les usines tournaient à pleine capacité, et eux avaient pour seule tâche d'aller porter tout ce matériel au front, là ou quelqu'un trouverait sûrement un moyen original de le détruire, que ce soit celui du mode d'emploi ou un autre. De toute façon, ces armes seraient bientôt désuètes, et ils apporteraient demain d'autres machines bizarres, et des soldats leur demanderaient encore à quoi elles serviraient, et ils hausseraient encore les épaules, préférant feindre ceux qui ne veulent pas répondre plutôt que de passer pour ceux qui ne savent pas.

Ces journées à ne rien faire, à regarder les machines de guerre monter vers le front et les blessés en redescendre, à courir les filles qui acceptaient tout mais refusaient de donner quoi que ce soit, ces journées furent peu nombreuses pour Mercure, Agénor et leur régiment.

En effet, leur chef, le colonel Denfert, s'était juré que ses hommes seraient les premiers des Régions du Haut à mourir dans cette guerre. Et il tint son serment. Il fit tant et si bien auprès du haut commandement occidental que non seulement le troisième régiment fut envoyé avant le premier, mais encore celui-ci fut placé en réserve. Et le colonel Rochechouart eut beau faire des pieds et des mains, il ne put faire renverser une décision prise par le grand conseil de guerre.

Le troisième régiment monta donc en ligne, quelques semaines à peine après la fin de la guerre des tranchées.

De chaque côté, presque en même temps, un officier mineur du haut commandement avait eu la même idée : si la guerre des tranchées était si meurtrière pour les troupes, il devait bien y avoir un meilleur moyen de tuer plus d'ennemis tout en subissant moins de pertes.

Et la solution s'était présentée à l'esprit des deux officiers de la même manière : pendant un cauchemar lors duquel chacun d'eux avait rêvé qu'il avait été envoyé au front parce qu'il manquait d'imagination. Confronté avec la perspective de mourir pour avoir sorti stupidement la tête hors de la tranchée ou parce qu'un obus malencontreux lui tomberait dessus, chacun de ces deux officiers avait rêvé à la solution géniale qui changerait le cours de la guerre : un réseau de tunnels creusés à plus de cinquante pieds sous le sol, donc absolument à l'abri des balles perdues et des obus.

Chacun des officiers dut écrire rapport sur rapport avant de faire triompher son idée, mais y parvint enfin lorsque le haut commandement dut se rendre, des deux côtés, à cette triste évidence : on tuait trop d'hommes et si on continuait ainsi on finirait par se trouver à court de chair à canon. Il serait absurde qu'on soit un jour obligé de régler le sort de la guerre par un combat individuel entre les deux seuls militaires encore valides — des maréchaux, bien sûr.

On adopta donc, simultanément, des deux côtés, l'idée des souterrains. Et ceux-ci connurent un succès spectaculaire. Non pas qu'ils aient réduit le nombre de morts. Au contraire, ils permettaient d'accroître considérablement les pertes de l'ennemi (qu'ils aient aussi accru les pertes des troupes alliées était en général passé sous silence dans les rapports enthousiastes que les maréchaux faisaient parvenir à leurs gouvernements ; et ce détail était devenu sans importance, depuis qu'on pouvait compter sur les troupes toutes fraîches des alliés d'outre-océan).

Dans la guerre des tranchées, les soldats s'étaient habitués à ce que l'ennemi soit toujours du même côté : droit devant. On savait donc de quel côté il fallait se méfier. Avec la guerre des tunnels, la bataille devenait tridimensionnelle : l'attaque pouvait venir de devant, bien sûr, mais aussi de derrière, d'à droite et d'à gauche, de dessus et même de dessous.

Il arrivait, par exemple, qu'en creusant une galerie on débou-lât tout à coup dans une galerie adverse. C'était alors une tuerie totale, une espèce de sauve-qui-peut face à la mort, jusqu'à ce que, à force d'explosions, le plafond des tunnels s'effondre sur les survivants.

On n'avait plus qu'à aller creuser ailleurs, dans l'espoir de surprendre cette fois ceux par qui on avait été surpris. On tombait parfois sur ses propres galeries et on s'entretuait entre alliés, l'obscurité et la diversité des langues entretenant la confusion.

Si on réussissait à trouver un des trous d'aération d'un boyau ennemi, il suffisait d'y jeter quelques grenades à gaz pour y faire de beaux dégâts. On disposait de plans très complets pour éviter de jeter des gaz dans ses propres tunnels, mais ces plans étaient faits par des spécialistes, à l'arrière, et les erreurs y étaient nombreuses.

Pendant ce temps, plus haut, sur ce qui avait déjà été des champs de batailles, les généraux et les maréchaux déambulaient tranquillement, parfois à quelques pas seulement des généraux et maréchaux ennemis, qu'on saluait alors fort civilement.

Toutefois, les choses se gâtèrent à nouveau lorsqu'on inventa, de chaque côté, l'artillerie à galeries, qui eut pour effet d'éventrer les tunnels et de les transformer à nouveau en tranchées.

Ce retour aux tactiques barbares fut déploré par les maréchaux des deux camps, qui en vinrent rapidement à un accord dans une ville neutre, accord qui eut pour effet d'interdire les obus non ponctuels, susceptibles d'abîmer les galeries en plus de tuer les soldats.

Lorsque Mercure et Agénor pénétrèrent dans la galerie principale de l'Occident, ils furent prévenus de se méfier uniquement des obus ponctuels. « C'est simple, leur expliqua un sous-officier d'artillerie qui se tenait à l'entrée de la galerie pour dégrossir rapidement les recrues : vous n'avez qu'à deviner si l'obus va tomber au sol ou s'il est visé plus haut. Si vous vous penchez et que l'obus est visé au sol, vous perdez. Si vous sautez et que l'obus est visé vers le haut, vous perdez. Si vous vous penchez et que l'obus est en haut, ou si vous sautez et que l'obus est en bas, vous gagnez ! »

Le sous-officier d'artillerie avait dit tout cela d'un ton tout à fait ravi, comme s'il venait d'inventer la poudre.

— V'là qu'il suffit plus de se pencher, maintenant, il faut aussi sauter, grommela Mercure de très mauvaise humeur.

Le troisième régiment pénétra dans la galerie. Au début, celle-ci était large et relativement bien éclairée par des becs de gaz. On pouvait y marcher à quatre de front. Mais elle se subdivisait graduellement en galeries plus étroites. Après deux ou trois subdivisions, les galeries étaient considérées comme secondaires. Et, étant secondaires, on avait jugé qu'il n'était pas nécessaire de les éclairer.

Les soldats y marchaient donc en jurant, car ils trébuchaient sur des pierres, sur des armes, sur des hommes terrés dans l'ombre, qui cherchaient à dormir dans ce sous-sol humide.

Et le troisième régiment de Ville-Dieu jurait plus que tous les autres. On entendait sur son passage force blasphèmes et jurons, s'appuyant en particulier sur le riche vocabulaire de la liturgie papiste occidentale.

Un capitaine vieux-paysan qui les entendit se méprit et s'étonna : « Nom de Dieu, ils ont maintenant des régiments de curés ! »

Il fallut deux jours, à raison de seize heures de marche par jour, pour atteindre les galeries de première ligne.

Une nuit qu'ils bivouaquaient dans l'obscurité trempée et froide, un soldat vieux-paysan expliqua à Mercure et Agénor que c'était malgré tout beaucoup mieux qu'avant : « Au moins, dans les galeries, on est à l'abri de l'artillerie tant qu'on n'est pas rendu en première ligne. »

L'après-midi du deuxième jour, le sol se mit à trembler autour du régiment, en haut, dessous, devant, sur les côtés, on aurait dit un tremblement de terre ininterrompu. Pourtant, on n'entendait rien.

— Ce doit être l'artillerie, supposa à haute voix le colonel Denfert.

Il se trompait.

C'était la cavalerie occidentale qui, rendue inutile par la guerre des galeries, faisait quand même de longues galopades dans la plaine, en saluant au passage la cavalerie orientale.

De plus en plus souvent, le colonel Denfert devait s'arrêter pour consulter sa carte ou déchiffrer une enseigne à un carrefour de galeries, ou interroger piteusement un soldat assis dans la boue qui se faisait un plaisir de lui faire avouer, avant de lui indiquer son chemin, qu'il s'était égaré avec ses huit cents hommes.

Enfin, on arriva au cantonnement souterrain. Les soldats se couchèrent dans la boue en maugréant.

* * *

Normalement, on donne aux batailles des noms de lieux — en général le nom de la ville, du village ou de la rivière la plus proche. Mais la guerre des galeries rendait cela difficile.

Dans les deux camps, on ne disposait que de cartes extrêmement imprécises. Cherchez donc à savoir si on est plus près de Saint-Robert, de Maximograd ou de la rivière Mnemen, quand toute reconnaissance aérienne est impossible, quand on se bat dans plusieurs galeries dont on ne connaît pas la situation exacte et quand les cartes ont été dressées avant qu'on ne creuse les galeries dont le trajet s'écartait souvent du trajet prévu parce qu'on trouvait le sol ou trop rocheux ou trop mou.

Certains historiens de cette guerre prétendent que c'est l'impossibilité de nommer les batailles dans les galeries qui fit abandonner ce type de guerre. On ne peut ni le confirmer ni l'infirmer.

Mais il est certain que les généraux des deux camps détestaient donner des dates comme noms de leurs victoires ou de leurs défaites. La bataille du 13 avril, l'engagement du 15 décembre, la percée du 27 décembre... tout cela manquait singulièrement de poésie, alors que les généraux en ont beaucoup plus besoin que les lavandières.

Le troisième régiment de Ville-Dieu prit donc part à l'engagement du 1er décembre, puisque c'est le seul nom qu'on puisse lui donner.

Il était monté en première galerie depuis plus d'un mois, mais avait été condamné à l'inaction. Toute la journée, en attendant la soupe du soir, les soldats rongeaient leur frein en posant souvent l'oreille contre les parois pour chercher à deviner si les galeries ennemies progressaient dans leur direction. Mais il était difficile de distinguer la progression des galeries ennemies de celle des galeries amies, et même les soldats à l'oreille la plus fine ne pouvaient qu'énoncer des hypothèses qui n'avaient la plupart du temps aucun lien avec la réalité.

Ce fut donc une surprise totale lorsqu'une paroi s'ouvrit soudain sous la poussée des pelles et des pics de l'ennemi. La galerie était quelques pieds plus haut que celle occupée par les soldats du troisième régiment. Les terrassiers ennemis leur tombèrent littéralement dans les bras. Mais, comme le colonel ennemi savait qu'il y avait des galeries de l'autre camp dans les parages, ses terrassiers étaient immédiatement suivis d'un groupe de choc muni d'armes légères — sabres, coutelas, demi-grenades, strangulateurs, découilleurs et autres armes que le retour du corps à corps avait remises à la mode.

Une douzaine de soldats occidentaux avaient déjà été tués avant même que leurs camarades aient repris leurs esprits. Mais un capitaine doué d'une étonnante présence d'esprit pour un capitaine avait réagi avec rapidité et abattu deux ennemis avec son revolver, à bout portant.

D'autres soldats, plusieurs d'entre eux saisissant leur baïonnette à main nue, s'étaient lancés à sa suite sur les assaillants et parvinrent à empêcher l'ennemi de lancer plus d'hommes dans la bataille à partir du trou dans la paroi. Pendant ce temps, d'autres Occidentaux avaient exterminé les derniers Orientaux infiltrés dans leur galerie.

Accouru aux premiers bruits de l'affrontement, le colonel Denfert décida aussitôt de contre-attaquer. Il fit lancer des grenades fumigènes dans le boyau ennemi et fit avancer ses soldats en colonnes par deux. L'ennemi, que les grenades avaient repoussé loin dans son boyau, eut alors l'occasion de réussir de beaux cartons sur les agresseurs. Ayant éteint toutes les bougies et lampes à pétrole, il voyait maintenant les soldats occidentaux à contre-jour, et il fut facile de les abattre avec des balles à courte portée.

Agénor allait s'engager à la suite des autres dans la galerie d'où commençait à s'échapper une noire fumée de poudre, lorsque Mercure le retint par le bras.

— Attends un peu, laisse passer les autres.

Agénor se mit alors à quatre pattes devant l'ouverture de la galerie, pour servir de marche aux autres soldats. Mercure, obligeamment, les aidait en les prenant par le bras. Mais, sitôt rendus de l'autre côté, les soldats n'avaient que le temps de faire un pas ou deux avant d'être abattus.

Les trois quarts du régiment étaient déjà rendus dans l'autre galerie, lorsqu'Agénor, qui était toujours à quatre pattes au sol, sentit une vibration étrange.

— Je ne sais pas ce qui se passe, dit-il en se redressant, mais j'ai l'impression qu'il nous arrive un malheur.

Les soldats qui restaient derrière ne semblaient guère pressés de suivre les ordres du colonel Denfert qui, de loin, les encourageait de la voix et du geste à s'engager à leur tour dans l'autre galerie.

C'est alors qu'un soldat en fut littéralement expulsé, comme par une gigantesque explosion, et retomba tout trempé dans les bras des soldats qui étaient là.

— De l'eau ! Sauve qui peut ! crièrent les premiers à se rendre compte de la situation.

Pour on ne sait quelle raison (certains historiens orientaux devaient plus tard soutenir que c'était une erreur malencontreuse, tandis que les historiens occidentaux devaient plutôt croire à la scélératesse orientale), on avait fait sauter une digue qui séparait la rivière Bletzédina de la galerie principale des Orientaux. Cela avait, du même coup, noyé cent ou deux cent mille Orientaux (les chiffres officiels ne furent jamais révélés), et mis fin à ce qui semblait être une triple attaque des Occidentaux. Mais cette triple attaque n'était en réalité que la synchronisation accidentelle de trois escarmouches peu dangereuses (dont celle à laquelle Agénor et Mercure avaient été quelque peu mêlés).

La digue détruite, la rivière Bletzédina s'engouffra avec fureur dans la galerie principale, puis dans les secondaires, puis enfin les mineures.

On imagine la surprise des soldats orientaux, dont la plupart veillaient ou dormaient dans des galeries paisibles, de voir arriver ainsi une masse d'eau blanche poussant devant elle un véritable spaghetti humain qui ne cessait de s'accroître pendant plusieurs minutes, avant d'être avalé d'un bloc par l'écume blanche pour commencer à se former à nouveau.

Un seul soldat, Yakadi Yaoud, champion mondial des vingt lieues, réussit à rester sur pied devant l'ouragan qui cherchait à le rattraper. Courant en souplesse, avec une excellente technique, ménageant ses forces lorsqu'un virage de la galerie ralentissait la rivière, reprenant de la vitesse lorsqu'il voyait devant lui un long bout droit qui permettrait à l'eau d'accélérer derrière lui, Yakadi Yaoud avait enlevé un à un sans s'arrêter tous ses vêtements superflus. C'est dire qu'il était complètement nu après quelques minutes. Et ses compatriotes qui le voyaient passer le reconnaissaient parce qu'ils avaient déjà vu sa gravure dans les journaux et, croyant à une course, ils l'encourageaient en riant. Mais quelques secondes plus tard, se retournant pour voir qui le suivait dans cette course, ils voyaient arriver une montagne d'écume blanche, poussant un inextricable fouillis de bras et de jambes et de fusils. Et ils étaient avalés à leur tour, sans avoir eu le temps de comprendre le sens de cette course si bizarre d'un homme et d'une rivière.

Mais Yakadi Yaoud courait toujours, sans répondre aux vivats qui saluaient son passage. Il avait renoncé à crier aux autres de fuir comme lui, car personne ne suivait son conseil. Et Yakadi Yaoud était heureux. Il courait pour la première fois depuis le début de cette satanée guerre qui l'avait attaché à des tranchées puis enterré dans le sol. Son coeur retrouvait le plaisir de faire un effort lent et constant. Et ses jambes libérées montraient leurs muscles, manifestaient de temps à autre un peu de douleur sitôt effacée. Et Yakadi Yaoud était heureux de ces petites douleurs qui se transformaient en bien-être.

Yakadi Yaoud aurait couru longtemps ainsi. Des heures et des heures, sans doute, sans s'énerver, sans jamais regarder derrière lui car le grondement de la rivière lui disait si elle gagnait sur lui ou si elle ralentissait. Dans la demi-obscurité, ses pieds semblaient avoir des yeux pour trouver leur chemin, pour éviter les embûches, pour passer du côté le plus sec de la galerie.

Et Yakadi Yaoud avait pris cinq ou six cents pieds d'avance, lorsqu'il eut le malheur d'arriver à un point de contrôle.

— Halte ! fit une des deux sentinelles.

Yakadi Yaoud dut s'arrêter, voulut s'expliquer rapidement en montrant la rivière derrière lui. Mais celle-ci s'était laissée distancer. Et seuls les pieds nus de Yakadi Yaoud en ressentaient les vibrations dans le sol.

— Papiers, demanda l'autre sentinelle.

— La rivière arrive, fit Yakadi Yaoud.

— Je le reconnais, fit le premier soldat. Il s'appelle... il s'appelle... merde, je l'ai vu dans le journal... il joue au boulingrin pour l'équipe nationale. Non... Il est coureur. Oui, c'est ça : c'est Yakadi Yaoud. Je peux avoir votre autographe, monsieur Yaoud ?

Yakadi Yaoud accepta le crayon et le bout de papier qu'on lui tendait et commença à écrire son nom, péniblement, parce qu'il n'y avait que peu de temps qu'il avait appris à l'écrire. Et il avait à peine fini lorsqu'il entendit derrière lui le bruit familier de la rivière qui lui courait après. Il remit le crayon et le papier au soldat ahuri de voir arriver cette masse d'écume blanche. Et Yakadi Yaoud se remit à courir. Mais il n'eut pas le temps de reprendre sa vitesse de croisière, la rivière était sur lui, lui jetant d'abord dans le dos les deux sentinelles, puis l'engouffrant à son tour.

Yakadi Yaoud ne désespéra pas pour autant. Il se réjouit d'être nu. Ainsi, il pourrait nager facilement. Il se dit aussi que s'il parvenait à rester sur le dessus de la rivière, il pourrait peut-être courir sur l'eau, comme il avait si souvent essayé de le faire quand il était enfant. Il avait longtemps cru que s'il courait assez vite sur l'eau, il ne s'y enfoncerait pas. Mais il n'y était jamais arrivé. Cet exercice fit toutefois de lui un champion de course de son pays d'abord, puis d'Orient, puis du monde.

Pris dans la rivière qui continuait sa course folle, Yakadi Yaoud ne se laissa pas faire. Il continua d'agiter les bras et les jambes, cherchant à remonter à la surface, là où il pourrait nager ou même courir à nouveau. La rivière arriva à toute vitesse dans un virage. Yakadi Yaoud fut projeté avec force contre la paroi de la galerie, mais parvint à surmonter la douleur et à continuer à agiter bras et jambes.

Finalement, il sentit qu'il arrivait à la surface, qu'il commençait maintenant à nager, qu'il pourrait bientôt ouvrir la bouche et respirer, et dire à tous les autres soldats ébahis : « Regardez, c'est moi, le grand Yakadi Yaoud. Je suis même plus fort que les rivières. » Mais au moment même où Yakadi Yaoud croyait arriver à la surface, il se produisit quelque chose dans son cerveau privé d'oxygène depuis de longues minutes déjà. Et quand Yakadi Yaoud arriva enfin à la surface, il était mort, et la rivière cruelle s'empara à nouveau de son corps et le fit rouler en elle, l'envoyant rejoindre les autres noyés moins athlétiques qu'elle traînait dans son sillage.

*   *   *

Du côté occidental, la rivière fit beaucoup moins de dégâts. Elle ne put s'y infiltrer que par les trois trous qui faisaient communiquer à ce moment les galeries des deux camps. Et, passant d'un réseau à l'autre, la Bletzédina perdait beaucoup de sa force.

Ainsi, Agénor et Mercure purent-ils fuir devant l'eau qui montait. Ils étaient accompagnés d'une centaine de survivants de leur régiment et du colonel Denfert qui ne cessait d'ordonner à ses hommes de faire face et combattre.

— On ne combat pas les rivières, dit Mercure au colonel qui avait perdu la raison.

— Oui ! On pisse dessus.

Et le colonel s'était mis à pisser en direction de la rivière. Mais, dès que l'eau de la rivière avait commencé à lui mouiller les pieds, il avait refermé sa braguette et s'était remis à marcher.

La rivière, essoufflée par sa course folle avec Yakadi Yaoud, poursuivait les survivants du troisième régiment sans hargne, juste avec la vitesse qu'il fallait pour leur rappeler qu'elle existait.

C'est ainsi qu'après deux jours de marche, les survivants du troisième régiment de Ville-Dieu sortirent à l'air libre, sans jamais s'être mouillés plus haut que les genoux.

* * *

Agénor s'éveilla au milieu de la nuit.

La jeune femme, près de lui, respirait régulièrement, presque aussi régulièrement que tonnait le canon au loin. Et ce canon était devenu une musique indispensable au sommeil, civils et militaires s'éveillant lorsque le canon cessait de tonner et les obus de pleuvoir.

Agénor étendit la main, la posa sur la hanche de la jeune femme.

« Comment s'appelle-t-elle déjà ? », se demanda-t-il.

Il était pourtant sûr qu'elle le lui avait dit. Mais la bière de la brasserie de Saint-Flouc le lui avait fait oublier. Et peut-être était-ce mieux ainsi.

Il se souvenait toutefois qu'elle lui avait dit que son mari était mort à la guerre. Il en avait été attristé, même si Mercure Parisé lui avait aussitôt glissé à l'oreille : « N'en crois pas un traître mot. »

Ce fut ensuite au tour d'Agénor de mentir — ou de dire lui aussi la vérité, car il ne savait quel jour on était — et de dire que c'était ce jour-là son anniversaire.

La jeune femme avait insisté alors pour payer la bière, mais Mercure s'y était galamment opposé et avait laissé Agénor payer. Il avait toutefois eu la discrétion de laisser les jeunes gens partir seuls.

— Quel âge as-tu ? avait demandé la jeune femme une fois

dans la rue boueuse, vaguement éclairée par un incendie dans la rue voisine.

— Vingt ans, à peu près, répondit Agénor qui avait déjà oublié avoir affirmé que c'était ce jour-là son anniversaire.

— Mon mari, au moins, lui, s'est rendu à vingt-trois ans, dit la jeune femme comme si elle avait parlé toute seule.

Elle l'avait amené chez elle, dans une chambre plutôt gaie et proprette, ou du moins infiniment plus gaie et plus propre que la galerie dont Agénor était sorti ce matin-là.

Elle lui avait servi une tasse de faux chocolat, un peu amer mais réconfortant. Elle avait pris sa main gauche dans la sienne.

Dieu que ce garçon était beau. Et qu'il méritait peu de mourir.

— À quoi penses-tu ? demanda-t-elle.

— À rien.

En effet, Agénor ne pensait à rien de précis. Ni à la guerre, ni à lui-même, ni à personne.

La jeune femme lui enleva sa vareuse toute sale, sous prétexte de la laver. Puis, sa chemise et tous ses vêtements.

Elle l'emmena ensuite dans son lit, sous prétexte qu'on y serait plus au chaud. Et Agénor se laissa faire.

Mais il fut incapable de lui faire l'amour. Pourtant, la jeune femme était jolie et désirable. Elle savait s'y prendre pour exciter le désir d'un homme. Et, d'habitude, les soldats ne se faisaient pas prier longtemps.

Cette fois, elle se trouvait devant un corps de glace, devant un esprit qui semblait la fuir et penser à tout plutôt qu'à elle. Elle se demanda un instant si Agénor était véritablement impuissant. Mais elle ne put le croire.

Agénor la caressait doucement, amicalement, comme on caresse un chien qui ne restera pas tranquille si on ne s'en occupe pas un petit peu.

La jeune femme pensa à d'autres soldats qu'elle avait rencontrés, à quelques-uns même qu'elle avait amenés chez elle, comme lui. Il y en avait eu des gais et des cyniques, d'autres qu'on devinait lâches ou braves, d'autres encore qu'elle sentait profondément malheureux. Mais presque tous étaient bruyants et crâneurs. Ils défiaient la mort de toutes leurs fibres parce qu'ils l'avaient vue de près et qu'ils la retrouveraient pour de bon dans un jour ou dans un mois.

Aucun de ces soldats qu'elle avait rencontrés à la brasserie — et surtout de ceux qui avaient passé une nuit avec elle et l'avaient ainsi aidée à venger la mort prématurée et absurde de son mari — aucun de ces soldats n'avait été aussi lointain, aussi étranger, aussi froid, aussi insaisissable que celui-là, pourtant le plus beau, le plus désirable qu'elle ait jamais entraîné dans ce lit.

Elle s'endormit enfin, lasse de caresser avec tant de chaleur et d'être caressée si distraitement. Et lorsqu'Agénor s'éveilla au milieu de la nuit, il se sentit plus que jamais étranger et lointain, comme si ce lit et cette chambre, comme si ce corps de femme et le sien même n'avaient rien de commun avec lui.

Véritable histoire d'Agénor

Agénor redressa son siège, pressa le bouton qui commandait l'ouverture du pare-hublot.

Devant lui, à des dizaines de milliers de démallions, s'étendaient les étoiles dans le noir d'encre de l'espace. La progression du vaisseau spatial semblait si lente qu'Agénor n'avait aucunement l'impression d'avancer.

Agénor savait que juste au centre de cet infini paysage se trouvait la Terre, qu'il ne pouvait voir et qu'il ne pourrait commencer à distinguer que dans plusieurs années encore. Le tableau d'affichage avait protesté avant d'accepter cette destination. Mais il avait fini par obéir aux ordres d'Agénor, parce que ses fabricants lui avaient intégré des mécanismes qui le forçaient après un certain temps à obéir aux ordres non conformes aux instructions d'origine, car la machine doit toujours demeurer l'inférieure.

Pourquoi Agénor revenait-il sur la Terre ?

À son départ, il aurait sans doute eu du mal à le dire.

Lorsqu'il était revenu sur Blanante, il y avait eu enquête. Et on l'avait tenu responsable de la perte de son vaisseau spatial. On l'avait à toutes fins pratiques forcé à repartir dans l'espace pour compenser cette perte, car les pilotes étaient encore plus difficiles à recruter. S'il avait refusé, Agénor aurait été obligé de renoncer aux neuf dixièmes de son salaire pendant les mille années suivantes.

Agénor avait refusé de voir sa famille et était reparti, muni d'une pile neutronique toute neuve et d'une de rechange.

Au début, il avait accepté de se diriger vers le point où sa mission l'envoyait. Mais, au fur et à mesure qu'il avait avancé dans l'espace, il avait commencé à recevoir des signaux télépathiques confus. Il avait, une fois, vu Désirée affublée d'un gros ventre. Puis, quelque temps plus tard, il s'était éveillé en sursaut, entendant les cris déchirants de Désirée et voyant un enfant terrien naître en un paquet de chair rosée et bleutée, visqueuse et vulnérable.

Il avait alors changé de direction, exigé les coordonnées 12-8-33-5.

Le voyage fut long et ennuyeux, car la galaxie dont Blanante faisait partie s'était éloignée davantage de la Terre. De plus, Agénor eut l'impression que les piles des tuyères n'étaient pas parfaitement chargées. Il voyageait donc avec une lenteur désespérante, et il lui fallut près de vingt ans pour se rendre à destination.

Pendant ce temps, il put réfléchir à loisir. Et il fut de plus en plus sûr d'avoir fait un enfant à Désirée. À mesure qu'il approchait de la Terre, il ressentait de plus en plus clairement ce qui arrivait à ce fils.

Si le jeune Agénor trébuchait et s'écorchait un genou, l'autre Agénor ressentait une brûlure au genou, dans son vaisseau spatial.

Si le jeune Agénor recevait une fessée, l'autre Agénor devait se frotter les fesses pour disperser la douleur.

Si le jeune Agénor se coupait à un doigt, l'autre Agénor ressentait une drôle de douleur à un doigt qu'il ne possédait pas.

Mais ces douleurs étaient les seuls signaux à parvenir à Agénor. Il ne pouvait savoir si son fils était heureux ou triste, grand ou petit, faible ou fort, beau ou laid, s'il ressemblait ou non à son père, s'il était plus Blanantais que Terrien ou plus Terrien que Blanantais.

C'était surtout Désirée qui monopolisait les pensées d'Agénor dans son voyage. D'elle, il n'arrivait pas à capter la moindre onde télépathique. Parfois, il lui arrivait de songer qu'elle était peut-être morte. Mais il lui semblait peu probable qu'une fille si forte, si éclatante de santé pût mourir à un âge si peu avancé, car il avait tendance à croire que les Terriens avaient le lent vieillissement des Blanantais et il s'imaginait que Désirée était restée pratiquement celle qu'il avait laissée, avec ses seins naissants, ses hanches minces, son teint d'adolescente, et que son fils savait à peine marcher alors qu'il était presque un jeune homme.

Agénor, donc, meublait son interminable voyage en pensant à Désirée. Il pouvait se remémorer clairement chacune des six fois qu'ils avaient fait l'amour, chaque caresse, chaque baiser, chaque va-et-vient, chaque aller, chaque retour.

Il se souvenait avec le plus de plaisir de la quatrième fois, la plus longue, la plus tendre, la plus douce. Pendant de longues minutes, il y avait eu un mélange inextricable d'émotion et de plaisir, comme jamais Agénor n'en avait connu avec une Blanantaise.

S'il n'avait pas fait l'amour une fois avec Marie-Clarina, il aurait peut-être cru que toutes les Terriennes étaient comme Désirée. Mais il était convaincu d'avoir trouvé en Désirée une femme exceptionnelle, et qu'il ne trouverait pas son égale, dût-il faire personnellement l'essai des quelque huit cents millions de Terriennes pubères.

Et plus il avançait dans l'espace, plus Agénor se convainquit d'être follement amoureux de Désirée.

« Je lui demanderai de partir avec moi, dans l'espace, vers une planète déserte », se disait-il.

Effectivement, il était facile de demander au tableau d'affichage la fiche signalétique de planètes habitables et présumées inhabitées.

Agénor passa de longues heures, chaque jour, donc des années entières pendant la durée du voyage, à imaginer la vie qu'il passerait avec Désirée.

Il s'imaginait avec elle, le long d'une plage peut-être, construisant une hutte sans confort. Il s'imaginait, pêchant avec elle — car elle aurait toujours besoin de se nourrir — des poissons merveilleusement multicolores. Il s'imaginait, passant avec elle des journées entières sans autre chose à faire que jouer aux trous ou au tic-tac-toc ou aux quatre coins s'il était possible d'inventer une version de ce jeu pour deux seulement. Il s'imaginait avec elle devant un grand feu de camp, à échanger des propos sans importance. Il s'imaginait surtout, nuit après nuit, à faire l'amour six ou sept fois. Il s'imaginait qu'il comprendrait de mieux en mieux ce qui fait jouir une Terrienne et que Désirée comprendrait de mieux en mieux les caprices d'un Blanantais.

« Je lui dirai tout sur moi », pensait Agénor en se rappelant l'histoire largement vraie mais aussi souvent fausse qu'il avait racontée à Marie-Clarina et aux autres Robillois.

À Désirée, donc, selon les méandres de la conversation sur cette planète déserte, il raconterait tout ce qu'il n'avait pas osé dire à Sainte-Robille, même ce qu'il détestait s'avouer à lui-même.

Il lui raconterait, par exemple, non seulement ses succès en communication télépathique commerciale, mais aussi ses échecs les plus retentissants. En particulier, le grand éclat de rire qui avait retenti spontanément chez tous les Quantasques lorsqu'ils avaient perçu le message (dont Agénor avait pourtant été si fier au moment de l'émettre) qui proclamait que telle marque de contraceptif « aimait l'amour mais pas l'amertume ».

Il raconterait aussi à Désirée à quel point il avait été mauvais compagnon pour les deux personnes de sexe opposé qui avaient partagé sa vie. Il irait jusqu'à dire à Désirée que parfois il avait préféré se masturber plutôt que faire l'amour, tellement il était devenu inepte à communiquer avec les autres autrement que par la pensée.

Il parlerait à Désirée de sa vanité, de son orgueil, de sa bêtise, de ses mesquineries, de ses petitesses.

Agénor était convaincu que Désirée ne pourrait l'aimer vraiment que lorsqu'elle le connaîtrait parfaitement, que lorsqu'elle aurait compris qu'on ne peut pas vivre plus de cinq cents ans sans moments de faiblesse, sans traîtrises, sans bassesses.

Ou plutôt non, il lui expliquerait que ces faiblesses, ces lâchetés, ces bêtises étaient en lui dès sa naissance et que seul un amour comme celui qu'il portait à Désirée pourrait l'en libérer.

Peut-être même irait-il jusqu'à lui avouer qu'il avait un jour contracté une bizarre maladie qu'il avait transmise à la personne qui partageait sa vie, sans oser lui dire qu'il la lui avait transmise, car il aurait alors été forcé d'admettre qu'il la tenait d'une autre personne du sexe opposé.

Mais Agénor se dit que cette partie de son histoire serait sans doute incompréhensible pour une Terrienne, et qu'il vaudrait mieux ne pas mentionner cet épisode particulièrement honteux.

*   *   *

Lorsqu'il commença à voir notre soleil, Agénor sentit avec de plus en plus de précision qu'il se produisait sur Terre des événements d'une violence peu commune. Et il sentit que son fils y était impliqué.

Il chercha à télécommuniquer avec lui, mais en vain. Il préféra donc s'approcher, survoler les continents en appelant constamment à la fois Désirée et son fils.

Une nuit, enfin, il perçut un message involontaire dans lequel certaines fluctuations ondulatoires ressemblaient à des hymonèmes typiquement quantasques.

Il continua toutefois à transcirculer autour de la planète, car la direction d'où le signal lui était parvenu était insuffisamment claire.

XXI

On peut résumer en trois lignes la bataille de Bletzédina : seize millions de soldats se lancèrent sur seize millions de soldats ennemis et en tuèrent les trois quarts, mais en se faisant eux-mêmes exterminer jusqu'au dernier.

Mais cela ne donnerait qu'une faible idée de l'intensité de la bataille de Bletzédina.

On pourrait aussi s'imaginer dans un ballon captif, loin au-dessus de la bataille, avec une vue d'ensemble parfaite. Mais cela ne rendrait pas compte de la bataille de Bletzédina telle que les combattants la ressentirent au sol.

Nous pourrions aussi emmener le lecteur avec nous à dos de cheval, courir à fond de train d'un bout à l'autre du front, pour arriver toujours par hasard au bon moment à l'endroit où l'action se ferait la plus vive. Mais cela ne ferait que donner une idée morcelée de ce qui se passa vraiment lors de la bataille de Bletzédina.

À moins que nous ne la voyions avec les yeux de dix ou cent ou mille soldats tour à tour, passant de l'un à l'autre au gré des péripéties de la bataille, comme si on avait planté dix, cent ou mille caméras de télévision et que l'on en voyait un montage habilement choisi pour toujours présenter au spectateur la scène la plus intéressante. Mais cela ferait perdre le sens du temps de cette bataille, et la bataille de Bletzédina se trouverait artificiellement condensée mais pas nécessairement plus dense.

Nous nous contenterons donc de vous faire vivre la bataille de Bletzédina par les yeux et les oreilles et le nez et les membres d'un seul homme, quitte à ne voir qu'une infime partie de cette bataille composée de vingt-huit millions de mises à mort dont chacune mériterait d'être décrite si le papier coûtait moins cher. Et, comme vous connaissez déjà Agénor et qu'il était là, avec son ami Mercure, pourquoi ne pas vivre cette bataille comme il la vécut ?

Après la malencontreuse inondation des galeries, les généraux qui professaient les idées les plus classiques, donc les plus meurtrières, les plus adaptées à la nature profonde de la guerre, firent valoir dans les deux camps les avantages incontestables de la guerre des tranchées : on savait toujours où on était, on savait toujours où était l'ennemi, on pouvait donner aux batailles des noms plus imagés et plus faciles à mémoriser que de vulgaires dates.

Et, même si les parlementaires orientaux protestèrent farouchement lorsqu'une conférence internationale donna raison à l'Occident qui réclamait qu'on mît fin à la guerre des galeries et en particulier aux inondations barbares, on sentit bien qu'ils ne protestaient que pour la forme, leurs généraux conservateurs ayant eux aussi fait valoir à leurs gouvernements que la guerre des galeries était sans avenir car les statistiques prouvaient qu'elle ne pouvait faire subir de graves pertes que par accident.

* * *

Agénor, Mercure, le colonel Denfert et la centaine d'hommes qui restaient du troisième régiment de Ville-Dieu furent affectés au premier régiment des Régions du Haut.

Le colonel Denfert fut rétrogradé au rang de sous-colonel, car il avait perdu la plupart de ses hommes sans avoir tué au moins un aussi grand nombre d'ennemis.

Comme le premier régiment, jusque-là encore inactif, devait immédiatement monter en ligne, Agénor et Mercure reprirent sans trop maugréer leur barda et leur fusil et suivirent le sous-colonel Denfert rouge de colère et de honte.

Sitôt arrivés en première ligne, il leur fallut recommencer à creuser les tranchées désaffectées, étayer celles qui étaient encore utilisables, en déplacer d'autres selon les plans fébriles du haut commandement. Ce fut un travail long et pénible, insupportable quand la pluie transformait en boue épaisse la terre argileuse, insupportable quand le soleil transformait tout en poussière qui brûlait les poumons, insupportable même lorsqu'une température clémente obligeait d'accroître la cadence pour rattraper le temps perdu à cause de la pluie ou de la sécheresse.

Lorsque tout ce beau réseau de défenses fut, de part et d'autre, soigneusement inspecté par les généraux, colonels et commissaires des gouvernements et déclaré impeccable, on commença aussitôt à le détruire.

Il y eut d'abord huit jours de pilonnage d'artillerie.

Des obus de toutes tailles, gros, petits ou moyens, de tous types, remplis de grenaille ou de dynamite, explosant instantanément ou après avoir longuement hésité aux pieds des soldats perplexes, lancés par toutes sortes d'appareils, canons, mortiers, catapultes, centrifugeurs, frondes automatiques, arcs-boutants élastiques et autres inventions des ingénieurs orientaux, plurent sans arrêt sur l'armée occidentale pendant que des projectiles étrangement semblables, tirés par des appareils étonnamment similaires créés par les meilleurs cerveaux occidentaux, taillaient en pièces les forces orientales.

Calés au fond d'une tranchée, Agénor et Mercure y virent une confirmation de plus de leur immortalité. Les obus pleuvaient autour d'eux, les soldats mouraient par dizaines, mais eux restaient là, accroupis dans la boue, se souriaient de temps à autre d'un sourire qui en disait long car il leur était impossible de parler dans ce bruit infernal.

Enfin, les canons se turent, un à un, comme si des deux côtés on s'était dit : « S'ils font taire un canon, on en fera taire un nous aussi. »

— Tu vois ! s'exclama Mercure en criant très fort car il croyait que le bombardement avait rendu son ami sourd.

Et Agénor, que le bombardement avait bel et bien rendu sourd pour quelques heures, sourit car il devinait ce que son ami voulait dire.

Il aurait pu entendre, venant de la droite, un crépitement de coups de fusils et de mortiers, mais il ne l'entendit pas. Il vit toutefois, en risquant un oeil par-dessus le bord de la tranchée percée au flanc d'une colline qui dominait la vallée de Bletzédina, des millions de petits points gris qu'il eut, de loin, du mal à reconnaître pour des hommes. Et cette espèce de marée humaine courait vers le centre de l'armée occidentale.

La bataille de Bletzédina venait de commencer. Pendant plus d'une heure, Agénor vit cette vague constamment remplacée par une autre vague toute semblable. Et il commença à s'inquiéter. Où allaient tous ces hommes ? Étaient-ils en train de renverser les premières lignes de l'armée occidentale ? Ne risquaient-ils pas de lui foncer dans le dos soudainement ?

À ce point de ses réflexions, Agénor regarda machinalement derrière lui. Mercure le vit faire et lui toucha le bras.

— Ne crains rien, cria-t-il.

Agénor ne l'entendit toujours pas, mais le comprit encore. Il sourit à Mercure qui lui sourit à son tour.

Et Mercure avait raison. Après une heure de ce déferlement ininterrompu de soldats orientaux, on vit soudain apparaître, courant en sens inverse, une vague d'uniformes bleus et rouges et jaunes et de toutes les couleurs. Les Occidentaux, à n'en pas douter, avaient laissé la première vague d'Orientaux s'enfoncer profondément dans un piège puis, l'ayant exterminée, se lançaient maintenant à l'attaque.

Pendant plus de quatre heures, jusque bien après midi, les uniformes bigarrés des Occidentaux montèrent à l'assaut. Agénor chercha à en évaluer le nombre. Mais le peu de connaissances mathématiques que lui avait laissées Dominique ne lui permirent pas une évaluation plus précise que « des millions et des millions ».

En fait, à ce moment-là, douze millions d'Occidentaux passèrent à l'attaque. Un quart d'entre eux, dont le premier régiment des Régions du Haut, furent laissés en réserve pendant les premières heures.

Mais, une fois que les neuf cent soixante-quatorze divisions du centre eurent enfoncé le centre de l'ennemi, écrasant tout sur leur passage, à force de poitrines trop nombreuses pour les balles adverses, on donna à la division dont le premier régiment des Régions du Haut faisait partie l'ordre de se mettre en marche.

Agénor, qui avait enfin recommencé à entendre, sortit de la tranchée.

À sa gauche, Mercure souriait de toutes ses dents. Jamais dans toutes ses guerres, il ne s'était à ce point senti du côté du plus fort, du plus nombreux, du plus victorieux.

Il eut envie de le dire à Agénor, ou de lui en faire signe par un regard, par un sourire, par un geste. Mais déjà il fallait courir, dévaler la colline vers les tranchées au fond de la vallée, que les Orientaux, comme des poux devant l'eau qui monte, avaient fuies en désordre.

Quelques balles perdues sifflaient vainement autour de Mercure et d'Agénor. Quelques obus imprécis explosaient de temps à autre, tuant quelques soldats mais ne ralentissant même pas d'un pas les autres autour d'eux.

Celui qui n'a jamais vécu une bataille comme celle-là, qui n'a jamais dévalé à fond de train une montagne en direction d'un ennemi qui fuit, celui-là ne peut pas dire qu'il a tout vécu.

Car autant les cris de douleur et l'odeur du sang peuvent être démoralisants lorsqu'on sait qu'ils viennent d'amis, de frères, de gens de son village ou de sa race, autant ces cris et cette odeur peuvent susciter l'enthousiasme et griser les sens lorsqu'on sait que ce sont les cris de douleur et l'odeur du sang d'un ennemi qu'on ne déteste pas vraiment, mais dont la défaite est la preuve qu'on lui est supérieur.

Mercure et Agénor, ivres de sang et de poudre, sautèrent d'un seul bond par-dessus la première tranchée orientale dans laquelle quelques soldats craintifs s'étaient terrés au lieu de fuir, ne demandant plus qu'à se rendre, mais déçus de voir toujours d'autres ennemis sauter par-dessus eux sans même les regarder.

Le premier régiment des Régions du Haut courut encore pendant plus de deux heures, jusqu'à ce que les jambes des soldats fussent incapables de faire un pas de plus. Sans attendre le signal de leurs officiers, les soldats se laissèrent tomber sur le sol pour reprendre leur souffle, exténués par une si longue poursuite.

* * *

Au même moment, à Ville-Dieu où il faisait encore nuit, dans son beau grand lit au milieu de sa belle grande chambre dans une belle grande maison, Mélodie s'éveilla.

Non pas en sursaut comme au milieu d'un cauchemar. Mais doucement, sans heurt, sans savoir pourquoi elle s'éveillait si doucement en pleine nuit.

Elle caressa son ventre de six mois. Non, ce n'était pas le bébé qui l'avait éveillée. Il dormait dans son ventre comme un bébé qui n'a rien à dire. Souvent, la nuit, il éveillait Mélodie et lui racontait des histoires folles de planètes lointaines, qui la faisaient rire aux éclats. Mais cette nuit-là, lorsqu'elle s'éveilla, le bébé, recroquevillé sur lui-même, le pouce dans la bouche de sa tête démesurément grosse, dormait.

Mélodie dut se concentrer pour enfin se rappeler le rêve que son réveil avait fait fuir.

Ah oui, c'était encore un de ces rêves où l'infâme sosie d'Hilare Hyon la poursuivait de ses meurtrières assiduités. Cette fois, il l'avait attachée au faîte d'un énorme pin, face au soleil. Et, sur le tronc, de l'autre côté, il avait commencé à donner de grands et puissants coups de hache. Peu à peu, il avait entamé le tronc, puis avait, du côté opposé de l'arbre, commencé une seconde entaille, pour s'assurer qu'il tomberait bien du côté où Mélodie était attachée.

Déjà, le tronc avait commencé à tressaillir, à grincer, à craquer sous l'effet des coups répétés. Les aiguilles, encore vertes et saines pourtant, tombaient de plus en plus nombreuses. Et Mélodie scrutait le ciel, plissant les yeux à cause du soleil et de sa myopie.

Mais où donc était l'ange ?

L'arbre s'était mis à pencher. Et toujours pas d'ange.

De plus en plus l'arbre penchait. Les branches inférieures touchaient au sol. Et, comme cela peut se produire dans les rêves, l'arbre penchait toujours sans tomber, malgré les lois de plus en plus pressantes de la logique et de la gravité.

C'est ainsi que Mélodie eut l'impression que son rêve s'était éternisé pendant des heures, l'arbre penchant de plus en plus, mais sans que le sol ne se rapproche. Et Mélodie attendait toujours ce diable d'ange qui n'arrivait jamais.

Elle s'était enfin tirée de ce songe, heureuse de ne pas avoir éveillé son bébé, mais troublée de cette étonnante exception à l'implacable dénouement de ses rêves.

Elle songea alors à Agénor. Mais il était devenu si loin d'elle — presque aussi loin qu'Hilare — qu'elle ne put se souvenir avec précision de ses traits.

Elle fut vexée de ce que cet amour qu'elle avait cru devoir être le grand amour de sa vie ait pu naître et disparaître si vite — plus vite encore que son amour pour Hilare Hyon du temps qu'elle était vierge.

Elle caressa donc son ventre et son fils. Et elle se dit que son amour pour ce fils serait, lui, éternel.

Le sommeil la reprit, mais sans rêve, cette fois.

Histoire de Mélodie

Comme la mère de Marie-Clarina, Mélodie D'Amour avait été envoyée très jeune au pensionnat.

Mais la comparaison s'arrête là.

La famille de Mélodie D'Amour étant très riche, on l'avait envoyée au meilleur pensionnat de Ville-Dieu, alors que Douaire avait été envoyée à un pensionnat si pauvre que les fermiers de la région disaient que le lait d'une vache suffisait à y envoyer deux filles.

Bien sûr, Mélodie fut tout aussi malheureuse dans son pensionnat que jadis Douaire dans le sien.

Mais, à la différence des couvents pauvres où on cherchait constamment à briser le rêve et l'imagination et l'envie de mieux vivre car on savait que les couventines ne verraient jamais leurs rêves devenir réalités, on laissait dans les couvents riches les jeunes filles imaginer tout ce que leur imagination pouvait imaginer, à condition que le tout se passât sous le couvert d'une morale irréprochable.

Chez les pauvres, on apprenait à éplucher des pommes de terre sans gaspiller le moindre morceau de chair blanche, parce qu'on savait qu'un mari apprécierait un jour cette qualité.

Chez les riches, on enseignait aux jeunes filles à parler pointu, à faire la révérence, à bien commencer et terminer des lettres qui s'adressaient à des ecclésiastiques, à des consuls, à des ministres ou à de simples députés, parce qu'on savait que c'était cultiver des qualités qui seraient un jour appréciées de leur mari. Et les bonnes soeurs savaient bien aussi que c'était le genre de qualités que les gens voulaient voir développer chez leurs filles, car c'étaient des garanties de bons mariages sans trop d'enfants mais avec beaucoup de domestiques.

Toutefois, les deux formes d'enseignement, l'une insistant sur le côté pratique des choses pour écarter toute forme de rêve et l'autre exploitant le rêve pour souligner le côté pratique des choses, en arrivaient malgré tout au même résultat : riches ou pauvres, les filles rêvaient.

C'était à croire que les filles de cette époque étaient faites pour rêver. Et, de toutes les filles de cette époque, la plus rêveuse était sans conteste Mélodie D'Amour.

Elle faisait, bien sûr, tous les rêves des jeunes filles d'alors : de chevaliers ardents, de sauveteurs illustres, de jeunes hommes beaux comme des dieux, de tous ces visages qui permettaient d'oublier que les gens autour d'elle étaient laids, bêtes et méchants.

De plus, presque chaque mois, elle rencontrait quelqu'un qui semblait moins laid, moins bête, moins méchant, et qui donnait à ses rêves une perspective nouvelle, mais rapidement oubliée.

Par exemple, un certain mois de décembre, une soeur violette était venue prononcer au couvent une causerie sur les missions, causerie qu'elle accompagna de projections de dessins qu'elle avait faits elle-même. La vue de tant de misère mais aussi l'effet de tant de bonté de la part d'une seule et unique et frêle petite soeur violette avaient frappé l'imagination de Mélodie, qui s'était aussitôt vue missionnaire elle-même. Son bulletin de Noël fit état d'une plongée vertigineuse de ses notes, à l'exception de la géographie (nécessité absolue pour une missionnaire), de la gymnastique (autre nécessité si on veut marcher loin et vite) et du dessin (excellent instrument de recrutement).

Mais, pendant les vacances de Noël, elle fit la connaissance d'un homme d'une trentaine d'années qui, attiré par la beauté et la candeur de la jeune fille de quinze ans, lui affirma être trafiquant de drogues. Révoltée à prime abord, Mélodie fut rapidement séduite par cette profession pleine d'aventures qu'elle rêva de partager avec cet homme. D'ailleurs, des bonnes notes en géographie et en gymnastique pourraient lui être tout aussi précieuses dans cette profession.

Seul le dessin subit une baisse dans le bulletin de janvier.

Heureusement, à Pâques, alors que sa famille avait abandonné tout espoir de la voir quitter le dernier rang de sa classe, elle rencontra un jeune homme de seize ans, qui lui fit valoir les vertus du savoir et de l'intelligence face à une populace ignorante et bête. Il accompagnait ses exposés, dans le jardin des D'Amour, de gestes qui n'avaient rien à voir avec ses propos et que Mélodie remarqua à peine car elle était beaucoup plus séduite par toutes ces théories ultramodernes que par le cheminement maladroit d'une main sous son corsage ou sous sa jupe.

Cette époque intellectuelle de Mélodie lui permit de rejoindre à temps le peloton de tête de sa classe. Et la famille D'Amour, soulagée, la vit lors de la distribution des prix revenir les bras chargés d'ouvrages édifiants mérités par ses efforts de dernière heure et par les dons de dernière minute que sa famille avait offerts au couvent.

L'été qui suivit, elle rencontra le tout premier maître-nageur jamais embauché pour surveiller la plage publique de Ville-Dieu et fut soulevée d'enthousiasme par ses théories toutes neuves sur la beauté du corps reflet de l'âme et sur les bienfaits esthétiques et spirituels de l'exercice. Elle convainquit son père de lui payer des cours de natation, ce qui donna au jeune homme l'occasion de faire force démonstrations de sa technique à des endroits qu'il jugeait trop peu développés chez son élève.

À la rentrée des classes, elle tomba amoureuse de son professeur de latin, jeune religieuse nerveuse, mal à l'aise dans ses conjugaisons mal apprises, mais dont la beauté angélique et les larmes qui lui venaient aisément aux yeux chaque fois que ses élèves devenaient turbulentes séduisirent Mélodie.

Il y eut entre Mélodie et la jeune religieuse une de ces amitiés qu'on appelle particulières ; elles s'embrassèrent une fois, brièvement, sur les lèvres.

Le lendemain, on trouva la religieuse écrasée sur le sol, sous sa fenêtre. Et on soutint qu'elle avait dû tomber en poussant les volets.

Naïvement, Mélodie crut cette histoire, comme elle croyait toutes celles qu'on lui racontait.

Sa naïveté était d'ailleurs sa meilleure arme contre les séducteurs qui ont la détestable manie d'user de chemins détournés pour en arriver à leurs fins.

Ils ignoraient qu'avec Mélodie tous leurs jeux étaient pris au sérieux. Et que, dès qu'ils l'avaient lancée sur la piste de l'aventure ou de l'intelligence ou de l'exercice, il était difficile de la ramener à d'autres considérations.

* * *

La beauté de Mélodie était déjà renommée dans tous les collèges de garçons de Ville-Dieu lorsqu'elle fêta ses seize ans. Mais plus sa beauté s'affirmait et plus sa réputation de beauté grandissait, plus Mélodie se trouvait laide.

Se regardant dans le grand miroir de sa chambre, elle jugeait ses seins trop petits, sa taille trop large, son nez trop long, ses yeux trop sombres. Et tout cela était vrai. Mais elle ignorait ce que sait tout homme qui sait regarder les femmes : ce n'est pas d'un ensemble de perfections que sont formées les plus grandes beautés.

Déçue d'elle-même comme des hommes qui l'approchaient, Mélodie se réfugia de plus en plus dans le monde de l'imaginaire.

Peu à peu, son propre visage se transforma dans ses rêves en un visage qu'elle jugeait idéal et qui lui ressemblait peu, mais avait beaucoup de points communs avec celui de la jeune et jolie religieuse qu'elle avait connue.

Et graduellement ses rêves adoptèrent un déroulement commun, un scénario constant, pourrait-on dire.

Tout d'abord, il y avait la période d'attente, pendant laquelle la jolie Mélodie au visage de jeune religieuse attendait patiemment en lavant la vaisselle ou en gardant les moutons, en jouant du piano ou en se promenant à cheval, que quelque chose se produise.

Puis, survenait le vilain, affreux homme aux moustaches tombantes et au sourire sardonique (il prendrait le visage d'Hilare Hyon une fois qu'elle serait devenue sa femme), qui s'emparait d'elle et la plaçait dans une des situations éminemment dangereuses que nous avons décrites précédemment.

Et, finalement, l'ange aux ailes duveteuses se lançait à la rescousse, tuait le vilain (qui, curieusement, revenait tout aussi vigoureux dans le rêve suivant), puis sauvait la belle et, après lui avoir accordé un chaste baiser, repartait dans le ciel.

Tout cela se déroulait dans sa tête comme un film, en noir et blanc, et sans le moindre son.

Avec le temps, toutefois, il arriva parfois que les rêves de Mélodie fussent parlants et en couleur, mais alors étrangement brouillés de lignes horizontales. Et le curieux subconscient de Mélodie interrompait ses rêves aux moments les plus dramatiques, et un homme, venu d'elle ne savait où, se mettait à lui vanter les mérites de la lessive Passebrain, ou de la bière Hyon, ou de la carriole Suprême (tous produits fabriqués par les nombreuses entreprises d'Hilare Hyon). Mélodie n'appréciait pas ces interruptions, même si son rêve reprenait aussitôt après au point où elle l'avait laissé.

Les années passaient ainsi, bien à l'abri des réalités. Mélodie ignorait que des gens vivaient dans des taudis ou crevaient presque de faim en travaillant comme des forcenés pour son père ou pour d'autres gens comme lui. Mélodie habitait au flanc du Mont-Dieu. Son pensionnat était au flanc du Mont-Dieu. Quand elle devait aller à la campagne ou chez des amis ou dans un restaurant, elle s'enfermait dans un beau carrosse à l'intérieur garni de velours et de rideaux de brocard que le cocher, sans quitter son siège, tirait à l'aide d'une ficelle lorsqu'on approchait d'un quartier pauvre ou d'un ivrogne affalé dans un caniveau ou de tout autre spectacle jugé indigne des yeux d'une jeune D'Amour.

C'est pourquoi la rencontre de Xavier Françon faillit la marquer profondément.

Mélodie avait alors dix-huit ans, presque dix-neuf. Et elle fit la connaissance de Xavier lors d'une soirée donnée pour l'anniversaire d'une de ses amies.

Elle s'y ennuyait, mais sans se rendre compte qu'elle s'ennuyait, ses pensées l'entraînant loin des gens et des choses. Et un jeune homme à la barbe jeune mais volontairement provocante vint s'asseoir près d'elle, au pied de son fauteuil.

— Joli spectacle, fit-il en montrant du menton, avec dégoût, les couples qui dansaient des valses élégantes mais sans volupté.

— Oui, répondit Mélodie qui n'avait pas saisi l'ironie des propos de son interlocuteur.

À son tour, le jeune homme se méprit sur le sens du « oui » de Mélodie, croyant qu'il s'agissait d'une véritable approbation, alors qu'il ne signifiait que « comme vous voudrez » ou « puisque vous le dites ».

Encouragé, le jeune homme se lança dans un long discours sur la situation des pauvres, l'arrogance des possédants, l'inconscience des enfants de riches.

Étonnée, Mélodie l'écouta sans dire un mot. Elle découvrit en une demi-heure l'horreur réelle de sa situation, l'artificialité de sa propre vie, la fragilité même de cette existence face aux remous inévitables que les abus de la bourgeoisie alliés à la cupidité des occupants zanglais ne manqueraient pas de susciter un jour.

Mélodie revit le jeune homme plusieurs fois dans les semaines qui suivirent. Elle découvrit avec stupéfaction les quartiers pauvres. Elle vit la misère et la famine. Elle vit les enfants au ventre gonflé et les mères au sein maigre presque tari. Elle entendit les pleurs, les toussotements, les crachotements. Elle sentit la pourriture et l'odeur de mort qui régnaient dans des quartiers entiers.

Xavier la fit même entrer, déguisée en pauvresse, dans une usine de cornichons D'Amour, où des enfants de sept ou huit ans peinaient à brasser les cornichons dans la saumure, où des femmes enivrées par des années à respirer l'odeur du mauvais vinaigre devaient travailler debout pendant douze ou quatorze heures de suite, six jours par semaine, à mettre en pots les cornichons Jours de Gloire dont la famille D'Amour était si fière.

Bouleversée, Mélodie dévorait tous les livres que lui prêtait Xavier. Ceux de l'anarcho-syndicaliste régionaliste Perrault, qui soutenait que « si Dieu avait voulu que l'homme travaille, il lui aurait fait les bras trop courts pour qu'il puisse se poigner le cul », et le scandaleux *Droit à la vie* de Matam Diam qui répétait douze fois, pour qu'on le comprenne bien et qu'on s'en souvienne longtemps, que « si on est né, c'est pour vivre, et si on vit c'est pour mieux vivre », et qui se terminait par un appel au meurtre de « quiconque possède une maison dans laquelle il n'habite pas, quiconque est propriétaire d'une usine dans laquelle il n'est pas le seul à travailler, quiconque prétend que sa femme ou ses enfants lui appartiennent ».

Elle ne comprit pas tout, car son éducation ne l'avait pas préparée à comprendre des mots comme « syntharsisme », « fragmentarisation idéologique » ou « lutte intrasociale ».

Mais elle comprit quand même qu'il y avait des hommes qui étaient prêts à tout, par la plume ou par l'épée, pour mettre fin à la domination d'hommes comme son père. Et que ces hommes avaient raison.

Secrètement, elle élabora son propre projet pour participer à cette lutte : un soir que son père aurait invité la meilleure société de Ville-Dieu — les Hyon, les Dunn, les Bradstreet, les Lougheed, les Davis — elle ferait exploser une bombe au beau milieu du grand salon. Et la bonne société de Ville-Dieu laisserait alors la place aux travailleurs qui seraient libres de s'emparer des usines et des moyens de production.

Ce beau plan fut jeté par terre par la maladresse de Xavier. Celui-ci, un soir qu'il l'avait invitée dans sa chambre de bonne, lui fit voir des documents qu'il disait être de la plus haute importance dans la lutte de libération des travailleurs.

Alors que Mélodie, myope, se penchait sur la table pour essayer de déchiffrer ces documents (d'ailleurs tout à fait sans rapport avec la lutte de libération des travailleurs, puisque c'étaient les notes de blanchisserie de Xavier), elle sentit une main se faufiler sous sa jupe et s'insérer dans sa culotte.

Elle gifla Xavier. Et celui-ci aurait encore pu faire marche arrière, s'excuser, prétexter un amour profond ou des désirs incontrôlables.

Mais non : Xavier Françon était vaniteux. Et il fut incapable de croire que Mélodie pût vraiment le repousser.

Il insista donc, l'enlaça, même si elle se débattait furieusement. Mélodie dut l'assommer d'un coup de presse-papier pour qu'il lâche prise.

L'incident aurait pu n'affecter que les relations entre Mélodie et Xavier. Mais, on l'a vu, Mélodie était incapable de faire une distinction nette entre les idées et les gens qui les exprimaient.

Elle se désintéressa donc entièrement du sort des travailleurs.

Et, quand vint la soirée où elle s'était promis de tuer toute la bonne société de Ville-Dieu, elle accepta même de rire deux fois et de danser aussi souvent avec Hilare Hyon.

Ses parents, qui connaissaient mal leur fille comme la plupart des parents qui ont assez d'argent pour faire élever leurs enfants par quelqu'un d'autre, la crurent amoureuse et acceptèrent la demande en mariage d'Hilare Hyon. Cela leur fut d'autant plus facile que, s'ils avaient refusé, Hilare aurait pu aisément les mettre en faillite.

Mélodie se retrouva donc, sans même y avoir porté beaucoup d'attention, mariée à un homme dur mais doux avec elle, un homme qui l'aimait à sa manière, brusque mais direct.

Elle ne se détourna jamais complètement de lui, car jamais il ne lui avait semblé représenter un idéal. Il ne fut donc jamais en contradiction avec cet idéal.

Plus que jamais les rêves de Mélodie reprirent leur emprise sur elle.

Et après cette nuit où le dénouement habituel ne mit pas fin à son songe, Mélodie s'interrogea longuement sur le sens de cet événement.

Elle en vint à la conclusion qu'elle ne devait plus compter sur Agénor pour se sauver elle-même. Ce qui était tout à fait juste.

Mais elle en vint aussi à la conclusion que ce serait son enfant, ce frêle bébé qui sortirait dans quelques semaines de son ventre, que ce serait lui qui la sauverait. Ce qui était le plus insensé de tous ses rêves.

XXIII

Le premier régiment des Régions du Haut s'était remis en marche et avait commencé à gravir une colline boisée. Comme ils en avaient pris l'habitude, Mercure et Agénor marchaient en queue de colonne (c'était un autre des secrets de longévité de Mercure).

On avait peine à croire qu'on pouvait être en guerre et à plus forte raison en première ligne. Le canon et la fusillade s'étaient tus. Il faisait beau. La colline était couverte de chênes comme on en voit peu d'aussi grands dans les forêts des Régions du Haut. Le sentier que la troupe suivait était propre, bien aménagé, tout en courbes et en pentes douces, beaucoup plus sentier de promenade que sentier de guerre.

— Tu vois, soliloquait Mercure, la chance est encore avec nous. Hier, nous étions placés à l'endroit où les Orientaux n'ont pas attaqué et, par conséquent, à l'endroit où nous n'avons pas été les premiers à contre-attaquer. Tout n'a été pour toi et moi qu'une simple promenade. Et les quelques obus qui ont été tirés dans notre direction sont tombés loin de nous...

Pendant que Mercure parlait, Agénor était plongé de plus en plus profondément dans des pensées lointaines. Il pensait à Marie-Clarina devenue vieille et faible, mais qui devait encore l'aimer, et à laquelle il n'avait même pas eu la décence de dire adieu. À la prochaine occasion, il lui écrirait une lettre, pour s'excuser et pour lui dire qu'il s'était trompé, que la guerre n'était pas une belle aventure, mais une sale boucherie. Il écrirait à sa mère aussi, pour lui dire de ne pas s'inquiéter, que son fils reviendrait bientôt couvert de gloire et qu'elle serait fière de lui et qu'il travaillerait à n'importe quoi mais qu'il travaillerait pour la faire vivre sans qu'elle ait à compter sur les générosités d'un Hilare Hyon.

Et si Agénor avait pu être sûr que sa lettre ne tomberait pas entre les mains du mari, il aurait aussi décidé d'écrire à Mélodie, pour lui dire que peut-être il l'aimait, car en ce moment il aurait voulu être entre ses bras, dans ce grand lit moelleux de la chambre 303 de l'hôtel Hyon, à serrer son corps frêle, presque à le briser, à lui dire des paroles douces, à écouter sa voix chantante.

*   *   *

L'aile droite des Orientaux s'était retranchée au sommet de la colline 567 et attendit patiemment que les premiers millions de soldats occidentaux fussent à portée de leurs millions de canons, mitrailleuses, carabines, mortiers, lance-pierres, lance-flammes, paltoqueurs, feux grégeois, trucideurs et autres armes, avant de lancer sur eux un véritable enfer de feu, de plomb, de mitraille, de pierres fondues ou désagrégées.

Des millions de soldats occidentaux moururent sans savoir comment, sans savoir si c'était un tir direct d'obus, ou le souffle d'une explosion, ou un sabre arraché de la main d'un officier, ou un arbre abattu, ou tout simplement une terreur insupportable qui les arrachait à la vie. Du premier régiment des Régions du Haut, seuls Agénor et Mercure demeuraient vivants, au fond d'un cratère d'obus, après une grêle de bras et de têtes, d'orteils et de torses.

— Qu'est-ce que je t'avais dit ? dit Mercure sans qu'Agénor sache trop ce qu'il voulait dire.

Et c'est à ce moment-là qu'une balle perdue, ayant sans doute ricoché sur quelque pierre trop dure, vint percer de bord en bord la gorge de Mercure.

— Ce n'est rien, dit Mercure.

Mais Agénor, entendant cette phrase se terminer en un étrange gargouillis, se tourna vers lui et vit le sang gicler de la bouche de son ami. Il fut lui-même éclaboussé et dut passer sa manche sur son visage pour s'essuyer.

Mercure avait roulé sur le dos, le sang continuant à pisser de sa gorge et de sa bouche. Il était mort. Seules ses lèvres, par habitude, sans doute, continuaient à frémir, tentaient de prononcer des mots qu'Agénor ne pouvait distinguer, mais qui pouvaient être « Qu'est-ce que je t'avais dit ? »

Agénor se sentit plein de rage. Plein de rage envers lui-même, d'être allé se mettre dans un pareil pétrin. Plein de rage contre Mercure, cet imbécile convaincu d'être immortel alors qu'il aurait bien dû savoir qu'il mourrait un jour. Plein de rage contre l'Occident et contre l'Orient incapables de vivre sur la même planète sans s'entre-tuer inutilement. Plein de rage contre Dieu qui ne faisait rien pour empêcher cela s'il existait, qui donc existait pour rien. Plein de rage même contre sa propre vie, qu'il sentait en train de lui fuir entre les doigts, comme si chaque seconde qu'il lui restait était déjà comptée.

Agénor se leva, prit son fusil et sortit de son cratère d'obus.

Les Orientaux, à quelques pas seulement, le regardèrent avec stupéfaction. Ils étaient sûrs que tout ennemi à portée de fusil avait dû être déjà transpercé de cinq ou dix ou vingt balles. Mais ils avaient continué à tirer parce que leur chef, ce matin-là, leur avait dit qu'il ferait fusiller tous ceux à qui il resterait plus d'une douzaine de cartouches.

Ils virent donc émerger du brouillard de poudre et de poussière un jeune homme solidement bâti, au visage barbouillé de sang, et qui les menaçait de son fusil.

Ils arrêtèrent de tirer.

Leur chef, qui parlait un peu le vieux-paysan et croyait qu'il s'agissait d'un soldat d'une des divisions vieux-paysannes qu'ils venaient de tailler en pièces, jugea qu'il était temps de se montrer magnanime.

— Soldat, fit-il, brave soldat. Rendez-vous et nous vous laisserons la vie sauve.

Furieux, Agénor brandit son fusil, chercha ses mots.

— Mange de la marde ! cria-t-il enfin.

Le mot aurait pu passer à l'histoire s'il en était resté des témoins.

Mais un étrange rayon balaya alors ce coin du champ de bataille et fit tomber les uns après les autres tous les Orientaux à portée de voix d'Agénor.

Puis, par-dessus le bruit de la mitraille, comme s'il s'était agi d'une voix venant de l'intérieur de lui-même, Agénor entendit :

— Viens. Laisse-toi faire et tu vivras.

Agénor leva les yeux et vit, à travers la fumée, un étrange appareil rond et plat qui flottait à plusieurs pieds au-dessus de sa tête.

— Viens, mon fils, continua la voix.

— Mange de la marde ! répéta Agénor à l'intention cette fois de la voix qu'il entendait dans sa tête.

Il mit son fusil à l'épaule et tira un coup de feu en direction du vaisseau.

Une seconde plus tard, un obus, tiré par un canonnier qui avait peur de se faire fusiller s'il ne dépensait pas sa pleine ration de munitions, explosa à quelques pieds d'Agénor. Un éclat transperça son uniforme à la hauteur du coeur. Agénor s'écroula, foudroyé.

Et il mourut, sans même se rendre compte qu'il mourait car il croyait encore qu'il continuerait à vivre, longtemps, sinon toujours.

S'il avait cru à l'immortalité de l'âme, peut-être son âme se serait-elle envolée au-dessus du champ de bataille, traversant la fumée et l'odeur de poudre et de chair brûlée, s'enfuyant loin de la mort et de l'horreur, disparaissant peu à peu dans le bleu du ciel, puis, passée l'atmosphère terrestre, dans le noir d'encre de l'infini, montant sans relâche vers un paradis qu'elle atteindrait un jour, à force de coups d'ailes.

Mais Agénor ne croyait pas à l'immortalité de l'âme, et son âme mourut.

Peut-être, s'il avait cru à l'immortalité de la matière, son corps se serait-il mêlé à la terre et, une fois la bataille terminée, se serait-il transformé en brin d'herbe ou en pousse d'arbre, ou en mousse sur une pierre, pour ensuite lentement devenir partie d'une abeille ou d'un oiseau ou d'un lièvre ou d'une vache, pour un jour redevenir homme ou femme.

Mais Agénor n'avait jamais entendu parler d'immortalité de la matière. Et, de toute façon, il n'y aurait pas cru. S'étant imaginé entièrement immortel, il n'aurait pu accepter ni la mort de son corps, ni la mort de son âme.

Son corps n'eut donc pas le choix. Il passa plusieurs jours au soleil. Les corbeaux, puis les vautours s'amenèrent, dévorèrent d'abord les meilleurs morceaux : les yeux et la langue. Puis les tripes répandues sur le sol. Un loup, un soir, vint se repaître de ses muscles. Des vers, nombreux, furent aussi de la curée.

Trois semaines plus tard, lorsque des équipes de brancardiers-charognards orientaux vinrent nettoyer le champ de bataille, le corps d'Agénor comme celui de bien d'autres n'était plus qu'un squelette blanchi par la pluie et le soleil.

Un médecin qui surveillait les travaux avisa ce squelette grand et robuste et demanda à un des brancardiers de le lui mettre de côté, car c'était un squelette d'une beauté exceptionnelle.

Et c'est ainsi qu'Agénor, dix ans plus tard, à la fin de la guerre, se retrouva dans une salle de cours d'une université de Moursks, à côté d'un squelette de femme.

Pendant plusieurs siècles, il servit à illustrer les différences fondamentales entre le squelette d'un homme et le squelette d'une femme.

Cette fin, s'il l'avait connue, lui aurait sûrement plu autant qu'une autre.

* * *

Désirée ne versa pas une larme lorsque Marie-Clarina lui lut le télégramme annonçant sèchement que son fils était mort au champ d'honneur.

— Champ d'honneur, répéta-t-elle en haussant les épaules.

Marie-Clarina ne pleura pas non plus, même si elle en avait bien envie.

* * *

Ce soir-là, Désirée annonça à Hilare Hyon la mort de son fils.

Et, au petit jour, Hilare apprit la nouvelle à Mélodie, quelques minutes après qu'elle eut donné naissance à un beau gros garçon blond.

317

Ce fut Hilare qui suggéra qu'on lui donnât le nom d'Agénor.
Et Mélodie acquiesça sans mot dire.

* * *

Quant au grand-père de ce nouvel Agénor, il chercha encore à entrer en communication avec Désirée. Mais il n'y parvint pas.

Il retourna à Sainte-Robille, où Tramore et Estrelle rendus si vieux qu'ils commençaient à craindre qu'ils ne mourraient jamais lui dirent être sans nouvelles de Désirée depuis son départ pour Voldar seize ans plus tôt.

Il survola Voldar sans voir Désirée. Il se mit en transcirculation autour de la Terre pendant douze ans, sans plus jamais percevoir la moindre émission de Désirée ou de son fils.

Il finit par renoncer à retrouver celle qu'il s'imaginait par distraction être encore une jeune femme et repartit pour Blanante, où on le jeta en prison pour refus de pourvoir.

Post-scriptum

Le lecteur aura peut-être un jour l'occasion de lire d'autres histoires du même auteur, qui précéderont ou suivront celles-ci.

Mais il devra être patient, car l'auteur n'en avait pas encore écrit une ligne au moment de terminer ce récit.

Il n'en demeure pas moins évident que cette attente sera moins longue si chaque lecteur conseille à ses amis d'acheter ce livre, aidant ainsi à créer une demande à laquelle l'auteur ne saurait rester insensible.

De plus, l'auteur aimerait en savoir plus long sur ce que pensent les gens qui le lisent. On peut donc lui écrire au 901 de la rue Napoléon, Montréal (Québec) H2L 1C4. Sans s'engager à répondre, il promet toutefois de lire tout ce que lui écriront ceux qui l'auront lu. Ce ne sera que justice.

Table des matières

I   11
Histoire de Marie-Clarina   28
III   41
Histoire de Tramore   53
V   79
Histoire d'Agénor   85
VII 100
Histoire de Clarence Boogwallow 122
IX 131
Histoire de Clorimont 149
XI 168
Histoire d'Anatole de la Tour Magnanime 174
XIII 182
Histoire de Louis-Napoléon Duquette 217
XV 222
Histoire de Dominique 227
XVII 233
Histoire d'une partie de religions 257
XIX 264
Véritable histoire d'Agénor 293
XXI 298
Histoire de Mélodie 305
XXIII 313

Achevé d'imprimer sur les presses de
L'IMPRIMERIE ELECTRA*

*Division de l'A.D.P. Inc.

Imprimé au Canada/Printed in Canada